CW00662717

L'ESPACE
LES ENJEUX ET LES MYTHES

Chez le même éditeur

Collection « Sciences »

ALVAREZ Walter, *La Fin tragique des dinosaures.*

BARROW John, *Les Origines de l'Univers.*

DAVIES Paul, *Le Big Crunch. Les trois dernières minutes de l'Univers.*

DAWKINS Richard, *Le Fleuve de la vie. Qu'est-ce que l'Evolution ?*

DENNETT Daniel, *La Diversité des esprits.*

FIEBAG Johannes et SASSE Torsten, *Mars, planète de la vie.*

KANDEL Robert, *Les Eaux du ciel.*

LEAKEY Richard, *L'Origine de l'humanité.*

MEYER Philippe, *Leçons sur la vie, la mort et la maladie.*

MEYER Philippe, *De la douleur à l'éthique.*

NOTTALE Laurent, *La Relativité dans tous ses états.*

STEWART Ian, *La Nature et les Nombres.*

ANDRÉ LEBEAU

L'ESPACE

LES ENJEUX ET LES MYTHES

Sciences

HACHETTE
Littératures

Remerciements

Ce livre doit beaucoup aux grands professionnels que j'ai côtoyés au cours des années que j'ai passées au Centre national d'études spatiales, à l'Agence spatiale européenne et à Météo-France. Je ne saurai les citer tous, mais ceux d'entre eux qui me liront reconnaîtront peut-être leur apport. Je souhaite cependant faire une place à part au général Robert Aubinière qui a bien voulu, comme il le fit si souvent dans le passé, m'encourager et me critiquer et qui demeure, pour moi comme pour ceux qui ont eu le privilège de travailler sous sa direction, un exemple.

Je remercie mes collègues du Conservatoire national des arts et métiers, Raymond Saint-Paul, Jean-Jacques Salomon et Geneviève Schméder pour le temps qu'ils ont consacré à lire mes ébauches, pour leurs critiques et pour leurs suggestions. Leur amitié et celle d'Alain Gaubert, secrétaire général d'Eurospace et professeur associé au Conservatoire, m'ont été un puissant encouragement.

Xavier Pasco, par ses commentaires appuyés sur sa profonde connaissance de la politique spatiale des Etats-Unis, m'a apporté une contribution précieuse dont je lui sais le plus grand gré.

Marc Giget, fondateur et directeur d'Euroconsult, m'a permis d'accéder aux vastes ressources documentaires que son entreprise a constituées et qui fournissent, pour toute réflexion sur l'espace, un cadre indispensable ; je souhaite lui en exprimer ma reconnaissance et lui dire mon admiration pour ce qu'il a su créer.

Je voudrais, pour finir, exprimer ma gratitude à tous ceux qui, obscurs ou célèbres, consacrent leur talent et leurs efforts à construire l'Europe et sans lesquels écrire ce livre n'aurait pas eu de sens.

Préambule

Année géophysique internationale, 6 octobre 1957, station Dumont-d'Urville, terre Adélie. L'équipe française qui achève son hivernage sur la côte du continent antarctique reçoit un message en morse de ses voisins, les Soviétiques de la station de Mirny, à 2 000 km à l'ouest. Le morse est notre seul lien avec le monde et le message nous dit ceci : « Réglez un récepteur de trafic à 20 MHz, écoutez et rappelez-nous. »

Nous avons écouté le bip-bip de Spoutnik 1 émerger, disparaître et revenir. Nous avons sollicité et reçu les explications de nos collègues ; nous les avons félicités et chacun s'en est retourné aux lourdes tâches quotidiennes de l'hivernage antarctique.

Il y a de cela quarante années. L'espace, depuis, m'a rejoint et a occupé ma vie, longtemps de façon exclusive. Et puis le temps est venu pour moi de prendre de la distance et de passer du rôle d'acteur à celui de spectateur, fût-il engagé.

Un peu plus de trente années de ma vie professionnelle consacrées à l'espace et à ses usages couvrent les trois quarts de la durée qui va de l'émergence de la technique spatiale à sa maturité actuelle. Non que son évolution soit achevée, loin de là, mais son ancrage dans la société est accompli et l'élève au rang des techniques majeures avec, peut-être, ce quelque chose en plus qu'en d'autres temps, pas si lointains, on attribuait à l'aéronautique. L'espace possède encore, comme ce fut le cas de l'avion à ses débuts, une charge émotionnelle, une dimension mythologique, qui, mêlant inextricablement fantasmes et concepts, intervient dans le comportement de ses acteurs et singulièrement dans celui du pouvoir politique.

L'objet de ce livre est de proposer une réflexion sur la politique spatiale, alors que le contexte dans lequel s'inscrit cette politique s'est profondément transformé au cours de la dernière décennie. La fin de la guerre froide et de l'affrontement idéologique entre le monde communiste et le monde occidental est un premier élément de cette transformation qui, sauf à suivre les ornières du passé, prive les entreprises de pur prestige de toute logique politique forte.

L'émergence d'un puissant marché concurrentiel en est un deuxième, la montée d'une dépendance stratégique globale de la société civile à l'endroit de la disponibilité des moyens spatiaux en est un troisième, le plus caché et celui, sans doute, qui devrait être le plus déterminant pour une conception de l'action de l'Etat.

Je me propose d'examiner les éléments qui devraient servir à définir la politique spatiale de l'Europe. Naturellement, il n'y a pas une seule politique spatiale qu'il s'agirait d'identifier et de promouvoir ; il y a un choix ouvert de démarches cohérentes, en fonction, en particulier, du niveau des dépenses publiques que l'on choisit de consacrer à ce type d'action dans le cadre plus général de la politique des Etats. Il appartient évidemment au pouvoir politique de choisir ce niveau comme de déterminer les objectifs et les priorités. Mais, dans un domaine où fleurit sur fond d'ignorance, dans certains cercles, une approche faite d'un mélange de romantisme et d'amateurisme, on voit aussi prospérer des démarches incohérentes qui n'ont de politique que le nom et qui ne sont guère plus que la traduction en projets de vagues fantasmes. L'espace recèle des enjeux suffisamment importants pour mériter qu'on l'aborde de façon explicite et cohérente. C'est en tout cas ainsi qu'en ont jugé les Etats-Unis où la politique spatiale est exprimée avec clarté, en termes d'objectifs, au niveau le plus élevé de l'Etat, non pas, naturellement, que cela les mette à l'abri de toute erreur stratégique, mais cela leur donne au moins la capacité de juger de leurs succès et de leurs échecs dans le cadre d'un dessein. Il s'en faut encore de beaucoup, et on peut le regretter, que ce soit le cas en Europe.

C'est pourquoi l'analyse des enjeux, des objectifs qui leur correspondent et des priorités qu'une politique spatiale européenne peut s'assigner, est une tâche digne qu'on lui consacre des efforts.

Sans doute serait-il plus simple de s'exprimer de façon péremptoire sur la nécessité de conduire tel ou tel projet en apportant à l'appui de ces positions un argumentaire de circonstance. Une telle conduite est celle qui convient lorsqu'on se donne comme objectif à court terme d'influer sur les décideurs politiques, d'ailleurs naturellement enclins par la brièveté de leur horizon temporel à privilégier les décisions ponctuelles. C'est à cette méthode que recourent trop souvent les agences spatiales et ceux qui gravitent autour d'elles. L'espace mérite autre chose et mieux que cette vulgaire quête de pouvoir ou de notoriété ; comme tous les aspects de l'action publique, la politique spatiale ne peut échapper à une contrainte de rigueur et à une exigence déontologique ; c'est dans cette exigence que ma tentative cherche son sens.

Lorsque la technique spatiale est née, au milieu des années 1950, aux Etats-Unis et en Union soviétique, son potentiel était très imparfaitement perçu, mais il l'était dans certaines de ses dimensions essentielles. Seule peut-être sa capacité à révolutionner les télécommunications avait quelque peu échappé aux « *think tanks* » penchés sur son berceau. En outre, le lien organique entre l'accès à l'espace et la capacité balistique pesait lourd dans le contexte de guerre froide qui prévalait alors ; il imposait une relation forte avec les impératifs de sécurité nationale, et appelait la vigilance des responsables de la défense. Il était également évident que l'accès à la maîtrise de la technique spatiale ne pouvait être laissé aux seules forces du marché, tant apparaissaient éloignées les applications rentables mais aussi parce que, dans les domaines d'efficacité les plus immédiatement perceptibles, comme la connaissance de l'Univers extérieur ou l'observation militaire, l'existence même d'un marché n'était pas concevable.

Cependant, on ne comprendrait rien à ce qui s'est passé aux origines et pendant la guerre froide si l'on omettait de prendre en compte, à côté de la démarche rationnelle qui relie la politique spatiale à des objectifs stratégiques, économiques et industriels, une dimension plus irrationnelle qui l'associe à la politique étrangère. Américains et Soviétiques, affrontés dans une lutte pour la suprématie mondiale, ont trouvé dans l'espace un outil d'affirmation symbolique de leur leadership ; ils ont engagé des démarches parallèles, impliquant totalement la puissance publique dans ce qui allait devenir, pendant de longues années, avec la course à la Lune, le symbole privilégié de la prééminence. Ce n'est d'ailleurs pas un mince paradoxe que l'idéologie libérale ait eu recours, pour affirmer sa supériorité sur le dirigisme d'Etat, à la création d'une formidable puissance administrative et à un engagement étatique sans précédent, hors des périodes de guerre.

La dimension idéologique de la démarche a, naturellement, favorisé l'enracinement d'éléments irrationnels dotés d'une forte charge symbolique, de mythes dont la présence se pérennise alors même que la cause qu'ils servaient a cessé d'exister.

C'est là qu'intervient ce que Serge Grouard appelle la vision déformée de l'espace[1]. « Peu importe, écrit-il, la charge utile emportée par tel lanceur pourvu que le miracle du lancement s'accomplisse. Qu'importe l'intérêt de la navette spatiale, pourvu que l'on ait le frisson à la vue de ce grand oiseau de métal planant à l'approche de l'atterrissage. L'important devient le fait en lui-même et non plus son utilité attendue. C'est sans doute la satisfaction de voir la technique rejoindre la fiction, l'inaccessible devenir banalité, mais c'est aussi accréditer l'idée que l'utilisation de l'espace est mue par des comportements irrationnels. [...] Si l'espace est irrationnel, toute tentative de raisonnement stratégique en est exclue. L'espace ne peut faire l'objet d'une stratégie qui, elle, se pense rationnelle par définition. » Dans la mesure où l'on juge que l'action de l'Etat doit être gouvernée par la rationalité, c'est-à-dire qu'elle doit pouvoir s'exprimer de façon cohérente en termes d'objectifs et de moyens, la définition et la conduite d'une politique spatiale rencontrent là une difficulté essentielle.

Les objectifs peuvent être d'ordre purement politique, dimension qui prévalait pendant la guerre froide, d'ordre économique ou d'ordre sociétal. Mais ils ne sauraient, sans se dévoyer, accorder une place excessive à ce que, faute d'une définition précise, on a appelé la « part du rêve ». Je relis, dans un article que j'ai publié en 1973 dans la revue *La Recherche*[2], les phrases suivantes : « Ecrire sur l'avenir de l'espace est difficile. C'est un sujet encombré de mythes et de prophètes. A l'origine d'une réflexion méthodique s'impose la nécessité de dépouiller le sujet de son écorce irrationnelle. » Vingt-cinq ans plus tard, la difficulté subsiste et cette dimension irrationnelle est toujours présente, si médiocre que soit, en regard de leurs coûts, le bilan autre que symbolique des entreprises qu'elle a gouvernées. Mais l'action de l'Etat n'est plus aujourd'hui, loin de là, la composante exclusive du développement spatial, le marché prend une part sans cesse croissante et impose sa logique ; l'intervention du pouvoir politique, source essentielle des dévoiements qui s'alimentent aux mythes spatiaux, s'en trouve ainsi atténuée dans ses effets.

Il y a, au fond, deux façons d'aborder une réflexion sur l'espace, l'une guidée par le rêve, l'autre par la rationalité. La première est illustrée par Dominique Lecourt[3], lorsqu'il écrit : « Peut-on dire que toutes ces spéculations n'aient jamais aucun rôle dans la réalisation de la « conquête de l'espace » depuis trente ans ? Qui pourrait le prétendre ? La rationalité des programmes s'en trouvera comme portée par le souffle d'un désir venu du fond des âges. Peut-on le détacher sans la mettre à mal ? Le choix rationnel ne s'effectue qu'à la pointe d'un mouvement de pensée que seul l'attrait de l'imaginaire a pu porter jusque-là. » Peut-être. Ou encore, exprimée dans un autre style par Jacques Blamont[4] : « Il n'y a que trois cents ans que les *Principia* ont été publiés et déjà nos vaisseaux parcourent la mer sans rivage. Mauvaise nouvelle pour les étoiles. Qu'elles s'en inquiètent ; la créature la plus laide, la plus sale, et la plus méchante de ce côté-ci de la galaxie s'apprête à quitter son terrier. » Peut-être. Tout cela comporte sans doute une part de vérité. Avant Dominique Lecourt, Paul Valéry avait écrit : « Nous sommes une espèce zoologique qui tend d'elle-même à faire varier son domaine d'existence et l'on pourrait former une table, un classement systématique de nos rêves, en considérant chacun d'eux comme dirigé contre quelqu'une des conditions initiales de notre vie. »

On est presque gêné, devant l'ampleur de ces envolées, de revenir à la rationalité, mais, enfin, c'est bien cela qu'exige une réflexion sur l'action de l'Etat, y compris, hélas ! lors de la naissance de la technique spatiale, avec le V2, à Peenemünde et dans l'horreur des souterrains de Dora[5].

Si le lien originel de l'espace avec l'Etat nazi, le développement de la technique spatiale au sein du totalitarisme soviétique sont des sujets qui s'imposent à l'attention, ils ne sont pas, cependant, au centre de ma réflexion. Mon propos est plus étroitement ciblé ; il est d'analyser l'usage des moyens dont le pouvoir politique dispose dans une démocratie et non d'examiner si le développement spatial s'accommoderait mieux d'une autre forme de pouvoir. Une réflexion sur ce thème ne peut faire abstraction du fait que, dans un Etat démocratique, le pouvoir politique est détenteur d'un mandat qui a son contenu et ses limites, qu'il opère avec l'argent de ceux qui lui ont donné ce mandat et au nom desquels il agit et qu'ainsi, inséparables de la notion de démocratie, une dimension éthique et une contrainte déontologique devraient s'imposer à sa démarche.

Le jeu des décisions politiques est naturellement soumis à de fortes contraintes propres au contexte dans lequel il s'inscrit. Ces contraintes sont de trois ordres, celles qu'engendrent l'évolution technologique, l'ancrage croissant de la technique spatiale dans la société et l'environnement politico-économique national et international.

Le changement technologique est un phénomène global auquel la technique spatiale contribue mais qui, surtout, en gouverne de l'extérieur l'évolution. Il concerne les savoir-faire élémentaires qui entrent dans la mise en œuvre d'une technique : matériaux, composants, procédés, etc., et forment le substrat commun sur lequel s'édifient les diverses branches de la technique. Ce n'est pas un phénomène sur lequel le pouvoir politique ait beaucoup de prise ou d'influence. Certes, il peut, dans tel ou tel domaine, ralentir ou accélérer le mouvement mais, à horizon temporel lointain, ces influences circonstancielles, importantes pour ceux qui en sont les acteurs ou les objets, deviennent négligeables, simples rides à la surface de l'évolution globale. Qu'il y ait plus de composants électroniques élémentaires dans une voiture moderne que dans le module lunaire d'Apollo n'est pas le fait d'une décision politique, c'est le résultat de l'adéquation de ces deux matériels au niveau technologique de leurs époques respectives que séparent près de quatre décennies. Les mécanismes de l'évolution technologique, le fait même de savoir si elle obéit à une intention sont des questions abstruses et qui, en tout cas, excèdent mon propos. En revanche, les lignes de force de cette évolution se dégagent distinctement d'une perspective historique et se prêtent à une extrapolation prudente. Dans la mesure où la politique spatiale ne peut que prendre en compte l'évolution technologique, non la régir, cela suffit à mon dessein.

Quant à l'ancrage dans la société, c'est en définitive le facteur qui gouverne durablement le sort de telle ou telle technique. En fonction de l'évolution technologique globale et de son interaction avec cette évolution, la place d'une technique est déterminée par la demande de la société. Naturellement, il n'est pas nécessaire que la demande relève d'une démarche rationnelle, ou moralement satisfaisante, ou pérenne, mais, fût-elle de nature symbolique, elle doit exister sinon la technique est promise à s'atrophier et à disparaître ; la forme la plus commune en est l'émergence d'un marché, mais ce n'est pas la seule, comme nous le verrons en analysant les composantes de la demande sociétale qui portent le développement des diverses branches de la technique spatiale.

Telles sont les composantes majeures du contexte : évolution technologique, demande sociale et environnement politico-économique. A leur égard, le Pouvoir est astreint, pour l'essentiel, à une politique de constat, sauf, s'il voulait les ignorer, à aller tout droit à un échec annoncé. L'intelligence de ce contexte est donc la première étape d'une réflexion sur la politique spatiale.

Espace
et
évolution technologique

Chapitre premier

L'ACCÈS A L'ESPACE

> En traversant l'air transparent, la flèche s'embrase, trace un sillon de feu, puis elle se consume et s'évanouit dans l'espace, pareille à ces étoiles que l'on voit se détacher du ciel, et traîner derrière elles une chevelure enflammée.
>
> VIRGILE,
> *L'Enéide,* Livre V

Le couple satellite-lanceur est au cœur de la technique spatiale.

Aux origines, lanceur et satellite assuraient deux fonctions complètement distinctes. Elles le demeurent dans l'immense majorité des cas, même si l'orbiter de la Navette spatiale tend à les combiner.

La rivalité d'Ariane et de la Navette américaine, qui a défrayé la chronique spatiale des années 1980, est un utile préalable à l'analyse les relations entre l'évolution technologique et les techniques d'accès à l'espace.

Ariane et la Navette spatiale

En 1976, l'administrateur général de la NASA, Robert Frosch, s'adressant à un haut responsable du CNES, avait ce mot : « Ariane, ce lanceur obsolète... » Obsolète, certes Ariane l'était par rapport aux ambitions qui animaient le programme de la Navette spatiale, alors que ni l'une ni l'autre n'avaient encore volé. Le livre de Jerry Grey, *Entreprise,* publié en 1979, peu de temps avant le premier vol orbital de la Navette, donne la mesure de prétentions qui étaient promises à devenir des illusions perdues[1].

Vingt-cinq ans plus tard, Ariane détient environ 60 % du marché des lancements commerciaux, plaçant l'Europe au premier rang mondial, cependant que la concurrence américaine, qui s'organise, s'appuie largement sur l'utilisation de lanceurs, de moteurs et de technologies d'origine soviétique. Qui aurait pu, au début des années 1980, prévoir un tel scénario ? Son analyse éclaire un concept fondamental pour comprendre une stratégie spatiale, le concept de choix stratégique ou, en l'occurrence, d'erreur ou de faute stratégique.

Un choix stratégique[2] est un choix technique majeur qui crée une situation rapidement irréversible. La décision de construire la Navette spatiale, et surtout d'en faire l'outil unique du transport spatial américain, et celle de construire Ariane sont des choix stratégiques, à la fois parce qu'ils mobilisent une fraction importante du financement public et parce qu'ils créent très rapidement une irréversibilité de fait, en raison même de l'importance des efforts qu'ils entraînent. Le rôle des choix stratégiques croît évidemment avec la dimension des projets ; l'espace, en général, et le transport spatial, en particulier, sont exemplaires d'un domaine où les choix stratégiques revêtent une importance exceptionnelle et où les fautes ont des conséquences dévastatrices.

A l'époque où fut décidé le programme de Navette spatiale, les Etats-Unis étaient en position de monopole vis-à-vis des puissances occidentales. Les lanceurs soviétiques étaient « politiquement » inaccessibles et seule la France disposait d'un lanceur léger, Diamant, capable de placer une centaine de kilogrammes en orbite basse. Au début des années 1970, le CECLES/ELDO (Centre européen pour la construction de lanceurs d'engins spatiaux) s'acheminait, d'échec en échec, vers sa dissolution. C'est dans ce contexte qu'aboutit un processus de décision engagé aux Etats-Unis. Avant même le premier vol lunaire de 1969, un groupe de la présidence mis en place par Richard Nixon avait proposé un programme post-Apollo extraordinairement ambitieux, destiné à succéder au programme lunaire[3].

Ce programme envisageait trois options d'ampleur décroissante :

– établir une station spatiale en orbite terrestre avec cinquante hommes à bord, une station spatiale en orbite lunaire, une base à la surface de la Lune, et lancer une expédition vers Mars en 1985 ;

– établir une station spatiale en orbite terrestre, éliminer les projets lunaires et reporter le vol vers Mars à 1986 ;

– établir une station spatiale en orbite terrestre et différer l'expédition martienne à la fin du siècle.

Une Navette spatiale complètement réutilisable constituait un élément commun aux trois options. Mais le Congrès des Etats-Unis réserva un très mauvais accueil à ces propositions, amorçant ainsi, dans l'ère post-Apollo, une baisse de l'effort spatial américain.

Sans retracer dans le détail un processus qui a fait l'objet de nombreuses analyses historiques[4], on doit retenir que la NASA ne put sauver, de son programme initial, que le projet de Navette spatiale, et cela au prix d'une profonde altération de sa conception et surtout de ses objectifs.

La conception finalement retenue tenait compte de l'ultime réduction de l'enveloppe du projet, ramenée, pour le coût de développement, de plus de 10 milliards de dollars à 5,22 milliards (au niveau des prix de 1972) et à 7,5 milliards pour l'ensemble d'un programme qui comportait cinq orbiters et deux sites de lancements. Ces chiffres, assortis d'un plafonnement absolu des dépassements à 20 % du coût initial, ne permettaient pas le développement d'un ensemble **booster-orbiter** complètement récupérable et imposaient en fait le concept TAOS *(Thrust Assisted Orbiter System)*. Dans ce système, l'orbiter est propulsé au décollage par des boosters, qui sont ensuite récupérés après leur chute dans l'océan, et les ergols du moteur cryogénique principal sont stockés dans un réservoir extérieur, qui est détruit après usage. Outre que seules les orbites basses étaient accessibles, l'enveloppe financière ne permettait pas le développement d'un remorqueur *(tug)* destiné à transporter des charges utiles automatiques de l'orbite basse à l'orbite géostationnaire et à les ramener vers la Navette.

Malgré ces limitations, le président Nixon proclamait, le 5 janvier 1972, que la Navette spatiale allait « aider à transformer la frontière spatiale des années 1970 en un territoire familier, facilement accessible aux entreprises humaines dans les années 1980 et 1990 ». [...] Elle allait « éliminer les coûts astronomiques de l'astronautique ».

Cela n'allait pas se faire.

Davantage que la réduction des ambitions techniques, le changement de contexte faisait peser une contrainte excessive sur la NASA, astreinte, pour obtenir l'approbation de son projet, à en démontrer la rentabilité. Une telle obligation était évidemment absente d'une politique spatiale orientée vers l'exploration habitée du système solaire, mais la transformation radicale des priorités, intervenue à l'issue du projet Apollo, imposait de démontrer que le programme spatial coûterait moins cher au contribuable américain avec la Navette que sans la Navette.

La logique de tout système de transport spatial réutilisable est d'accepter des coûts de développement élevés pour abaisser fortement le coût unitaire des vols. La rentabilité du système était donc fortement déterminée par le rythme d'utilisation. Pour établir une base d'exploitation aussi large que possible, la NASA fut ainsi amenée à négocier, moyennant quelques ajustements techniques, l'usage de la Navette pour les lancements militaires de l'*US Air Force*. Elle eut recours, pour la formulation du modèle économique d'exploitation de la Navette, à Mathematica, bureau d'études de Princeton dirigé par Oskar Morgenstern.

Oskar Morgenstern est non seulement connu pour ses talents d'économiste, mais aussi pour avoir déclaré, en avril 1972 devant le Comité des sciences aéronautiques et spatiales du Sénat américain : « Tout est difficile à prédire, particulièrement le futur », formule qu'il emprunta peut-être à Niels Bohr. Le futur allait malheureusement confirmer cette prédiction.

Il est rétrospectivement facile – le passé est aisé à prédire – de repérer les failles dans les analyses conduites par le collaborateur de Morgenstern, Klaus Heiss[5]. La méthodologie était impeccable ; malheureusement, dans une étude économique, les résultats valent au mieux ce que valent les données d'entrée. Celles-ci relevaient de trois catégories principales :

– le plan de charge de la Navette – le rythme des vols – fondé sur des hypothèses concernant la demande et sur la rapidité de remise en état de l'orbiter après un vol ;

– les économies réalisées sur la construction des charges utiles, compte tenu de la possibilité de les réparer dans l'espace, voire de les ramener sur Terre pour les moderniser ;

– les coûts de développement.

Une première étude engagée par la NASA se fondait sur l'hypothèse de 714 vols pour la période de douze ans (1978-1990) au cours de laquelle serait amorti l'investissement, chiffre véritablement énorme, compte tenu de la capacité de la Navette en orbite basse : presque soixante vols par an. En dépit de cela, la conclusion de l'étude fut que les économies principales proviendraient, non pas de la réduction du coût de transport, mais de l'abaissement du coût des charges utiles. Cette conclusion avait semblé suspecte à nombre d'experts, et Mathematica n'était aucunement en mesure de la valider par elle-même ; elle ne pouvait que s'en remettre à l'expertise et à la bonne foi des industriels, qui lui avaient fourni des chiffres. Sur cette base, que la NASA allait devoir confirmer dans les faits, fut prise la décision d'entreprendre le programme. La tâche était impossible ; elle allait conduire à une autre erreur stratégique.

Le rythme d'utilisation jouant un rôle déterminant dans la rentabilité du système, on allait céder, pour l'accroître, à la tentation d'éliminer la concurrence interne des lanceurs conventionnels américains Delta, Atlas. Seul le lanceur léger Scout fut préservé ainsi que, par la méfiance des militaires, le Titan. Avec plus de prudence et de clairvoyance, les Etats-Unis auraient pu éviter ce qui fut l'effet de la conjonction de l'accident de Challenger et de la politique d'élimination des lanceurs consommables : se trouver privés de moyens d'accès à l'espace et laisser Ariane sans concurrent véritable, au moment même où le marché des vols commerciaux commençait à se développer.

Comme l'accès à l'orbite géostationnaire représentait un enjeu important et comme les contraintes financières ne permettaient pas de développer un remorqueur récupérable, on bricola, pour la soute de la Navette, des étages consommables. Faute d'avoir discerné que la fiabilité de ces improvisations était médiocre et n'avait rien à voir avec celle de la Navette elle-même, les assureurs allaient dans les années suivantes encaisser des pertes énormes, et la clientèle géostationnaire se détourner de la Navette.

L'accident de Challenger, le 28 janvier 1986, marqua la fin brutale de la politique « tout Navette » et des efforts désespérés de la NASA pour rentabiliser son système de transport spatial. A l'origine de cet accident, le rôle de la pression à laquelle était soumise la NASA et la recherche d'économies dans les différents éléments du système sont naturellement sujets à spéculations[6]. Le caractère dramatique de l'événement ne doit pas, cependant, occulter une réalité plus permanente : même si l'accident de Challenger avait été évité, la NASA n'aurait pas moins été engagée dans une impasse, d'où il lui aurait fallu sortir tôt ou tard. La catastrophe de Challenger n'avait rien d'inéluctable ; elle fut le résultat, comme souvent les événements de ce type, d'une conjonction improbable d'éléments défavorables ; un peu de chance aurait permis de l'éviter, voire de corriger à temps une faiblesse ponctuelle dans la conception des boosters de la Navette. Mais, à supposer que tel ait été le cas, le destin de celle-ci en aurait-il été changé ? Certainement pas. Le coût constaté d'un vol de la Navette la rendait intrinsèquement incapable d'entrer en compétition non seulement avec Ariane, mais plus généralement avec les lanceurs consommables pour les mises en orbite de satellites géostationnaires. Le bon sens le plus élémentaire conduit d'ailleurs à cette conclusion ; l'ensemble que constituent les deux boosters, le réservoir cryogénique et l'orbiter accomplit à peu de chose près la tâche confiée aux deux premiers étages d'un triétage consommable : ils mettent en orbite un troisième étage conventionnel. Comme l'écrit Jerry Grey[7], mais avec une intention différente : « La glorieuse Navette US, dont les capacités en orbite basse rejetaient dans l'ombre celles d'Ariane comme un éléphant une souris, était si handicapée par l'absence d'un bon étage supérieur qu'elle était à peine meilleure qu'Ariane pour les très importants lancements en orbite géostationnaires. Cette carence plaçait le camion Mack US dans la même gamme de performance et de prix que la Volkswagen Ariane pour les mises en orbite géostationnaires, ouvrant ainsi une sérieuse compétition pour de nombreuses charges utiles non américaines. » Cette appréciation est encore exagérément optimiste. Ce ne sont pas seulement les charges utiles étrangères, mais aussi les futures charges utiles commerciales américaines qu'Ariane allait ravir à la Navette, entamant ainsi une préférence nationale qui, pour Jerry Grey et à l'époque où il écrivait, semblait, quels que soient les dogmes libéraux, aller de soi.

La situation aurait-elle été modifiée par le développement d'un remorqueur spatial capable de faire l'aller-retour entre l'orbite basse et l'orbite géostationnaire ? Certainement pas. La durée de vie croissante des satellites géostationnaires, conjuguée aux effets de l'évolution technologique qui les rend archaïques alors qu'ils sont encore en service, fait qu'il n'y a de marché ni pour leur récupération ni pour leur remise en état.

La NASA aurait-elle eu les moyens de développer une Navette entièrement récupérable, comme c'était initialement son ambition, que la situation n'aurait pas été différente. La demande essentielle du marché étant la mise en orbite géostationnaire au meilleur prix, le passage par un lourd véhicule habité en orbite basse n'est pas une solution compétitive. Contrairement à ce que des évaluations imprégnées de « *wishful thinking* » et dépourvues de rigueur avaient pu laisser croire ou espérer, la solution compétitive est le lancement direct par un lanceur consommable. C'est précisément le choix d'Ariane, qui a été conçue dès l'origine avec une priorité claire : fournir à l'Europe, à coût et risque aussi réduits que possible, un accès autonome et compétitif à l'orbite géostationnaire. Le succès commercial d'Ariane s'est construit sur ce choix stratégique, résultat de l'adaptation étroite d'un objectif politique et d'un choix technique. Dans la conduite du programme depuis ses origines, au début des années 1970, jusqu'à l'époque actuelle, de nombreux éléments de diverses natures sont naturellement intervenus pour construire ce succès :

– l'exploitation du potentiel de croissance de la version initiale a permis d'assurer, à travers les versions successives, Ariane 2, 3 et 4, une adaptation des performances du lanceur à la demande du marché ;

– la précision des lancements économise les ressources de propulsion du satellite et accroît ainsi sa durée de vie ;

– la technique des lancements doubles permet, moyennant des contraintes de gestion, de partager le coût d'un lancement entre deux utilisateurs ;

– enfin, la création d'une compagnie de commercialisation, Arianespace, a associé dans la conquête du marché la puissance publique et les entreprises qui assurent la production du lanceur ;

– ajoutons la qualité des services fournis aux usagers, notamment sur le site de Guyane.

Tout cela a contribué à orienter vers Ariane le choix des clients potentiels.

En définitive, avec le recul, ce qui semble déterminant dans le succès ou l'échec des choix stratégiques, c'est la cohérence entre leur contenu technique et les objectifs à long terme de la politique spatiale. Cette cohérence à peu près parfaite s'est maintenue depuis vingt-cinq ans dans le cas d'Ariane. Pour la Navette, les choix techniques ne pouvaient se justifier qu'avec une politique spatiale axée essentiellement sur la banalisation de la présence de l'homme dans l'espace et sur les planètes proches. Lorsque cet objectif disparut de la politique américaine, la Navette, qui en était un vestige, se trouva placée en porte à faux. Tout le reste en découle, y compris le choix de retirer du service les lanceurs conventionnels, qui conduisit les Etats-Unis d'une position de monopole à une perte de contrôle sur le marché des applications.

Cette analyse rétrospective amène une interrogation : Comment faut-il gérer les mécanismes de décision au sein de la puissance publique pour éviter des errements aussi dommageables ? Le problème n'est pas propre à l'espace, mais il revêt une importance particulière en raison de la dimension du coût, de la durée de certains projets et, par conséquent, de l'irréversibilité qu'ils engendrent. Si l'on compare les financements publics qui ont été investis respectivement en Europe et aux Etats-Unis dans le transport spatial, on ne peut qu'être frappé du paradoxe – sans doute difficile à accepter pour les Etats-Unis – que représente la position dominante d'Ariane sur le marché mondial des lancements commerciaux (une situation analogue existe dans le domaine de la télédétection). Cette situation illustre à merveille l'importance extrême de l'articulation entre volonté politique et choix techniques. C'est là, et non dans le travail des ingénieurs et des équipes techniques, que se font les décisions gagnantes ou les erreurs dévastatrices ; comme le montre à l'évidence l'examen du passé, ce sont le plus souvent des erreurs qu'un peu de sens commun et de prudence auraient permis d'éviter.

Lanceurs et évolution technologique

Lanceurs et satellites diffèrent profondément parce qu'ils s'édifient sur des substrats technologiques totalement différents.

Le lanceur se construit autour d'une technologie spécifique, le moteur, qui emploie un procédé, la fusée anaérobie, dont l'espace, certains engins militaires et les feux d'artifice sont les seuls domaines d'utilisation. Ce terme anaérobie, emprunté à la biologie, exprime simplement le fait que la fusée n'utilise pas l'oxygène de l'air, tout comme certaines bactéries produisent, hors de tout contact avec l'atmosphère, des fermentations anaérobies. Au contraire, les moteurs des avions et des voitures ont un fonctionnement aérobie.

D'autres éléments interviennent pour améliorer les performances du lanceur : les progrès des matériaux pour réduire la masse des structures, les technologies informationnelles pour accroître la précision du pilotage et pour ausculter le fonctionnement pendant la durée du vol, mais ces dernières ne jouent nullement un rôle central dans le progrès du transport spatial.

En revanche, elles sont au cœur de la conception du

satellite dont la fonction, dans le cas le plus général, est d'être une plate-forme spatiale qui reçoit, traite et retransmet de l'information. La technologie centrale n'est donc là nullement spécifique, et pour le reste la technique satellitaire ne trouve son unité et sa spécificité qu'au niveau d'un système qui emprunte des savoir-faire aux domaines les plus divers. Les technologies vraiment spécifiques sont rares et elles concernent des fonctions ancillaires, le « contrôle d'attitude » par exemple ; elles interviennent rarement dans la mission accomplie par le satellite.

Ces différences entre satellites et lanceurs ont des conséquences profondes : on peut les schématiser en disant que les évolutions de ces deux composantes sont découplées par rapport à l'évolution technique ; elles sont en revanche couplées par la demande. L'évolution des lanceurs est beaucoup plus autonome parce que liée à une technologie centrale, qui a un caractère spécifique ; celle des satellites dépend davantage de facteurs exogènes.

Les vols habités tendent à brouiller quelque peu ce tableau schématique, mais comme pour l'essentiel la relation entre la technique spatiale et la société se fonde et se fondera sur des satellites automatiques, on peut d'emblée ignorer cet élément de complication et analyser séparément l'évolution technologique du transport spatial et celle des véhicules spatiaux.

Le transport spatial n'est qu'un moyen, non une fin, tout comme au XVe siècle la maîtrise de la navigation fut le moyen de découvrir, puis d'exploiter et de coloniser de nouveaux continents.

Nous aurons à nous interroger sur ce parallèle – qui s'impose avec une aisance suspecte – entre la maîtrise de l'espace terrestre, permise par le progrès des transports terrestres et maritimes, et celle de l'espace extraterrestre, par le transport spatial. Il reste que l'évolution de la technique spatiale, la maîtrise d'une présence d'artefacts humains, éventuellement d'hommes, dans l'espace extraterrestre, sont contrôlées par les performances du transport spatial. Il est donc capital, pour discerner l'avenir, de s'interroger d'abord sur les évolutions des techniques du transport, en fonction des tâches multiples qui lui incombent : aller de la surface de la Terre à l'espace, évoluer dans l'espace, se poser sur un corps céleste et en repartir, revenir sur la Terre.

La première de ces étapes constitue naturellement un point de passage obligé et c'est malheureusement, et de loin, la plus exigeante. Sa difficulté tient à ce que le lanceur doit accomplir simultanément trois tâches : vaincre un champ de gravité intense, traverser une atmosphère dense et, pour finir, communiquer à sa charge utile une vitesse horizontale élevée : huit kilomètres par seconde pour une orbite circulaire basse, dix pour un transfert vers l'orbite géostationnaire et onze pour une trajectoire libérée de l'attraction terrestre.

La première contrainte implique que la poussée au décollage soit nettement supérieure au poids ; la deuxième, que la structure et la forme du lanceur soient conçues pour résister aux efforts aérodynamiques et minimiser la traînée au cours de la traversée de l'atmosphère ; et la troisième, que l'on dispose d'un moteur qui fonctionne dans le vide spatial. On ne peut en effet atteindre la vitesse orbitale tant que l'on est dans les couches denses ; le frottement sur l'atmosphère engendrerait des contraintes mécaniques, thermiques et une traînée inacceptables ; une fraction importante du trajet propulsé doit donc s'effectuer dans le vide.

La solution à cet ensemble de problèmes est le lanceur classique, dont Ariane est le type, et qui repose sur deux principes : l'utilisation de moteurs fusée à ergols chimiques pour fournir la force propulsive et l'abandon en cours de trajet des structures qui ont cessé de servir par séparation des étages successifs.

Tous les lanceurs actuels – à une exception près sur

laquelle nous allons revenir, Pegasus – relèvent de cette conception. C'est le cas, en particulier, de la Navette spatiale dont certaines particularités ne doivent pas donner le change. Le fait que les boosters à poudre, qui assurent le décollage et la phase initiale du vol, soient repêchés après leur chute dans l'océan et réutilisés et que l'orbiter soit capable de revenir à la surface de la Terre et qu'il y ramène le moteur cryogénique principal ne change rien au fait que la propulsion est classique et que les structures qui ont cessé de servir sont abandonnées en route. En outre, la Navette n'a accès qu'aux orbites basses ; si l'on veut atteindre l'orbite géostationnaire, il faut embarquer dans la soute un étage supplémentaire, analogue en tout point à l'étage supérieur d'un lanceur classique et qui sera consommé dans l'opération.

Les deux éléments, moteur fusée et étagement, sur lesquels repose toute la conception des lanceurs, sont présents depuis les origines de l'astronautique. Malgré les énormes progrès accomplis, ils déterminent les limitations du transport spatial de la Terre vers l'orbite. Peuvent-ils connaître une évolution majeure ? Un système de transport vaut d'abord ce que valent ses moteurs : peut-on espérer une mutation de la propulsion qui, analogue à ce que fut l'avènement du réacteur pour l'aviation civile, ferait entrer la technique spatiale dans un nouvel âge ?

La fusée chimique anaérobie crée la force propulsive en éjectant à grande vitesse un jet de gaz produit par la combustion des ergols. Selon le principe de base de la mécanique, cette force est égale au produit de la vitesse du jet par son débit massique. Cela signifie que, si l'on sait augmenter la vitesse du jet, on obtient, à poussée constante, une diminution de la consommation ; pour une masse donnée d'ergols, la fusée fonctionne alors plus longtemps et la vitesse atteinte est plus grande. Ainsi s'explique que l'on caractérise la performance d'un moteur par une grandeur mesurée en secondes, l'« impulsion spécifique », qui mesure simplement le temps pendant lequel une masse d'ergol peut fournir une poussée égale à son poids initial.

De la sorte, la recherche d'un accroissement de la performance de la fusée chimique se ramène à la question de savoir si l'on peut augmenter au-delà des valeurs déjà atteintes la vitesse du jet de gaz.

La réponse à cette question est aussi simple que décevante. On peut encore espérer des améliorations à la marge qui se paient en complexité et en coût des moteurs, mais on est proche des limites imposées par la physique des phénomènes. Pourquoi cela ?

La fusée est un système thermodynamique qui transforme en énergie cinétique transportée par le jet de gaz l'énergie chimique stockée dans les ergols et libérée par la combustion. Connaissant l'énergie libérée par un couple donné d'ergols et la nature des produits de combustion, on peut calculer une limite que la vitesse du jet ne pourra excéder. Or le couple Hydrogène-Oxygène est de ce point de vue le meilleur dont on puisse envisager l'usage, et cet usage est aujourd'hui parfaitement maîtrisé dans les moteurs dits cryogéniques. L'impulsion spécifique de ces moteurs est proche de la limite théorique imposée par les principes de la thermodynamique, qui ne peut être transgressée. Une situation complètement différente prévalait dans l'aviation au temps des hélices et des moteurs à pistons, dont le rendement thermodynamique était très médiocre. Rien ne s'opposait, dans les principes, à ce qu'on améliorât ce rendement, et c'est à quoi le turboréacteur a pourvu. Quant à la fusée, il existe bien quelques couples chimiques dits « exotiques », par exemple le couple Fluor-Hydrogène, qui permettraient théoriquement de dépasser les performances du couple Hydrogène-Oxygène mais leur usage est impraticable. Pour ne rien dire des difficultés technologiques et des coûts, ces couples sont terriblement polluants ; imagine-t-on un lanceur s'élevant au-dessus du centre de Kourou en répandant dans l'atmosphère une centaine de tonnes d'acide fluorhydrique ? La technique des lanceurs rencontre donc avec les performances de la fusée chimique une barrière infranchissable. Y a-t-il des moyens de la contourner ? En principe oui, mais, en pratique, les obstacles sont gigantesques.

Une première voie consiste à séparer, dans le système propulsif, la source d'énergie et la matière éjectée qui, dans la fusée chimique, sont contenues l'une et l'autre dans les ergols. On sait communiquer à des particules chargées, au moyen d'un champ électrique, des vitesses très supérieures à celles que peut atteindre le jet d'une fusée chimique. C'est le principe de la propulsion ionique qui fournit des impulsions spécifiques supérieures par un ou plusieurs ordres de grandeur à celles de la fusée chimique. Malheureusement, les niveaux de poussée auxquels elle permet d'accéder sont sans commune mesure avec ceux qu'exige le décollage d'un lanceur. Son domaine est celui des évolutions dans l'espace où le poids, qu'il faut vaincre au départ de la Terre, n'intervient pas.

Une autre voie consisterait, pour alléger le lanceur d'une partie de la masse du comburant, à utiliser l'oxygène de l'air pendant la fraction du vol qui se situe dans l'atmosphère ; la propulsion aérobie qu'utilisent les avions se trouverait ainsi combinée à la propulsion anaérobie dans un système mixte. Cette démarche, qui ne se heurte à aucun obstacle théorique, rencontre dans sa mise en œuvre de formidables difficultés techniques.

On peut naturellement en imaginer des utilisations modestes consistant à accrocher une fusée classique sous un avion existant qui lui communiquerait une vitesse initiale médiocre – inférieure à Mach 1 pour un appareil de transport classique, un peu supérieure à Mach 2 pour un supersonique comme le Mirage 4 – et qui lui ferait traverser les neuf dixièmes de l'atmosphère dense. De nombreux projets de ce genre ont été ébauchés et l'un au moins a été mis en œuvre. Le lanceur léger Pegasus, transporté par un B-52, permet de placer environ 120 kilogrammes en orbite basse, mais la transposition de ce système à des lanceurs lourds est impraticable parce qu'on ne dispose pas d'avion de taille suffisante. En disposerait-on que le chargement en position horizontale d'un lanceur lourd, conçu pour résister aux efforts longitudinaux que lui font subir ses moteurs, exigerait des renforcements de sa structure qui feraient perdre le gain fourni par l'avion. Au total, s'il y a peut-être là une voie pour les petits satellites, ce système ne saurait répondre à ce qui a été, jusqu'à ce jour, la principale demande du marché, la mise en orbite géostationnaire de satellites de plusieurs tonnes.

Pour développer une technologie susceptible de remplacer la fusée anaérobie, il faut donc concevoir un lanceur qui consomme l'oxygène de l'air pendant la traversée de l'atmosphère et qui acquière, pendant cette traversée, une fraction importante de la vitesse nécessaire pour aller en orbite. C'est là que les choses, même si elles sont séduisantes en théorie, deviennent difficiles. Le moteur anaérobie est pratiquement insensible aux conditions extérieures. Ni la vitesse du lanceur ni, en première approximation, la pression de l'atmosphère n'affectent son fonctionnement. Il en va tout autrement du moteur aérobie qui est sensible tout à la fois à la vitesse et à la densité de l'atmosphère dans laquelle il puise son comburant. Or ces deux paramètres varient dans des proportions sans commune mesure avec ce que l'on rencontre en aéronautique. Pour que ce principe puisse être valablement utilisé, il faut atteindre des nombres de Mach élevés au cours de la traversée de l'atmosphère, Mach 12, par exemple, pour un peu moins de la moitié de la vitesse orbitale qui est voisine de Mach 28, et il faut donc aller à une altitude suffisamment élevée pour que l'échauffement par frottement aérodynamique demeure tolérable. Cela implique que le moteur puisse encore fonctionner lorsque la densité de l'air aura été réduite par un facteur 100. La solution existe sur le papier ; elle a même connu en Union soviétique un début de réalisation ; c'est le statoréacteur à combustion hypersonique. Mais sa conception, sa mise au point et son intégration dans une structure adaptée au vol hypersonique comportent des difficultés si formidables que la viabilité de cette démarche n'est pas démontrée.

L'existence de barrières physique et technologique au progrès des techniques de propulsion, conjuguée à la croissance des besoins, éclaire l'évolution des lanceurs depuis les origines.

Elle s'organise en deux grands courants.

Le principal est celui des lanceurs classiques, bêtes de somme sur lesquelles se construisent les utilisations actuelles de l'espace. Ils sont « consommables », c'est-à-dire que les étages à propulsion chimique qui les composent sont détruits après fonctionnement. Les engins balistiques militaires ont fourni les éléments des premiers lanceurs, aussi bien aux Etats-Unis qu'en Union soviétique ou en France, avant que le transport spatial et les techniques balistiques divergent progressivement.

L'augmentation de la puissance des lanceurs sous la pression de la demande s'est faite systématiquement par accroissement des performances d'un engin existant, ce qui a donné naissance à de longues filières, dont les versions successives du lanceur américain Delta et celles du lanceur européen Ariane offrent des exemples achevés. Il est en effet beaucoup moins coûteux et risqué de partir d'un système connu et bien maîtrisé que de reprendre de zéro la conception d'un engin nouveau. Cependant, cette démarche a des limites et dans le lanceur Ariane 44L, le plus puissant de la panoplie européenne, ces limites sont atteintes ou proches de l'être. Avec l'adjonction de quatre énormes *boosters* qui flanquent le premier étage, neuf moteurs Viking, l'allongement des étages et une coiffe bulbe en saillie sur l'étage supérieur, on est arrivé à un engin certes efficace et fiable parce que parfaitement maîtrisé et connu, mais exagérément complexe et, par conséquent, coûteux. Pour aller au-delà en faisant plus gros et plus simple, il fallait repartir d'une conception nouvelle : Ariane 5 n'a de commun avec Ariane 4 que le nom. Ariane 5 recèle dans sa version initiale un potentiel de croissance intact qu'il sera loisible d'exploiter si, comme il est probable et comme ce fut le cas pour Ariane 1, la pression de la demande l'exige.

Cette ligne directrice majeure de l'évolution technique est typique des utilisations actuelles de l'espace ; elle aboutit aujourd'hui à mettre en concurrence, sur le marché mondial, une dizaine de lanceurs conventionnels européens, russes, américains, ukrainiens, japonais et chinois. Outre sa face visible, la performance en termes de masse en orbite, elle possède de nombreuses facettes plus cachées qui jouent un rôle déterminant dans le choix des utilisateurs : fiabilité, précision de l'injection, contraintes exercées sur le satellite pendant le lancement, qualité des services fournis sur le champ de tir.

Mais quels que soient les progrès accomplis, le transport de la Terre vers l'orbite demeure une opération risquée, comme en témoignent la fréquence relative des échecs et les taux d'assurance de l'ordre de 15 % qui s'imposent aux propriétaires de charges utiles.

Il y a peu d'apparence que cette situation se transforme

Page 35 : *un exemple de filière de lanceurs. Les versions successives du lanceur Ariane ont été obtenues par l'allongement des étages, l'augmentation de la pression dans la chambre de combustion – et par conséquent de la poussée – des moteurs Viking, qui équipent le premier et le second étage, et du moteur cryogénique du troisième étage, enfin par l'adjonction de boosters à poudre puis à liquide à la base du premier étage. La masse au décollage est passée de 210 à 470 tonnes, la charge utile en orbite de transfert de 1,8 tonne à 4,2 tonnes. Il a fallu allonger la coiffe et augmenter son diamètre pour autoriser l'emport de satellites de plus grande taille. (Document Arianespace.)*

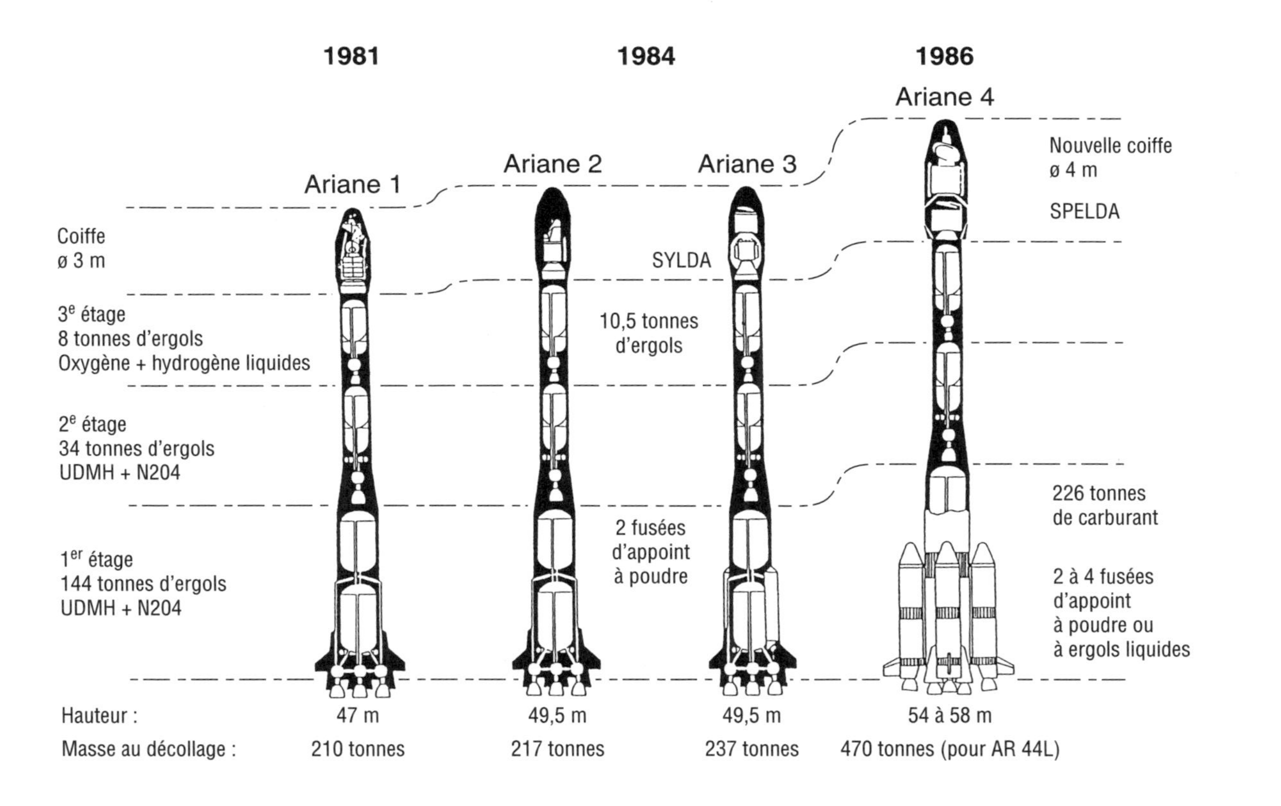
1981
1984
1986
Ariane 1
Ariane 2
Ariane 3
Ariane 4
Coiffe
ø 3 m
SYLDA
Nouvelle coiffe
ø 4 m
SPELDA
3e étage
8 tonnes d'ergols
Oxygène + hydrogène liquides
10,5 tonnes
d'ergols
2e étage
34 tonnes d'ergols
UDMH + N204
226 tonnes
de carburant
1er étage
144 tonnes d'ergols
UDMH + N204
2 fusées
d'appoint
à poudre
2 à 4 fusées
d'appoint
à poudre ou
à ergols liquides
Hauteur :
47 m
49,5 m
49,5 m
54 à 58 m
Masse au décollage :
210 tonnes
217 tonnes
237 tonnes
470 tonnes (pour AR 44L)

radicalement. Autant les progrès fondés sur l'optimisation de la conception ou de la mise en œuvre de matériaux plus performants ou sur l'amélioration de la technologie des moteurs peuvent fournir une forte marge de compétitivité, autant les caractères fondamentaux de la technique, le fait qu'elle se construit sur des marges de sécurité très étroites, sans commune mesure avec celles qu'utilise l'aéronautique, conserveront aux lancements spatiaux leur caractère quelque peu acrobatique.

C'est la raison des multiples tentatives pour sortir radicalement de cette démarche d'amélioration de la filière conventionnelle. Plusieurs éléments se marient pour alimenter cette quête qui forme le second courant. Un élément irrationnel d'abord, le sentiment qu'il faut se donner les moyens d'aller dans l'espace comme on vole dans l'atmosphère, simplement plus vite et plus haut, qu'il y a continuité entre les deux domaines. Ce fantasme est présent depuis fort longtemps. Au début des années 1960, un groupe d'industriels européens soumit à la NASA son intention de promouvoir la construction d'un « avion spatial » et s'entendit répondre, par un haut responsable de l'Agence américaine quelque peu pince-sans-rire : « Nous sommes heureux de voir que vous, Européens, allez prendre le relais dans une entreprise que nous jugions hors de notre portée. »

Les bureaux d'études industriels sont une source permanente de conceptions nouvelles ; comme le souligne Pierre Usunier : « [...] pleins de gens imaginatifs et équipés de moyens de calculs très efficaces [ils] sécrètent naturellement des projets, ils balayent de nombreuses hypothèses et ne retiennent que les plus séduisantes[8]. »

Quelles sont les formes de cette séduction ? En termes d'objectifs, le passage du lanceur consommable au lanceur réutilisable. Et, dans la mesure où le lanceur revient sur terre pour être réutilisé, la présence d'hommes à bord devient possible.

Parallèlement au développement de lanceurs consommables dérivés des engins balistiques, la mise au point d'une filière exotique a servi de thème, aux Etats-Unis, à nombre de projets qui en ont exploré les divers aspects. L'histoire commence avec l'avion fusée X 15 qui a volé entre 1959 et 1968 ; il était capable d'atteindre la vitesse de Mach 6,7, à 110 km d'altitude. Elle s'est poursuivie depuis avec dix-neuf projets distincts (dont la Navette spatiale), certains dont on sait peu de chose parce qu'ils sont secrets, et elle aboutit au NASP, au DC X et au X 33. Le NASP, avion spatial mono-étage propulsé par des moteurs combinant les technologies aérobies et anaérobies, devait conduire à la construction de deux prototypes X 30 ; il a été abandonné en 1995. Le DC X, démonstrateur mono-étage à décollage et atterrissage vertical, ne possède ni la capacité d'atteindre la vitesse orbitale ni celle de supporter les contraintes de la rentrée ; il accomplit en somme sur la Terre ce que le LEM faisait sur la Lune en 1969. Quant au X 33, il utilise une propulsion anaérobie très sophistiquée pour préfigurer un lanceur mono-étage réutilisable. C'est un projet expérimental qui, non seulement n'a pas la capacité orbitale, mais qui est très éloigné de la posséder. Il devrait cependant, si tout se passe selon les vœux de ses promoteurs, donner naissance au Venturestar qui, lui, serait un véritable avion spatial. Comme ce projet est astreint aux limitations de la propulsion anaérobie, sa faisabilité passe par des exigences extrêmes sur la masse des structures qui rendent très douteuse l'issue de la tentative.

L'Europe a modestement suivi cet effort : des projets, comme le HOTOL britannique ou le Sänger allemand, n'ont guère dépassé le stade du papier et quelques travaux expérimentaux sont restés au stade du laboratoire.

Si l'on met de côté le cas de la Navette spatiale, le bilan de cet effort de plus de quarante années est nul en termes de systèmes de transport spatial réutilisables. Son acquis technologique, largement couvert par le secret militaire ou industriel, est, en revanche, sans nul doute considérable en termes de matériaux, de structures, d'aérodynamique hypersonique et de technologie des statoréacteurs. Reste à savoir à quoi employer cet acquis, et sur quoi il peut déboucher.

On peut *a priori* imaginer trois cibles à un effort de développement visant à construire, sur cette base technologique, un système de transport opérationnel :

– un objectif militaire, la forte présence de l'*US Air Force* dans nombre de ces programmes, à commencer par le X 15, témoigne qu'il s'agissait d'explorer des alternatives à l'utilisation d'engins balistiques pour le transport de charges nucléaires et de satellites pour la reconnaissance ; la fin de la guerre froide a affaibli, sinon détruit, les objectifs d'une telle démarche qui s'inscrivait dans une logique d'affrontement entre superpuissances ;

– un objectif civil, le développement et la mise en service d'avions commerciaux hypersoniques pour le transport de passagers. Cette perspective a été évoquée sous la présidence de Ronald Reagan ; il y a peu d'apparence qu'il existe un marché rentable pour une telle application ;

– un objectif proprement spatial qui peut se décomposer en deux éléments :

• fournir un successeur à la Navette spatiale,

• remplacer les lanceurs consommables dans leur fonction de base, la mise en orbite des engins spatiaux automatiques qui assurent le développement des applications de l'espace.

Aucune de ces trois cibles ne semble capable de susciter l'investissement majeur nécessaire à l'émergence d'une véritable mutation du transport spatial.

L'objectif spatial mérite une attention particulière.

Il est évident que, à terme plus ou moins éloigné, il faudra pourvoir au remplacement de la Navette spatiale et de sa flotte de quatre orbiters par un nouveau système de transport. Une directive présidentielle a mis fin, en 1991, à la production de la Navette, cependant que son utilisation pour des vols commerciaux a été interrompue dès 1986, après l'accident de Challenger, mais l'aurait été de toute façon en raison de son coût prohibitif. Aujourd'hui, le marché des lancements commerciaux est ainsi entièrement tenu par des lanceurs consommables, au premier rang desquels Ariane qui en détient environ 60 %. Le projet de Station spatiale internationale s'appuie donc, d'une part, sur un système de transport vieillissant et pour lequel aucun successeur à court terme n'est explicitement prévu et, d'autre part, sur des lanceurs consommables russes : Soyouz et Proton.

Il n'y a guère d'espoir que les applications commerciales de l'espace puissent financer le développement d'un successeur de la Navette spatiale ; la rentabilité d'un tel investissement est en effet plus que problématique et le perfectionnement des lanceurs conventionnels offre une route beaucoup plus sûre qui drainera les ressources privées. La seule voie demeure le financement public et seuls les Etats-Unis possèdent une base technique suffisante pour s'y engager avec des chances raisonnables d'aboutir. On peut envisager, en la matière, divers scénarios indissociablement liés à l'avenir à moyen et à long terme des vols habités. Notons seulement que, à ce stade, il n'existe pas de lien de nécessité entre la disponibilité d'un successeur de la Navette spatiale et le développement de vols habités dans la ligne de la Station spatiale internationale. Les Russes, depuis de nombreuses années, démontrent que l'on peut construire et maintenir en activité une station spatiale avec des moyens conventionnels, et ils n'ont connu aucun accident de lancement ayant entraîné des pertes de vie humaines. En outre, le scénario le plus crédible pour l'exploration de Mars n'utilise, nous le verrons, ni la Navette ni la Station spatiale.

Si l'on examine globalement les conséquences de l'évolution technologique sur la conception d'une stratégie de transport spatial, on est conduit à deux sortes de conclusion :

– s'agissant des vols habités, le système de transport spatial devrait procéder des objectifs que l'on pourra s'assigner dans ce domaine, et qui sont tout sauf clairs. Il n'est pas exclu qu'il puisse emprunter des éléments majeurs aux systèmes de transport commercial de l'avenir, comme c'est déjà le cas aujourd'hui ;

– s'agissant des lanceurs consommables, il est clair que leur évolution sera dominée par le développement du marché. Le problème essentiel est donc un problème de compétitivité commerciale.

La compétitivité commerciale ne dépend pas forcément d'une mutation technique. Qu'une mutation technique majeure semble peu vraisemblable n'implique nullement qu'il n'existe pas de marge de compétitivité. S'il semble exclu que l'on puisse gagner un ordre de grandeur sur le coût du kilogramme en orbite, comme on prétendait le faire lorsque la Navette spatiale était à l'état de projet, rien n'empêche que l'on puisse progresser non seulement par un abaissement du coût de l'ordre de 25 %, mais aussi par l'amélioration de toutes les performances du système : réduction des temps d'immobilisation des satellites, simplification des procédures, précision de l'injection, amélioration des contraintes d'ambiance pendant le lancement, etc. Une telle marge de manœuvre est suffisante pour entreprendre la reconquête d'un marché. Il faut garder à l'esprit, en effet, que l'utilisateur n'achète pas un lanceur ; il *achète un service* dans la qualité duquel entrent des éléments très divers. Compte tenu de cela, on peut tenter d'apprécier ce qu'il y a de solide et ce qu'il y a de vulnérable dans la position dominante que l'Europe occupe actuellement.

Chapitre II

TECHNOLOGIE ET SATELLITES

L'influence de l'évolution technologique sur la technique satellitaire est infiniment plus complexe que ce que l'on observe dans le transport spatial.

Elle procède d'une logique où interviennent un certain nombre d'éléments aisés à identifier. A cette logique se superposent des éléments irrationnels, véritables effets de mode qui perturbent l'évolution de la technique ; ce sont naturellement les programmes financés sur fonds publics par les agences spatiales qui y sont les plus sujets, parce que la discipline du marché n'est pas là pour rappeler à la sagesse.

Tous les satellites possèdent en commun deux caractères qui commandent leur évolution :

– leur unique fonction est de recevoir, traiter et transmettre de l'information ;

– ils sont inaccessibles à toute intervention matérielle après leur mise en orbite.

S'agissant de la maintenance en orbite par des opérateurs humains, il existe naturellement des exceptions. Chacun a en mémoire les récupérations par la Navette spatiale de satellites de télécommunications abandonnés en orbite basse par la défaillance de leur système de propulsion ou, de façon plus convaincante, les réparations et les transformations effectuées sur le télescope spatial Hubble. Mais on ne peut envisager de généraliser cette démarche. D'abord, parce que chacun de ces succès n'est que le rattrapage d'un échec, ce qui permet de se livrer à une démonstration, mais non de fonder l'avenir. Deux autres raisons, dont chacune est suffisante, l'interdisent :

– les orbites utilisées par les satellites d'application et la quasi-totalité des satellites de recherche scientifique sont inaccessibles aux véhicules habités, que ce soit l'orbite géostationnaire utilisée pour les télécommunications ou les orbites polaires des satellites d'observation de la Terre ; l'orbiter de la Navette n'accède qu'aux orbites basses ;

– ce type d'opération n'est pas financièrement viable. Quelle que soit l'exploitation médiatique à laquelle il a donné lieu, il n'est pas compétitif, compte tenu du coût des vols habités, avec la maintenance par remplacement qui demeurera la norme, à horizon prévisible.

Les satellites peuvent remplir d'autres fonctions que purement informationnelle ; cela concerne essentiellement l'étude du comportement de la matière et de la vie en microgravité, mais demeure d'une importance limitée pour la recherche fondamentale et n'a pas donné naissance à des développements économiques.

Nous pouvons faire abstraction de ces éléments accessoires pour analyser l'évolution du satellite et considérer que l'état du système spatial lui impose une contrainte fondamentale, celle d'être un système qu'on ne peut réparer ou modifier après sa mise en orbite. Pour qu'il en soit autrement, il faudrait qu'intervienne une mutation majeure du transport spatial, dont nous avons vu qu'elle était hautement improbable.

L'impossibilité d'intervenir sur le satellite doit être soigneusement qualifiée. L'intervention dont la généralisation est interdite à horizon prévisible est l'intervention matérielle, celle qu'Arthur Clarke évoquait à propos de la panne, dès sa mise en orbite, du premier télescope orbital, l'OAO 1, en avril 1966 : « Un homme avec un tournevis aurait probablement pu le réparer en cinq minutes et économiser 50 millions de dollars. » Peut-être, mais cette intervention coûterait de 500 à 600 millions de dollars d'aujourd'hui, certes un peu dévalués. En revanche, l'intervention informationnelle – la prise en compte par le satellite de signaux envoyés de la Terre pour lui permettre de s'adapter à telle ou telle situation – est aisée, mais elle a ses limites. Si elle permet des opérations complexes, consistant par exemple à réparer les logiciels embarqués ou à les reconfigurer pour les adapter à une situation imprévue, elle ne peut pallier la défaillance d'un élément matériel que dans la mesure où une redondance a été prévue.

Cette combinaison d'accessibilité informationnelle et d'inaccessibilité matérielle commande et explique l'évolution technologique des satellites. Elle produit trois sortes d'effets étroitement liés au concept de maintenance par remplacement :

– elle donne une importance centrale à l'évolution des technologies informationnelles ;

– elle focalise l'attention sur les technologies qui gouvernent la durée de vie du satellite, soit parce qu'elles sont à l'origine de pannes, soit parce qu'elles déterminent les consommations de réserves non renouvelables comme les ergols utilisés pour l'ajustement de l'orbite ;

– elle impose, enfin, pour un certain état des technologies disponibles, des limites à la complexité du satellite et, surtout, à la diversité des fonctions qui lui sont assignées.

L'usage est de distinguer, dans un satellite, la *charge utile* et la *plate-forme*. La charge utile est constituée de l'ensemble des éléments qui permettent au satellite d'accomplir la mission pour laquelle il a été conçu, par exemple, dans un satellite de télécommunications, l'ensemble des transpondeurs. La plate-forme regroupe des éléments qui fournissent l'environnement dont la charge utile a besoin pour fonctionner dans l'espace : contrôle de l'attitude et de l'orbite, alimentation en énergie, contrôle thermique, etc. Charge utile et plate-forme peuvent être matériellement séparées, comme dans les satellites SPOT ;

elles peuvent être imbriquées, comme dans les satellites météorologiques géostationnaires Météosat. La même plate-forme peut être utilisée pour des charges utiles différentes, comme c'est le cas pour SPOT et les satellites d'observation militaire Hélios, mais c'est la réunion de ces deux éléments, profondément adaptés l'un à l'autre, qui constitue un système matériellement autonome.

Depuis les origines, la conception générale de ce système évolue sous l'effet de deux contraintes dominantes : la capacité des lanceurs et le progrès des technologies informationnelles.

Les lanceurs disponibles ont longtemps imposé leurs limitations aux concepteurs. Lorsque les équipes du CNES préparaient les premiers satellites, D1 pour le lanceur national Diamant et FR1 pour le lanceur américain Scout, elles avaient le souci permanent de maintenir un bilan de masse compatible avec le lanceur et avec l'orbite désirée. La nécessité d'atteindre l'orbite géostationnaire, d'accès plus difficile, a prolongé les effets de cette contrainte. Les versions successives du lanceur Delta et les générations successives des satellites Intelsat illustrent remarquablement cette situation de dépendance ; pendant longtemps, on a conçu le satellite pour utiliser en totalité la masse et accessoirement le volume permis par le lanceur. La situation présente est beaucoup plus complexe.

En ce qui concerne l'orbite géostationnaire, on assiste à un renversement des positions. Ce sont les programmes de lanceurs qui se plient à la demande du marché ; les tactiques adoptées pour le programme Ariane en sont une illustration. Pour Ariane 4 et pour Ariane 5, on cherche à disposer d'un lanceur capable de deux choses :

– assurer des lancements doubles pour les satellites géostationnaires les plus courants ;

– lancer les satellites géostationnaires les plus lourds susceptibles d'apparaître sur le marché.

Pour les orbites basses, et notamment les orbites

polaires héliosynchrones utilisées par les satellites d'observation de la Terre, les lanceurs conçus pour l'orbite géostationnaire sont généralement surabondants.

Au total, la contrainte de masse a modelé pendant plusieurs décennies la conception des segments spatiaux. Elle explique les différences profondes entre les satellites soviétiques, plus lourds à performances égales, et les satellites occidentaux, différences qui témoignent, pour l'essentiel, d'une plus grande capacité du système de transport spatial soviétique et d'une moins grande maîtrise des technologies informationnelles. Cette contrainte tend aujourd'hui à disparaître, laissant la technique satellitaire libre d'évoluer selon sa logique propre. Les technologies de l'information jouent à cet égard un rôle dominant ; la rapidité de leur évolution fait que l'on peut pratiquement dater un satellite en examinant ses circuits électroniques. Les générations successives de satellites ont incorporé le progrès technologique sous ses deux dimensions fondamentales : miniaturisation des composants et généralisation de la technologie numérique. Les premiers satellites utilisaient des transistors et des télémesures analogiques. On est allé, là comme ailleurs, du transistor au microprocesseur, avec quelque retard lié à la nécessité de qualifier les nouveaux composants en ambiance spatiale et de s'assurer, en particulier, qu'ils résistaient aux radiations rencontrées en orbite. Mais, à cela près, l'effet de la miniaturisation des composants électroniques sur le satellite a été semblable à celui observé dans tous les systèmes informationnels : une croissance du nombre des composants élémentaires parallèle au progrès de l'intégration à grande échelle. Il existe une règle empirique, dite loi de Moore, qui décrit la croissance du nombre de composants élémentaires qu'on sait intégrer sur la même embase de silicium. Naturellement, ce n'est pas vraiment une loi mais un simple fait d'observation qu'on ne peut extrapoler sans précaution : en effet, la réduction de taille des composants élémentaires approche de certaines limites physiques, d'autre part, *a contrario,* on ne peut exclure une mutation technologique qui ouvrirait un nouvel espace de croissance. Mais la croissance des performances des microprocesseurs continuera probablement, pendant les cinq à dix ans qui viennent, à modeler la conception des satellites comme elle le fait pour nos ordinateurs individuels, avec une rapidité qui n'a guère de précédents dans l'évolution technologique.

De là naissent plusieurs interrogations : Quels seront les effets de cette évolution technologique sur la conception des systèmes spatiaux ? Existe-t-il d'autres aspects de cette évolution susceptibles d'affecter cette conception ?

Le progrès des technologies informationnelles permet d'accroître énormément la complexité des opérations de traitement de l'information conduites à bord. Cette faculté peut être exploitée dans plusieurs directions que l'on amalgame parfois, un peu abusivement, en évoquant une « intelligence » accrue du satellite. Sous ce vocable quelque peu archaïque, réminiscence des fantasmes de l'informatique à ses débuts, se rangent des éléments très prosaïques. Pour la plate-forme, il s'agit d'abord d'accroître son autonomie à réagir, non plus seulement à des signaux de télécommande émis par des stations terriennes, mais directement à des informations qu'elle collecte sur l'état de fonctionnement du satellite ou sur sa position orbitale. La réduction de la masse et de la consommation électrique du matériel électronique, la complexité croissante des logiciels qu'il est capable d'héberger permettent de lui confier des fonctions de diagnostic et de réparation des pannes et de systématiser les redondances. Cette autonomisation de la plate-forme entraîne une réduction de la complexité des opérations terriennes nécessaires pour exploiter le satellite et, par conséquent, une réduction des coûts d'exploitation. Quant à la charge utile, elle évolue dans le sens d'un accroissement des opérations de traitement à bord :

commutation des signaux pour les satellites de télécommunications, traitement et compression des données pour les satellites imageurs, etc.

Pour l'essentiel, c'est l'évolution de la technologie informationnelle, et notamment de la micro-électronique, qui est le moteur des progrès de la technique satellitaire et non l'inverse[9]. Dans les années 1960, les agences spatiales, le CNES en particulier, ont développé des filières de composants spatiaux, dits ultrafiables, qualifiés pour l'environnement spatial, et il existait alors un flux de transfert technologique allant de la technique spatiale vers les autres champs techniques. Cette situation s'est complètement inversée sous l'effet de la montée du marché de l'électronique industrielle et de l'électronique grand public. Le flux de transfert technologique est maintenant dirigé vers la technique spatiale.

Précisons, enfin, que, contrairement à ce qu'on lit parfois, miniaturisation électronique ne signifie pas miniaturisation du satellite. Pas plus que l'on ne peut miniaturiser un ordinateur individuel parce que les doigts et l'œil imposent la dimension du clavier et de l'écran, on ne peut réduire le satellite à la dimension du microprocesseur parce que d'autres contraintes physiques interviennent : dimension des panneaux solaires déterminée par l'énergie nécessaire, dimension des antennes liée à leur directivité, diamètre des instruments optiques déterminé par leur résolution, etc. S'il est indéniable que la miniaturisation électronique permet une réduction de la masse et des dimensions des satellites, on ne peut extrapoler sans précaution de l'une à l'autre. Le phénomène général est que, malgré le développement considérable des fonctions qu'il assure, l'équipement électronique du satellite tend à ne plus être le facteur qui détermine sa dimension.

L'importance centrale des technologies informationnelles ne doit pas en effet dissimuler que leur rôle n'est pas exclusif. Les technologies qui gouvernent la durée de vie du satellite, composante fondamentale du rapport coût-efficacité, jouent également un grand rôle. La durée de vie des satellites géostationnaires atteint aujourd'hui des valeurs très élevées : dix ans pour les satellites existants, quinze ans pour la génération qui se prépare. On peut se demander s'il faut chercher à aller très au-delà, compte tenu de l'obsolescence technologique qui se manifeste à cette échelle de durée. La situation est nettement moins bonne en orbite basse, où les satellites sont soumis à des transitions jour-nuit qui créent des chocs thermiques et soumettent les batteries à des cycles rapides de charge et de décharge.

Les éléments les plus vulnérables sont bien connus ; ce sont, par exemple, les batteries, les enregistreurs de bord à bandes magnétiques et les tubes à onde progressive pour les pannes aléatoires, le système de correction d'orbite pour l'épuisement des consommables. Certains d'entre eux, enregistreurs de bord et tubes à onde progressive, sont en voie d'être éliminés par les progrès des composants semi-conducteurs ; les propulseurs ioniques vont se substituer aux propulseurs à ergols chimiques et la durée de vie des batteries embarquées croît continuellement. Les progrès remarquables en matière de durée de vie sont dus en large part, contrairement à tout ce qui concerne l'informationnel, à un effort spécifique portant sur des technologies, la micropropulsion notamment, propres à la technique spatiale.

La maladie du gigantisme

Lorsqu'on analyse l'évolution des satellites en relation avec l'évolution technologique, on ne peut manquer d'être frappé par d'évidentes aberrations dont la plus marquée fut la dérive vers le gigantisme des satellites d'observation de la Terre.

La source de ces déviations est aisée à identifier ; elle réside dans une anticipation mal fondée des promesses de l'homme dans l'espace et plus spécifiquement de la Navette spatiale. Pour mesurer l'attente suscitée, il suffit de rappeler que le responsable du projet George Mueller[10] – qui fut longtemps président de l'Académie internationale d'astronautique – écrivait, en 1969, que la Navette serait conçue pour amener le coût du transport en orbite à 50 dollars la livre et qu'on pourrait atteindre ultérieurement 20 dollars, et même moins. A ce niveau de coût, et en supposant une fréquence de rotation de la Navette en rapport avec cette projection, l'intervention d'opérateurs humains en orbite pour assurer le déploiement et la maintenance des segments spatiaux pouvait être considérée comme économiquement viable et susceptible par conséquent de transformer profondément la conception des satellites.

La première tentative pour exploiter cette voie est due à Burt Edelson et Kurt Morgan avec le concept de « ferme d'antennes » *(antenna farm),* qui consiste à regrouper sur une plate-forme géostationnaire un grand nombre d'antennes de télécommunications desservant des besoins divers et à confier à ce segment spatial des tâches de commutation complexes. On accomplit ainsi une double évolution : d'une part, en assurant avec un seul satellite des fonctions distribuées jusque-là à des satellites individuels, d'autre part, en déplaçant de la Terre vers l'orbite des tâches complexes de façon à alléger le coût des stations terriennes, et à rendre plus aisée et plus économique leur multiplication. Il s'agit en somme de construire et de maintenir en bon état dans l'espace l'équivalent d'un centre de télécommunications terrestres, les astronautes jouant, dans son déploiement et sa maintenance, le même rôle que les ingénieurs et les agents techniques sur Terre. La capacité d'intervention orbitale, indispensable pour assembler la ferme d'antennes et aussi pour assurer sa maintenance et pour la transformer, n'étant pas disponible, le concept n'a pas reçu le moindre commencement de concrétisation ; la NASA n'était pas autorisée à avoir des activités dans ce domaine et, avant même que le marché puisse réagir, la Navette spatiale avait montré ses limites, tout à fait incompatibles avec la viabilité de cette technique.

La NASA transposa les mêmes idées au domaine de l'observation de la Terre. Sans entrer dans un historique détaillé, disons qu'on est allé, dans ce cas, beaucoup plus loin dans l'exécution de ce projet et qu'il subsiste encore dans les programmes de la NASA et surtout de l'ESA des traces dommageables de cette déviance.

Les orbites les plus couramment utilisées dans ce domaine d'application sont des orbites quasi polaires d'altitude voisine de 1 000 km. Il était prévu que les orbites polaires soient accessibles à la Navette, mais l'altitude de travail, elle, ne l'était pas.

On a d'abord vu surgir, à la NASA, le projet d'une plate-forme véritablement gigantesque, formée par l'assemblage en orbite de trois palettes du Spacelab. Dans un second temps, le satellite EOS, lancé tout d'une pièce par la Navette et pesant 10 tonnes, devait être desservi en orbite par des astronautes. Cela supposait qu'il fût capable de gagner lui-même son orbite de travail, à partir de l'orbite basse sur laquelle la Navette le placerait, et d'en redescendre en fin de cycle d'utilisation pour être ravitaillé, réparé ou modifié en orbite basse. Lorsque fut abandonnée la création, sur la côte ouest des Etats-Unis, d'un site de lancement donnant accès aux orbites polaires, le projet de desservir EOS par des astronautes disparut de lui-même, mais le programme « Mission vers la planète Terre » de la NASA demeura durablement marqué de gigantisme, et le retour à une conception adaptée à l'état de la technique exigea de longs efforts.

La fascination qu'exercent, souvent à juste titre, les réalisations américaines ne pouvait manquer de propager à

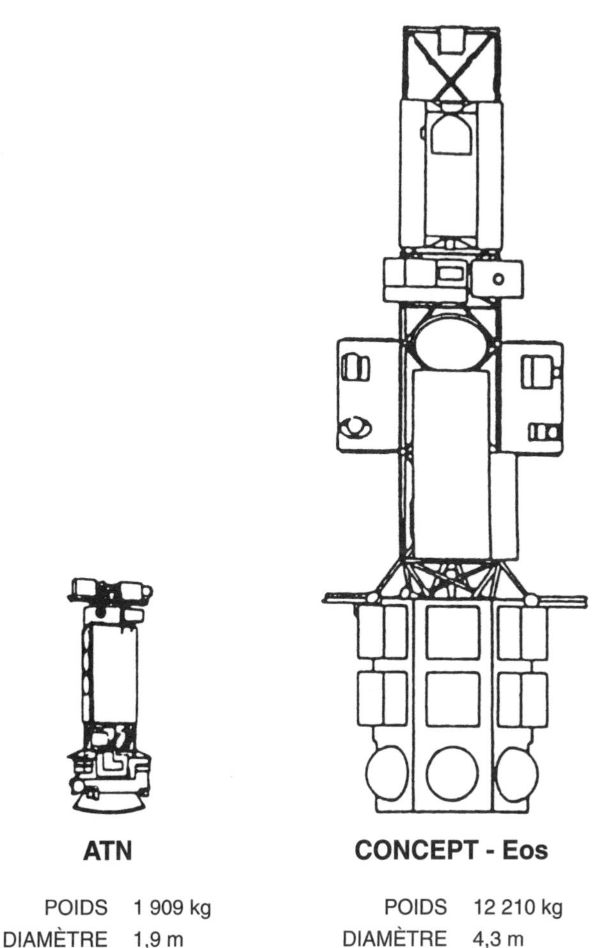

	ATN		CONCEPT - Eos
POIDS	1 909 kg	POIDS	12 210 kg
DIAMÈTRE	1,9 m	DIAMÈTRE	4,3 m
HAUTEUR	4,2 m	HAUTEUR	12 m
CHARGE UTILE	361 kg	CHARGE UTILE	3 500 kg
(1992 - 1995)		(1995 - 2000)	

*Un exemple de gigantisme : le concept EOS représenté, ici, à la même échelle que l'*Advanced Tiros N, *qui a assuré jusqu'à aujourd'hui l'observation météorologique en orbite polaire. (Document espace et évolution technologique.)*

l'Agence spatiale européenne les effets de cette dérive ; fascination et discernement ne font pas, en général, bon ménage. Et c'est ainsi qu'on vit apparaître, avec un retard qui le rendait quelque peu consternant, un projet de plate-forme desservie, lequel subit la même évolution forcée qu'EOS vers l'automatisme. Mais si, en Europe, les décisions sont plus longues à prendre qu'aux Etats-Unis, elles sont aussi beaucoup plus difficiles à modifier ou à renverser. C'est ainsi que le projet Envisat, avec ses 8 tonnes en orbite, ira à son terme, dinosaure isolé, comme le témoin d'une époque[11]. Il faut voir dans tout cela un effet mal contrôlé des fantasmes suscités par la présence de l'homme dans l'espace et nourri d'ailleurs par des appétits industriels beaucoup plus terre à terre.

Le slogan « *Faster, better, cheaper* » exprime la volonté de la NASA d'en finir avec la maladie du gigantisme et la dérive qu'elle a connue vers des projets énormes, longs, coûteux et hasardeux. Mais le seul fait qu'il ait fallu en faire un slogan donne la mesure de ce que cette déviance avait d'irrationnel. Dans des techniques matures, comme l'aéronautique, les transports maritimes ou les transports routiers, on adapte la dimension de l'objet au besoin, sans qu'il soit nécessaire de recourir au slogan. L'Europe ne pouvait manquer de suivre encore la NASA dans cette voie, et sans doute a-t-elle raison, cette fois, de le faire. En exploitant la capacité croissante des lanceurs, les agences spatiales avaient déserté toute une gamme de masses, comme si, à moins de une tonne, on ne savait plus rien faire, situation paradoxale engendrée sans doute par le sentiment que l'image d'une agence est servie d'abord par ses grands projets.

Pourtant, dans les années 1960 et avec la technologie informationnelle de l'époque, infiniment moins performante que celle dont nous disposons aujourd'hui, le satellite Diamant D2 réalisait d'admirables et délicates observations sur le Soleil, Eole traquait une flotte de ballons dans l'atmosphère de l'hémisphère Sud... Avec des masses voisines de 100 kilogrammes, ces satellites se situeraient aujourd'hui à la limite entre les mini et les microsatellites. Ni le CNES ni l'Agence spatiale européenne n'ont rien fait dans cette gamme de masses depuis deux décennies et il a fallu attendre 1995 pour que soit lancé, en France, le développement d'une plate-forme de minisatellites PROTEUS (Plate-forme reconfigurable pour l'observation, les télécommunications et les usages scientifiques). Quant aux microsatellites, c'est une université britannique, l'Université du Surrey, qui a su, avec des moyens modestes, occuper ce créneau délaissé par les agences, créant ainsi plus d'une centaine d'emplois de haute technologie[12]. La tendance se renverse mais il est préoccupant que cela apparaisse comme un nouvel effet de mode, du type *« small is beautiful »* ; dans le champ proprement technique, les effets de mode sont des signes d'immaturité. Lorsqu'une population paye pour avoir d'énormes voitures ornées d'énormes masses de chrome, c'est que sa relation à l'automobile est encore immature. Dans la technique spatiale, le problème n'est pas de réduire la masse, il est de choisir la masse optimale en fonction de la mission. Les secteurs contrôlés par le marché, comme celui des télécommunications, sont davantage protégés des effets de mode, ne serait-ce que parce que la rentabilité des investissements agit comme juge de paix sur les choix. Mais ce régulateur fait défaut dans les programmes financés sur fonds publics et l'expérience du passé devrait commander aux responsables d'user de lucidité et de vigilance.

Solitaires et constellations

La plupart des satellites ne communiquent pas directement avec d'autres satellites, mais seulement avec la Terre. Il y a des exceptions, par exemple certains satellites géostationnaires sont conçus pour établir un relais permanent entre la Terre et la Navette spatiale, mais ce mode d'acquisition des données recueillies par un satellite en orbite basse n'est pas encore généralisé. On pourrait imaginer, s'il se révèle rentable, qu'il se substitue éventuellement aux stations terriennes indispensables pour gérer les satellites d'observation de la Terre. Compte tenu du progrès des mémoires, qui permettent de stocker les images à bord, elles ne s'imposeraient, dans l'avenir, que pour les applications où l'accès à ces images doit se faire en temps réel.

On observe, par ailleurs, que certains satellites appartiennent à un système de plusieurs satellites conçu pour

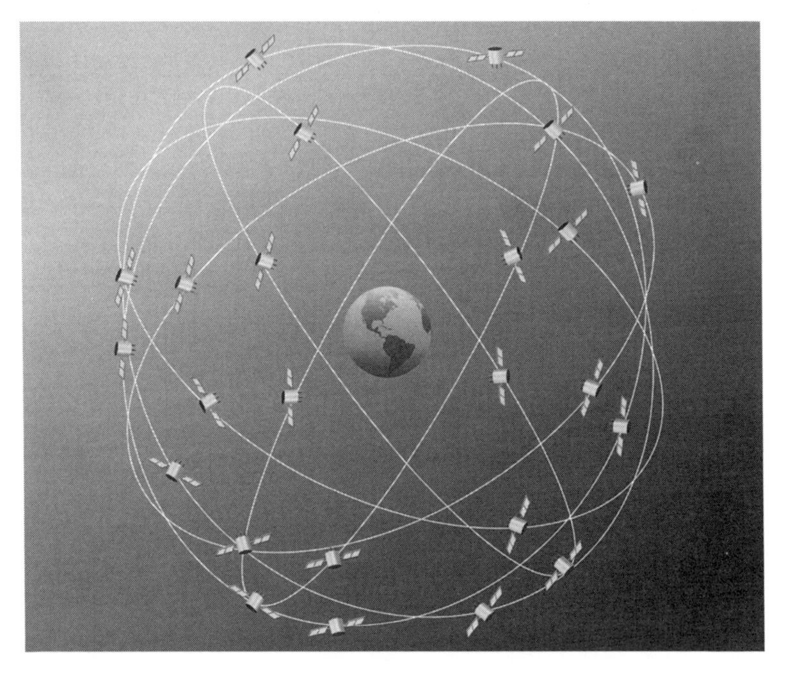

La constellation GPS : elle compte 24 satellites placés sur des orbites circulaires à 20 000 km d'altitude ; ces orbites sont disposées sur six plans inclinés à 55° par rapport au plan de l'équateur et dont chacun contient quatre satellites. (Document Alcatel Espace.)

accomplir une certaine fonction. Il existe ainsi un système d'observation météorologique formé de cinq satellites en orbite géostationnaire – dont le satellite européen Météosat. Cet ensemble permet une observation globale et permanente de la Terre, mais l'échange et la fusion des informations se font au sol et chaque satellite est isolé des autres.

De façon analogue, le système de navigation GPS *(Global Positionning System),* constitué de vingt-quatre satellites en orbite circulaire à 20 200 km d'altitude, est conçu pour qu'un utilisateur terrien ait en vue simultanée, à tout instant, au moins quatre satellites par rapport auxquels il établit sa position. En ce sens, on peut dire que les satellites GPS forment une « constellation », mais l'usage de ce mot est apparu avec une nouvelle conception des télécommunications par satellites.

Depuis les origines, le développement des télécommunications par satellites s'est fondé de façon quasi exclusive sur l'usage des satellites géostationnaires. L'orbite géostationnaire a l'avantage immense que le satellite qui s'y trouve placé est fixe pour un observateur terrestre et qu'il fournit ainsi un relais permanent ; elle a l'inconvénient d'être éloignée. L'énergie nécessaire pour établir une liaison est, toutes choses égales par ailleurs, directement proportionnelle au carré de la distance, ce qui revient à dire qu'elle est multipliée environ par 1 000 lorsqu'on passe d'un satellite à 1 000 km d'altitude à un satellite géostationnaire. On pallie cette difficulté en utilisant des antennes directives et des niveaux de puissance plus importants, mais, pour communiquer avec des équipements dont la puissance est faible et l'émission omnidirectionnelle comme les téléphones portables, il est tentant de réduire la distance en utilisant une orbite basse. Dès lors, le satellite défile et il faut, pour assurer la continuité de la liaison, disposer d'un ensemble de satellites d'autant plus nombreux que l'altitude est plus faible, afin qu'en permanence un satellite, au moins, soit en vue directe de l'utilisateur.

La mise en œuvre de ce nouveau concept ouvre de nombreux problèmes. Tout d'abord, la géométrie de la constellation – les positions des satellites les uns par rapport aux autres – doit être contrôlée et maintenue en permanence. Cette tâche, équivalente au maintien en position d'un satellite géostationnaire par sa station de contrôle, peut devenir extrêmement lourde si la constellation est très nombreuse. Pour le système Teledesic dont Bill Gates s'est fait le promoteur, on envisage plusieurs centaines de satellites. Il devient alors avantageux de confier cette tâche au satellite lui-même en le rendant capable de déterminer sa position, par exemple avec un récepteur GPS embarqué. Plus généralement, tout ce qui va dans le sens de l'autonomisation du satellite par rapport au sol peut devenir un élément déterminant de rentabilité.

Par ailleurs, chaque satellite est en liaison avec ses voisins, ce qui permet l'acheminement direct des informations, depuis leur lieu d'origine jusqu'à leur destination. Cela tend à faire de la constellation un système unique.

La généralisation de ce concept devrait influer profondément sur la technique des satellites et le transport spatial. S'agissant des satellites, outre la pression sur l'autonomisation des plates-formes qu'elle accroît fortement, elle va conduire pour la première fois à produire des satellites en série avec tout ce que cela comporte de conséquences industrielles.

S'agissant du transport spatial, qui est aujourd'hui fortement adapté à la mise en orbite géostationnaire, il n'est pas évident que les lanceurs comme Ariane 4 ou Ariane 5 soient adaptés ou adaptables pour être utilisés de façon techniquement et économiquement compétitive à la mise en orbite basse des satellites des constellations et surtout au remplacement de satellites défaillants.

En tout état de cause, l'équilibre qui s'établira entre satellites en orbite basse et satellites géostationnaires de télécommunications est extrêmement difficile à prévoir à ce stade de l'évolution où la technique géostationnaire n'a pas encore réagi à l'apparition d'une concurrence en orbite basse.

Avec l'utilisation de signaux émis par le système GPS pour contrôler la géométrie d'une constellation de satellites ou l'attitude de satellites individuels, on voit apparaître, pour la première fois, une interaction, une relation d'interdépendance, entre deux systèmes spatiaux distincts. Il est tentant d'extrapoler, comme certains l'ont fait, et de voir l'ensemble de tous les segments spatiaux évoluer vers un système unique totalement intégré. On lit ainsi, sous la plume de Jacques Blamont[13], que « la plupart des systèmes spatiaux entreront bientôt dans un vaste ensemble unique ». Cependant, il ne faut pas se payer de mots et bien voir où se situent les limites d'une telle conception. Lorsqu'on développe une activité technique, quelle qu'elle soit, sur la surface encombrée de la Terre, on ne peut se dispenser d'examiner son interdépendance avec d'autres activités techniques existantes et de déterminer comment elle peut en bénéficier ou s'en accommoder. La multiplication des systèmes spatiaux, et la diversification des services qu'ils sont susceptibles de fournir, est en train de transposer cette situation familière à l'espace. Mais il faut se garder de confondre ces interdépendances inévitables, multiples et croissantes avec une démarche délibérée d'intégration qui supposerait que l'initiative et la décision soient centralisées.

L'intégration serait concevable dans une économie dirigée de type soviétique, et l'évolution technique pourrait en fournir les moyens. Elle ne l'est aucunement dans une économie où les centres d'initiative et de décision, comme d'ailleurs les sources de financement, sont multiples.

Essayons de schématiser les effets de l'évolution technologique. Pour les véhicules orbitaux, on peut partir du rôle déterminant que jouent les technologies informationnelles. La technique spatiale n'est pas en cela un cas isolé. Les technologies informationnelles dominent la transformation du système technique de notre époque, phénomène majeur que symbolise et résume le vocable à la mode de « société de l'information ». Elles succèdent en cela aux technologies de l'énergie en attendant, peut-être, de céder la place aux biotechnologies. Le fait que les satellites soient des relais dont l'unique fonction est de collecter, de traiter et de transmettre de l'information explique tout naturellement ce rôle central.

L'interaction entre technique satellitaire et technologies informationnelles obéit à une double logique. D'une part, l'état des technologies est une donnée de fait que la technique satellitaire prend en compte sans pouvoir l'influencer de façon significative. La simple considération des masses financières investies dans l'évolution des technologies électroniques et informatiques suffit à l'établir. La technique satellitaire est donc, pour l'essentiel, confinée à des travaux d'adaptation ou de qualification de technologies existantes, travaux qui alimentent un flux de transfert allant du terrien vers le spatial.

D'autre part, la demande du secteur commercial, c'est-à-dire pour l'essentiel des satellites de télécommunications, est la force dominante qui régit ces transferts et impose ses exigences : minimisation des durées et des coûts de production, maximisation de la durée de vie, autonomie des plates-formes et optimisation de la masse. L'impératif de rentabilité, combiné aux durées de vie élevées qui sont aujourd'hui accessibles, tend à instaurer un certain conservatisme technologique. Au contraire, les secteurs financés par l'argent public, et notamment la recherche, parce qu'ils sont beaucoup moins soumis à la contrainte du retour sur investissement, favorisent des démarches plus innovantes. Mais cette latitude s'assortit d'un risque de dérives dont nous avons donné quelques exemples.

A l'influence de l'évolution des technologies informationnelles s'ajoute, dans la conception des systèmes satellitaires, la prise en compte d'une relation d'interdépendance croissante avec des systèmes spatiaux existants et dont la disponibilité est assurée.

L'évolution des satellites ne dépend cependant pas seulement de l'évolution des technologies informationnelles. D'autres domaines sont mis à contribution, notamment les sources d'énergie : générateurs solaires, générateurs nucléaires et batteries chimiques, et les matériaux qui entrent dans les structures. Il s'y ajoute une faible composante de technologies spécifiques qui concernent notamment la propulsion orbitale et le contrôle d'attitude. Enfin, pour tous les satellites d'observation, la conception et la réalisation des instruments forment un domaine très spécifique, point de contact privilégié entre la recherche fondamentale et les applications civiles et militaires.

Tous ces éléments tendent à compliquer quelque peu le tableau sans en occulter cependant les grandes lignes.

L'évolution du transport spatial est loin d'offrir une perspective aussi claire que l'évolution des satellites. Les technologies informationnelles n'en sont pas absentes, mais elles ne jouent qu'un rôle ancillaire dans la conception du lanceur. Bien que leur défaillance puisse aisément provoquer un échec, comme on l'a vu lors du premier vol d'Ariane 5, la maîtrise de cet élément du lanceur ne suffit nullement à en assurer la compétitivité. Par ailleurs, la demande du marché, même si elle est puissante, n'est pas susceptible de susciter des investissements majeurs dans la propulsion, seule technologie spécifique dont pourrait peut-être, et à condition qu'on y consacre des moyens importants, émerger une mutation technique. La bataille pour le marché va donc s'organiser, d'une part autour d'améliorations marginales mais susceptibles de fournir à terme des gains de compétitivité significatifs, d'autre part autour de l'adaptation des lanceurs à une demande susceptible d'évoluer avec le développement des constellations. L'élaboration d'une stratégie est donc une tâche complexe et délicate où l'évolution technologique ne joue pas un rôle aussi déterminant que dans le domaine des satellites.

Enjeux

L'inventaire des enjeux est un préalable à l'analyse des politiques spatiales ; il faut d'abord les envisager dans leur généralité ; la question de savoir s'ils sont à portée de l'Europe est seconde.

On partira du fait que les applications de la technique spatiale sont un aspect important d'un phénomène plus général, qui est la pénétration des technologies informationnelles dans toutes les branches de l'activité humaine, phénomène massif qui transforme en profondeur le fonctionnement de la société. Ce n'est pas ici le lieu de l'analyser, mais seulement de préciser la place que la technique spatiale y occupe, car cette place détermine, pour l'essentiel, l'importance de l'espace.

Il faut en outre traiter à part la présence de l'homme dans le milieu spatial, ne serait-ce que parce que la question de savoir à quelle logique elle obéit et quels objectifs elle vise ne comporte pas de réponse évidente.

L'intervention de la technique spatiale dans de multiples rouages de l'économie entraîne une évolution rapide des sociétés développées vers une situation de dépendance vis-à-vis de cette technique. De larges secteurs de l'activité, *a priori* complètement distincts de la technique spatiale, par exemple le transport aérien, tendent à devenir totalement tributaires de ses services. Ce processus affecte aussi bien les activités proprement civiles que la défense, ce qui, par l'un et l'autre aspect, l'assortit d'un enjeu proprement politique. C'est là un phénomène insidieux, parce que ses apparences ne sont pas spectaculaires et le peu qu'elles ont de spectaculaire est rapidement érodé par l'habitude. Recevoir chez soi des images de la Terre vue de l'orbite géostationnaire, pointer vers un satellite de télévision une antenne achetée dans une grande surface, voilà qui est devenu si banal qu'on n'y prête plus guère attention et que le lien avec la capacité d'installer dans l'espace des éléments du système technique n'est plus perçu. Mais, lorsque l'on fait la somme de tous les points d'entrée de la technique spatiale dans l'activité socio-économique, on voit émerger une dépendance stratégique dont la maîtrise est – ou devrait être – un problème politique majeur, de nature différente mais de même ampleur que ceux que pose le contrôle des approvisionnements énergétiques ou de l'accès aux matières premières.

Distincte mais inséparable du contrôle de la dépendance stratégique, la relation au marché est devenue une dimension essentielle de la technique spatiale. Le volume des activités spatiales contrôlées par les lois du marché croît rapidement pendant que celui qui est financé par de l'argent public connaît une stagnation, et cette tendance ne peut que s'accuser. De ce fait, il est évident que la maîtrise de la relation entre l'industrie spatiale européenne et le marché est une condition *sine qua non* du contrôle de la dépendance stratégique. C'est là un deuxième élément dans le choix des priorités qui définissent une politique spatiale.

Enfin, l'Etat doit disposer de la technique spatiale pour mettre en œuvre les tâches qui lui incombent en propre.

Au premier rang de ces tâches figure la défense ; une appréciation correcte du rôle de la technique spatiale dans les activités de défense est indispensable à la détermination de la place que les moyens spatiaux doivent occuper dans la panoplie militaire.

Le progrès de la connaissance est aussi une responsabilité de l'Etat. Deux des disciplines auxquelles la technique spatiale fournit des outils incomparablement plus puissants que tout ce qui existait auparavant, à savoir la connaissance de l'Univers lointain : étoiles et galaxies, et celle du système solaire, ne sont porteuses d'aucun retour économique prévisible, encore que, pour le système solaire, ces retours puissent relever de la « part du rêve ». Les projets que finance l'effort public dans ce domaine n'ont aucune relation directe avec la maîtrise de la dépendance stratégique ou avec la maîtrise du marché ; il ne faut pas chercher à les appuyer sur des justifications de cette nature. Même si des effets indirects, des « retombées », peuvent en être attendus par le biais des savoir-faire industriels, il s'agit là d'aspects accessoires. Leur justification est de servir de hautes valeurs culturelles et ils n'ont besoin d'aucune autre espèce de justification, même si, naturellement, le volume de l'effort que la société consacre à cette quête de la connaissance pure est un sujet légitime de débat.

Enfin, dans la mesure où la technique spatiale est le plus puissant outil de connaissance de la planète Terre dont l'homme ait jamais disposé, son usage à cette fin est l'un des aspects qu'une politique spatiale doit prendre en compte. Aspect complexe : alors que, dans les autres secteurs, la ligne de démarcation entre ce qui relève de l'Etat et ce qui relève du marché est bien marquée ou vise à se préciser avec le temps, dans le domaine de l'observation de la Terre, elle demeure confuse. L'action de l'Etat et celle du marché s'y imbriquent durablement. En outre, l'observation de la Terre est un puissant outil stratégique, dont la maîtrise est inséparable du contrôle de la dépendance. Et, enfin, l'intelligence du « changement global », de l'altération des équilibres de la planète par les activités humaines ajoute un nouvel élément à ce tableau déjà complexe.

Tout cela fait de l'observation de la Terre un domaine critique où se combinent de façon particulièrement étroite les différentes catégories d'enjeux que nous avons cherché à distinguer : dépendance stratégique, quête de la connaissance et maîtrise du marché.

Chapitre III

LA DÉPENDANCE STRATÉGIQUE

La dépendance stratégique ou son contraire l'autonomie stratégique sont des concepts aussi aisés à définir sommairement que difficiles à préciser. L'autonomie stratégique consiste, pour un pouvoir politique, à disposer des moyens de mettre en œuvre ses choix. Dans un monde où l'interdépendance entre les nations est sans cesse croissante, l'autonomie est par nature une notion relative et tout débat qui la concerne est un débat de degré. Le caractère intangible de la souveraineté nationale appartient depuis longtemps au passé, mais il y a aussi des formes de dépendance – la dépendance coloniale, par exemple – que l'on s'accorde généralement à juger inacceptables.

Ainsi, la dépendance stratégique, définie comme l'effet de l'ensemble des facteurs qui restreignent l'autonomie de décision du pouvoir politique, pose à l'Etat un problème complexe : jusqu'à quel point peut-il ou doit-il accepter d'aliéner son autonomie, ou se donner les moyens de la préserver, étant entendu que, dans un monde interdépendant dominé par une superpuissance, cette autonomie ne saurait être que limitée.

C'est naturellement dans le domaine de la défense que le concept de dépendance stratégique s'impose avec le plus d'évidence mais, de même que le concept de défense déborde largement celui de forces armées, celui de dépendance stratégique est présent dans un champ encore plus large qui englobe, par exemple, tout ce qui concerne la personnalité culturelle des espaces politiques ; « l'exception culturelle », objet de débats entre l'Europe et les Etats-Unis, ne relève pas sans doute de la défense, mais elle concerne l'autonomie.

Dans le monde tel qu'il est, une dimension importante d'une politique d'autonomie concerne inévitablement les relations avec la superpuissance ou encore, dans un autre langage, s'exprime en termes d'acceptation ou de refus de tel ou tel aspect d'une hégémonie. Les réactions à une telle interrogation ne peuvent être que diverses et fonction de la personnalité des nations, de leur histoire et de leur poids économique. C'est à l'évidence un problème qui se pose aux nations européennes dans de nombreux domaines, compliqué par le fait que, pour elles, le débat se déroule à deux niveaux : aliénation de l'autonomie nationale au sein de l'ensemble européen, et de l'autonomie européenne au sein d'un ensemble occidental dominé par les Etats-Unis.

La maîtrise des techniques occupe ici une place prépondérante. Elle apparaît à la fois comme un outil privilégié d'hégémonie pour la puissance dominante et comme le facteur majeur du développement d'une interdépendance mondiale, créant tout à la fois les moyens et la nécessité d'interactions économiques et industrielles à l'échelle du monde.

Quelle est la place de la technique spatiale dans cette relation entre maîtrise des techniques et autonomie stratégique ? En l'état actuel des choses et sans nul doute pour longtemps, tout effet de dépendance créé par les moyens spatiaux découle exclusivement de leur usage à des fins informationnelles. On le voit parfaitement dans le cas saisissant des systèmes de navigation par satellites, qui offrent l'exemple d'une dépendance propagée dans de nombreux secteurs de l'activité civile par un système militaire.

GPS

> Quelques utilisateurs non américains de GPS s'inquiètent à l'occasion de dépendre d'un système américain, et plus spécialement d'un système géré par les militaires américains. Cependant, la prise de conscience que la seule alternative à la bienveillance et à la compétence américaine [...] est un investissement, par une corporation ou un gouvernement qui reste à identifier, de 10 milliards de dollars pour bâtir un nouveau système calme bien vite leurs scrupules.
>
> MIT Security Conference Series,
> *The Global Positioning System : Civil and Military Uses.*

Le système global de positionnement par satellite (GPS, *Global Positioning System*) a été créé par le département de la Défense des Etats-Unis pour répondre aux besoins des forces armées américaines. Le principe en est simple, il repose sur la détermination de la distance de l'utilisateur à plusieurs satellites qui sont simultanément en vue directe. La mise en œuvre de ce principe est en revanche complexe et conduit à un système coûteux à développer et à maintenir. Chaque satellite transmet des signaux radio-électriques à des instants parfaitement définis ; en déterminant l'instant d'arrivée de ces signaux, le récepteur mesure sa distance au satellite comme le produit de la vitesse de la lumière par la durée qui s'est écoulée entre l'émission et la réception ; il se place ainsi sur une sphère dont le satellite est le centre. En renouvelant l'opération sur deux autres satellites, on détermine les trois éléments de la position : latitude, longitude, altitude, par l'intersection de trois sphères. La difficulté réside dans le fait qu'une erreur d'un millionième de seconde sur le temps de trajet engendre une erreur de 300 mètres sur le diamètre des sphères. Il faut donc que le temps à bord de chaque satellite soit exactement connu – ce que l'on obtient en embarquant une horloge atomique – de même que la position du satellite en fonction du temps, son éphéméride. Il faut enfin que le temps soit connu avec la même précision par l'utilisateur. Mais on ne peut astreindre cet utilisateur à posséder une horloge atomique parfaitement calée, ce qui rendrait l'usage du système difficile et coûteux. On contourne ce problème en considérant l'erreur de temps du récepteur comme une inconnue supplémentaire qui vient s'ajouter aux trois inconnues de position. Il faut alors quatre mesures de distance, et par conséquent quatre satellites en vue directe simultanément, pour déterminer la position. Les satellites du système GPS forment une constellation conçue pour assurer cette simultanéité. L'altitude des orbites est le paramètre critique ; lorsqu'elle croît, le nombre de satellites nécessaires diminue mais la puissance d'émission requise augmente. Les concepteurs de GPS ont opté pour une altitude de 20 200 km et vingt-quatre satellites disposés sur six orbites circulaires inclinées à 55° sur le plan de l'équateur. Chaque orbite contient quatre satellites régulièrement espacés. Le système Glonass, qui est l'équivalent russe du GPS, repose sur un choix très voisin : vingt-quatre satellites à 19 100 km d'altitude sur trois plans orbitaux inclinés à 65,8°.

GPS étant un système militaire, la question de l'accès des utilisateurs non autorisés s'est posée dès sa conception. Pour pouvoir utiliser le système, il faut connaître l'heure d'émission des signaux et l'éphéméride des satellites. Ces informations sont transmises à l'utilisateur par le satellite lui-même. Il eût été aisé de crypter ces informations de façon à rendre le système inutilisable, non seulement pour des adversaires potentiels mais aussi pour tout usage civil. On a choisi, par une démarche dite de

« disponibilité sélective » *(selective availability),* d'ouvrir l'accès aux utilisateurs civils tout en limitant à une centaine de mètres la précision qui leur est accessible. Pour disposer de la précision maximale, il faut avoir accès à un code secret qui permet de corriger les erreurs introduites volontairement pour limiter la précision du système.

C'est sur cette base que se sont développées à un rythme véritablement explosif les applications civiles de ce système militaire.

Pour comprendre ce phénomène et ses implications, il faut d'abord noter que GPS est un système non saturable ; il peut satisfaire un nombre illimité d'utilisateurs qui, qualité essentielle pour un système militaire, ne sont pas repérables puisqu'ils n'émettent pas. Mais, de ce fait, une fois le système rendu accessible, fût-ce avec une précision limitée, aux utilisateurs civils, il n'y a aucun moyen de contrôler ni même de connaître leur prolifération. On peut certes leur interdire l'accès en cryptant les émissions en cas de crise mais, comme nous allons le voir, la crise du Golfe a conduit en pratique à une démarche diamétralement opposée.

En outre, dès la mise en service de GPS, sont apparus des moyens de contourner, au moins à l'échelle locale, la dégradation de la précision. Le principe est simple : on dispose une station fixe dont on détermine la position avec GPS et on évalue la position des utilisateurs par rapport à cette station ; avec ce procédé, dit « GPS différentiel », on élimine par différence les erreurs introduites volontairement et on accède à une précision métrique. D'autres procédés plus raffinés, mis au point par des géophysiciens, permettent de pousser la précision du système vers le domaine millimétrique, c'est-à-dire très au-delà de ce que les concepteurs avaient imaginé et d'ailleurs très au-delà de tout besoin militaire. Cela permet, par exemple, la mesure des déformations de l'écorce terrestre dans les zones sismiques. La diversification et la diffusion des usages civils de GPS se sont assorties d'une réduction massive du coût unitaire des récepteurs qui a ouvert à son tour de nouveaux domaines d'utilisation.

Cette généralisation extrêmement rapide a deux effets :

– le premier est la croissance d'un marché des équipements de réception dans lequel les récepteurs militaires n'occupent plus qu'une place infime et sans cesse décroissante. Une association d'industriels américains a établi une projection de ce marché qui atteindrait 8 milliards de dollars en l'an 2000 dont 1,5 % pour le marché militaire. Ce n'est pas un marché négligeable, surtout si l'on y adjoint une montée parallèle des services à valeur ajoutée, mais cela demeure cependant un phénomène secondaire par comparaison avec ce que nous allons rencontrer dans le domaine des télécommunications commerciales ;

– le second effet est l'émergence d'une dépendance de nombreux systèmes techniques par rapport à la disponibilité du service GPS.

La situation évolue si rapidement qu'il est difficile d'en former une vue d'ensemble qui soit à jour. Certaines applications se développent sur la base du système tel qu'il est, moyennant parfois le recours au procédé différentiel, d'autres exigent que le système soit complété.

Dans la première catégorie, on range tout ce qui concerne les utilisations individuelles. La navigation de plaisance est le type même de ces domaines d'usage qui ont banalisé la production et la distribution des récepteurs GPS. Un retour piquant de ce phénomène s'est manifesté pendant la guerre du Golfe où la pénurie de récepteurs militaires a contraint à équiper des unités américaines avec des récepteurs civils, ce qui a conduit les responsables du département de la Défense à suspendre les mesures de réduction de la précision pour les rétablir à l'issue des hostilités. On a eu ainsi l'exemple, unique à ce jour, d'un système crypté en temps de paix et ouvert en temps de guerre.

L'abaissement du coût des récepteurs va ouvrir d'immenses marchés non encore occupés mais déjà abordés, comme celui de l'automobile. La combinaison d'un récepteur GPS de bord et d'un micro-ordinateur, qui contient en mémoire la carte du réseau routier, permettra à un automobiliste de savoir à tout instant où il se trouve par rapport au trajet qu'il s'est fixé. Les projections dont on dispose montrent que ce sont les applications terrestres à caractère individuel, y compris l'intégration de circuits GPS dans les téléphones portables, qui vont dominer la croissance du marché et la réduction des prix dans les années qui viennent.

Plus importante, en termes de dépendance, que la croissance du marché est la pénétration de GPS dans le fonctionnement de systèmes technico-économiques majeurs, processus déjà engagé mais qu'un autre facteur tend à limiter, la garantie d'*intégrité* du système. L'*intégrité* du système, qu'il ne faut pas confondre avec sa *disponibilité,* exprime le fait que les signaux qu'il transmet sont corrects, qu'ils ne sont pas altérés par un dysfonctionnement technique, alors que la *disponibilité* décrit le fait que ces signaux sont accessibles. En l'état actuel du système GPS, rien n'alerte l'usager dans l'éventualité où un ou plusieurs satellites transmettent des signaux erronés et il peut s'écouler trois heures avant qu'un utilisateur soit prévenu d'une panne affectant l'intégrité. Le risque lié à ce type de dysfonctionnement est acceptable pour de nombreuses applications. Si l'on gère, comme cela se fait déjà, une flotte de taxis ou une flotte d'autobus au moyen de GPS, ou si l'on localise une moissonneuse pour mesurer le rendement en chaque point d'une emblavure, un fonctionnement défectueux peut occasionner une gêne, voire une perte économique, mais ne fait pas courir de risque d'accident. Il en va tout autrement lorsqu'on envisage d'utiliser GPS pour contrôler le transport aérien. Bien que l'enjeu direct, en termes de marché des équipements, soit faible devant celui des applications terrestres, il est clair que l'enjeu politico-économique majeur est l'extension de l'usage de GPS à l'aviation civile. Comme l'écrit un de nos meilleurs spécialistes, Marc Pellegrin[1] : « Il est tout à fait concevable que dans dix ou quinze ans, la navigation aéronautique depuis le décollage jusqu'à – et y compris – l'atterrissage de précision s'effectue par l'utilisation d'un moyen de localisation unique à base de satellite. » Que ce système procède des principes mis en œuvre dans GPS et dans Glonass ne fait de doute pour personne ; cependant, pour que cette perspective se concrétise, il faut résoudre un certain nombre de problèmes techniques et politiques.

Notons que, lorsque ces problèmes seront résolus de façon à satisfaire aux besoins de l'aviation civile, ils le seront *a fortiori* pour toutes les utilisations, comme la navigation maritime ou le contrôle de la position des trains à grande vitesse, car les exigences de l'aviation civile recouvrent toutes les autres. En outre, alors qu'il existe des solutions alternatives pour d'autres applications comme le réseau ferroviaire, il n'en existe pas pour les avions commerciaux. L'extension de GPS à l'aviation revêt donc une importance capitale.

Les problèmes techniques ne sont pas les plus difficiles. Ils concernent pour l'essentiel le contrôle de l'intégrité. Les installations GPS différentiel déjà évoquées assurent localement ce contrôle puisque le mobile introduit instantanément, dans la position déterminée par son équipement, des corrections qui lui sont fournies par le récepteur fixe. Ce récepteur, précisément parce qu'il est fixe, est en mesure de détecter instantanément un défaut d'intégrité, qui se traduit par une aberration dans la mesure de sa position par GPS, et de transmettre cette information au mobile. Des réseaux régionaux susceptibles d'assurer cette fonction sont en service un peu partout dans le monde et permettent tout à la fois d'utiliser GPS avec toute sa précision et d'en vérifier l'intégrité. Assez curieusement, le plus étendu de ces réseaux, opérationnel depuis janvier 1996, est mis en œuvre par le gouvernement américain lui-même, plus précisément par l'*US Coast Guard,* et fournit une précision de ± 2 mètres. Mais ces installations terriennes ne permettent pas la surveillance globale de l'intégrité à l'échelle mondiale, qui est nécessaire aux avions long-courriers. Pour l'obtenir, il faut disposer d'un réseau mondial de stations terriennes reliées à des satellites géostationnaires de télécommunications. C'est l'objectif du programme européen EGNOS *(European Geostationary Navigation Overlay System)* – conçu comme une composante d'un complément mondial GNSS1 à GPS – et de programmes américains analogues aux Etats-Unis (WAAS,*Wide Area Augmentation System*) et au Japon (MSAS).

Des installations terriennes du type GPS différentiel seront de toute façon des compléments nécessaires pour atteindre les précisions exigées par l'atterrissage automatique sans visibilité, mais, avec la constellation GPS complétée par GNSS1, on voit apparaître pour la première fois la possibilité de satisfaire tous les besoins de navigation de l'aviation civile avec un système unique. Les conséquences dans les années qui viennent seront profondes et ne se limiteront pas au remplacement d'un ensemble disparate d'installations terriennes et à une uniformisation des équipements de bord, accompagnée d'une diminution de leur masse et d'une simplification de la maintenance. Ce progrès technique induira inéluctablement une uniformisation des procédures à l'échelle mondiale, avec ce que cela implique de coopération internationale et de perte de souveraineté nationale sur le contrôle de l'espace aérien. On voit se profiler aussi, à échéance plus lointaine, la perspective d'une autonomisation des compagnies aériennes, puis de l'avion de ligne lui-même autorisés désormais à choisir les routes en fonction de critères de gestion, et ainsi la disparition d'un contrôle du sol pendant la plus grande partie des trajets, c'est-à-dire hors des abords des aéroports. Cela suppose que l'on utilise aussi le GPS et ses compléments pour éviter les risques de collision.

Ces perspectives techniques, parfaitement réalistes et relevant pratiquement de l'état de l'art en matière de technologies, soulèvent de redoutables problèmes politiques qu'une politique spatiale doit de toute évidence prendre en compte.

Au cœur de ces problèmes est la question de la disponibilité permanente d'un service GPS pour des usages civils. L'autorité américaine de l'aviation civile, la FAA *(Federal Aviation Agency)* a déclaré en 1994 que le système GPS demeurerait disponible pendant une période de dix ans. On peut donc considérer que, pendant cette période, le reste du monde bénéficiera gratuitement de la libéralité des Etats-Unis, mais, au-delà, il faut définir les voies et les moyens d'assurer la continuité opérationnelle. La Russie, pour sa part, n'a pas fixé de limite de temps à la disponibilité de Glonass, mais elle n'a pas non plus offert de garantie. La disponibilité simultanée de deux systèmes équivalents ne répond d'ailleurs à aucune nécessité ; elle est un héritage de la guerre froide qu'il n'y a aucune raison de conserver. Si on laisse de côté la question des systèmes complémentaires, comme GNSS1, qui peuvent être fournis par une initiative régionale, la question centrale est de savoir comment assurer la conception et le financement de la constellation qui succédera à GPS et à Glonass.

Peut-on accepter de maintenir indéfiniment la situation actuelle, fondée sur l'usage à des fins civiles d'un système militaire américain, moyennant des garanties politiques concernant sa disponibilité ? Diverses considérations peuvent inciter les Etats-Unis à aller dans cette voie. Des raisons de sécurité nationale d'abord, tout système ouvert à couverture mondiale peut être utilisé à des fins agressives, par exemple pour assurer la navigation de missiles de croisière. L'existence d'un tel système, dont ils n'auraient pas les moyens d'interrompre le fonctionnement en cas de crise grave, peut donc être appréciée par les Etats-Unis comme un risque. Ils peuvent aussi juger indispensable le maintien d'un système militaire américain, dont la disponibilité serait assurée et l'accès contrôlé par cryptage si les circonstances l'exigeaient. Il est clair, en tout état de cause, que le département de la Défense travaille à définir un successeur du GPS actuel. S'il est mis en place, une offre de continuité rendrait singulièrement plus difficile le financement d'un système civil, qui apparaîtrait inévitablement comme une duplication d'un moyen existant. La météorologie offre l'exemple d'une telle situation. Les Européens ont financé et développé un satellite météorologique géostationnaire pour couvrir leur zone de longitude parce qu'il n'y avait pas là d'alternative à une action autonome. Mais pour ce qui est de la composante polaire du système météorologique dont les satellites assurent une couverture globale de la Terre, ils ont, par inclination naturelle vers la facilité, vécu de la générosité américaine et continueront à le faire au moins pendant quelques années encore. S'agissant du GPS, il est vrai qu'un système purement civil pourrait sans doute être produit à un coût beaucoup moins élevé qu'un système militaire, mais il n'est pas sûr que cela suffise à l'imposer. Enfin, les Etats-Unis peuvent être tentés de voir, dans la situation actuelle, un des moyens d'utiliser l'espace pour accroître leur hégémonie technique et, accessoirement, le contrôle des marchés directement ou indirectement concernés.

En aval de ces questions, la mutation radicale du contrôle du trafic aérien engendre une foule de problèmes que l'on peut regrouper pour l'essentiel autour de deux pôles : souveraineté nationale et mécanismes de financement.

Le contrôle de la navigation aérienne est, par nature, une question internationale, l'apparition d'une solution technique globale va donc dans le sens de la logique. Cependant, avec les systèmes disponibles à ce jour, la cohérence globale du dispositif est assurée par des négociations entre Etats au sein de l'OACI (Organisation internationale de l'aviation civile) qui est une agence des Nations unies, dans le respect de la souveraineté des Etats sur leur espace aérien. Le contrôle du trafic aérien au-dessus d'un territoire national demeure une responsabilité nationale et le contrôle au-dessus des espaces océaniques est confié, par des accords internationaux négociés au sein de l'OACI, à des agences nationales. GPS, conçu pour satisfaire des besoins militaires de navigation au-dessus de territoires hostiles, pousse naturellement à une internationalisation accrue de la fonction de contrôle, et donc à des abandons de souveraineté. Mais cette évolution ne peut être que lente et difficile.

La responsabilité du contrôle de la constellation est en soi le premier problème de souveraineté, indissociable d'ailleurs d'un problème de financement. La situation actuelle, dans laquelle un système de navigation global est construit et financé intégralement par un seul pays, est sans précédent et on conçoit difficilement qu'elle puisse se maintenir indéfiniment en l'état.

Il est normal que les utilisateurs soient appelés à participer à son financement, soit qu'il s'agisse d'un système américain parce que le contribuable américain et ses représentants se lasseront un jour de financer un service public dont bénéficie le reste du monde, soit parce qu'il aura acquis un statut international et qu'il devra disposer d'un financement propre. Sauf à modifier profondément le système GPS, il n'est pas possible de faire payer tous les utilisateurs parce qu'il est impossible de les identifier, mais il est relativement aisé, moyennant des accords internationaux, d'assujettir à redevance certains d'entre eux, notamment l'aviation civile et la marine marchande, parce que les équipements de bord sont soumis à une procédure de certification. Cependant, une telle démarche ne sera pas sans conséquences pour les agences de contrôle nationales qui tirent l'essentiel de leurs ressources des redevances de contrôle en route ou en approche versées par les compagnies aériennes. A ces questions de souveraineté et de financement s'ajoutent des questions de responsabilité en cas d'accident engendré par une défaillance du système GPS. La question ne se pose pas, aujourd'hui, parce que le service est fourni gratuitement et qu'il n'est qu'un moyen secondaire, mais elle se posera dès l'instant où les utilisateurs seront appelés à financer ou seront astreints à utiliser ce service.

Autant de questions complexes où s'imbriquent les dimensions politiques, économiques et juridiques. Il faudra bien une décennie pour que cette mutation s'accomplisse ; c'est aussi le temps nécessaire pour concevoir et mettre en place un nouveau système spatial, successeur de GPS actuel et pour que les compagnies aériennes équipent leur flotte.

L'aviation civile sera, sans nul doute, le moteur de la concertation internationale autour de l'avenir des systèmes GPS dans les années qui viennent. Les enjeux de dépendance qui s'attachent à ce secteur sont considérables mais ce ne sont pas les seuls, et il n'est même pas certain qu'ils soient en définitive les plus importants.

L'autonomie accrue des plates-formes spatiales est, nous l'avons vu, une tendance induite par la gestion des constellations nombreuses. La capacité du satellite de déterminer lui-même sa position à partir des signaux GPS et de procéder de façon autonome aux corrections nécessaires est un aspect essentiel de cette autonomie. Cette démarche est susceptible de rendre les constellations de satellites de télécommunications dépendantes du système GPS. La généralisation de son usage, pour des raisons de coût et d'efficacité, à tous les systèmes opérationnels, étendrait cette autre forme de dépendance à l'ensemble des utilisations de l'espace.

Il est facile de multiplier les exemples de systèmes techniques susceptibles de bénéficier de l'usage de GPS. Le mouvement s'accélère du fait de l'abandon de certains systèmes terriens qui contraint leurs utilisateurs à recourir à GPS. C'est ainsi que les émetteurs de radionavigation disparaissent les uns après les autres. Or les météorologistes les utilisaient pour localiser les ballons de radiosondages et ils n'auront bientôt d'autre ressource que le recours à GPS.

Le dialogue international qui s'engage, centré pour l'instant sur l'aviation civile, est porteur d'enjeux considérables dont l'Europe doit tenir le plus grand compte dans la détermination de sa politique spatiale, tant il est difficile, en raison même de leur diversité, de cerner les limites de la dépendance qu'ils sont susceptibles de créer.

Espace et Défense

La navigation par satellite nous a offert l'exemple d'une pénétration de la technique spatiale militaire dans des champs très divers. Les activités militaires montrent, de leur côté, l'image d'un domaine pénétré de toutes parts par la technique spatiale.

L'art militaire s'alimente du progrès technique à deux niveaux. Son aspect le plus visible est la faculté de porter des coups avec de plus en plus de force, à distance de plus en plus grande, avec une précision et une rapidité croissantes ; cette dimension matérielle lie le progrès des armements aux technologies de l'énergie et de la matière. Mais, en contrepoint de cet exercice de la force qui est au cœur du métier des armes, se développe une dimension immatérielle qui en forme le complément indispensable et qui appuie l'art militaire sur le progrès des techniques informationnelles. L'action militaire est par essence collective, et tout comportement collectif s'organise sur des échanges d'information. Le vieil adage qui dit que ce sont les transmissions qui perdent les guerres trouve là sa source profonde.

Les flux d'information qui organisent l'action militaire et plus généralement l'action de défense se structurent schématiquement suivant plusieurs grandes fonctions. Une fonction centripète de renseignement apporte au commandement les informations nécessaires aux prises de décision ; il lui répond un flux centrifuge qui porte vers les unités responsables de l'action les ordres nécessaires et un autre flux centripète qui rapporte au commandement l'état de l'exécution. Le premier, concernant des informations qui sont obtenues sur l'adversaire ou en tout cas sur un tiers non coopératif, relève de l'observation et du renseignement ; les autres sont des échanges d'information entre partenaires coopératifs et relèvent donc des télécommunications. Ce sont ces trois flux principaux que symbolise l'acronyme anglais C3I *(Communication, Command, Control, Intelligence)*. Naturellement, ce schéma ne décrit pas complètement une réalité plus complexe. Dans une action militaire, toute l'information ne remonte pas du niveau de l'engagement jusqu'au niveau le plus élevé ; il existe bien évidemment des niveaux intermédiaires ; il existe également des échanges latéraux entre niveaux équivalents, mais cela ne change pas fondamentalement la distinction entre flux montant vers le commandement et flux descendant vers l'exécution. Le système de télécommunication doit pourvoir à tout cela et y pourvoir sans délai et dans un secteur quelconque de la zone où les forces sont susceptibles d'être engagées. Dans le cas des Etats-Unis, cette zone est l'ensemble de la planète ; dans le cas d'une puissance de dimension moyenne comme la France, elle est définie par la capacité de projection de ses forces qui est un élément fondamental de la politique de défense.

Par ailleurs, toute autorité politique centrale cherche à conserver un contrôle et une capacité de décision sur les opérations militaires après qu'elles sont engagées. Nous n'avons pas à commenter ici les avantages et les inconvénients de cette tendance, mais seulement à constater qu'elle existe, engendrée d'ailleurs par le progrès même des télécommunications. On en observe des équivalents dans de nombreux domaines où le progrès des télécommunications permet, sans inhiber le fonctionnement des institutions, de limiter les délégations dont disposent les représentants du pouvoir central. La responsabilité des ambassadeurs ou des préfets n'est plus ce qu'elle était lorsqu'il fallait plusieurs jours, plusieurs semaines ou plusieurs mois pour leur faire tenir une instruction et pour qu'ils rendent compte. Mais cette transformation des relations entre le centre et la périphérie exige, afin d'éviter de graves dysfonctionnements, un système de télécommunications adéquat. L'intervention française au Tchad, l'opération Manta en 1983-1984, est l'exemple même d'un épisode où la relation entre le pouvoir politique et l'état-major d'un côté, les unités engagées de l'autre, était servie par un système de télécommunications inadapté au contrôle étroit, par le pouvoir politique, d'un engagement lointain[2]. A quoi s'ajoutait d'ailleurs, en cette occasion, l'absence de moyens spatiaux d'observation. Cet exemple illustre parfaitement la nécessité d'une cohérence entre l'équipement matériel et l'équipement informationnel.

Outre ces flux principaux, la mise en œuvre des forces armées requiert l'accès à d'autres types d'information. L'action militaire qui se déroule dans le milieu naturel en exige une connaissance approfondie. Il peut s'agir de ses caractéristiques pérennes – comme le champ gravitationnel, dont la connaissance gouverne la précision des missiles balistiques intercontinentaux, ou le modelé du terrain qui permet la navigation des missiles de croisière – ou de particularités changeantes mais accessibles à la prévision, comme l'état de l'atmosphère ou des couches superficielles de l'océan. Et s'y ajoutent évidemment les informations de position du type GPS.

Avant d'examiner comment la technique spatiale s'introduit dans l'art militaire, il nous faut écarter deux aspects accessoires mais souvent évoqués :

– le premier est la filiation des lanceurs spatiaux, nés historiquement, on le sait, du développement des engins balistiques. Cet épisode a permis d'accéder à la capacité orbitale en greffant sur une base militaire un effort de développement spécifique très limité, mais il ne laisse pas de trace permanente dans la relation entre le transport spatial et la technique proprement militaire. Il subsiste des vestiges de cette origine dans la gamme des lanceurs américains et russes. Delta, Atlas et Titan actuels sont issus, après beaucoup de transformations, de trois générations successives d'engins balistiques, tout comme le lanceur russe Soyouz. Par ailleurs, la perspective de constellations de satellites de télécommunications en orbite basse a donné un renouveau d'actualité à l'utilisation éventuelle de surplus de la guerre froide, engins russes rendus sans emploi par les accords de désarmement et qu'il serait avantageux de réutiliser plutôt que d'avoir à les détruire. Au total cependant, et c'est là le fait important et permanent, les satellites militaires utilisent les mêmes lanceurs que les satellites civils ; les mêmes moyens d'accès à l'espace peuvent satisfaire au besoin d'autonomie de l'un et l'autre secteur ;

– le second aspect concerne la mise en orbite d'armes. C'est une idée « naturelle » issue d'une extrapolation abusive de la notion de point haut qui domine l'art militaire depuis ses origines. En fait, le satellite est un très mauvais porteur d'armes, d'abord parce que son mouvement, régi par la mécanique céleste, est prévisible, ce qui exclut tout effet de surprise. En outre parce que, pour atteindre une cible terrestre avec un projectile tiré d'un satellite, il faudrait lui communiquer une vitesse voisine de la vitesse orbitale, ce qu'aucune arme conventionnelle ne permet d'approcher. Les programmes de l'Initiative de Défense Stratégique illustrent parfaitement la difficulté d'utilisation du satellite comme plate-forme de tir et les problèmes de faisabilité que poserait le développement d'armes orbitales[3].

C'est donc exclusivement dans la dimension informationnelle que la technique spatiale et la technique militaire s'interpénètrent, et la structure des flux d'information organise cette relation en deux grands secteurs : l'*observation* et les *télécommunications*.

Dans l'élaboration d'une politique spatiale, la capacité de certaines techniques à servir indifféremment des objectifs militaires et civils, ce que l'on qualifie communément de caractère dual de ces techniques, est un aspect très important, singulièrement parce qu'il intervient – ou devrait intervenir – dans la conception des structures de mise en œuvre de cette politique, que ce soit au niveau étatique ou à celui de l'industrie.

Le caractère dual des techniques de positionnement par satellite s'est imposé avec une force irrésistible dans la diversification des applications de GPS. S'agissant de l'observation et des télécommunications, la situation est plus nuancée.

Certains besoins militaires justifient l'utilisation de satellites de télécommunications spécialisés. Les utilisateurs civils et militaires n'ont pas le même comportement. Les utilisateurs civils, comme d'ailleurs les utilisateurs militaires en dehors des périodes de conflit, exercent leurs activités dans des zones prédéterminées. Mais l'engagement de la force militaire conduit à une explosion du besoin dans une zone nouvelle avec un préavis restreint ; la satisfaction de cette exigence est essentielle à la capacité de projection des forces. Il existe donc, très schématiquement, deux composantes distinctes du besoin militaire, dont la première peut être satisfaite par des systèmes civils, cependant que la seconde demande des systèmes proprement militaires. C'est effectivement en fonction de cette logique que l'on voit évoluer la démarche du département de la Défense des Etats-Unis. Elle tend à confier aux systèmes commerciaux une part croissante des besoins permanents – ce qui est source d'économie – et à réserver aux satellites militaires la satisfaction des besoins créés par l'intervention des forces. Quant à l'observation de la Terre, elle donne lieu à une imbrication complexe et mouvante sur laquelle nous reviendrons.

Une réflexion sur la nature des relations de l'espace avec l'art militaire conduit naturellement à une réflexion plus générale sur ses liens avec les concepts de défense et de souveraineté. L'espace extraterrestre est-il un enjeu, ou un thème, de souveraineté nationale ? La notion de souveraineté est fortement liée à la notion de territoire sur lequel s'exerce cette souveraineté, et la notion de territoire n'est pas transposable à l'espace. Elle est liée à l'existence d'une surface solide, d'une terre émergée, sur laquelle on puisse tracer des frontières. A la surface de la Terre, elle n'a pas été étendue aux océans sauf dans les eaux dites territoriales qui, précisément, sont délimitées par rapport au tracé des côtes. Elle n'est évidemment pas applicable à l'espace. Certes, elle pourrait être transposée à la surface des corps planétaires potentiellement accessibles, mais ce n'est pas un problème dont l'urgence s'impose ; on peut donc laisser les juristes y travailler tout à loisir. Dans la direction verticale, la souveraineté nationale s'étend à l'espace aérien sans que l'on ait su fixer juridiquement la limite au-delà de laquelle cet espace aérien devient l'espace tout court. En fait, ce qui fixe le droit pertinent, et par là même la limite de la notion de territoire, c'est le caractère même du mouvement orbital qui n'est que peu ou pas modifiable alors que la trajectoire de l'avion demeure en permanence soumise à l'équipage. L'orbite géostationnaire fait bien l'objet d'une volonté d'appropriation par les Etats équatoriaux, mais cette particularité vient renforcer notre propos. Cette orbite est, en effet, le seul lieu où l'on puisse assurer la fixité du satellite par rapport à un repère terrestre et fonder une transposition naïve et fallacieuse à l'espace de la notion de territoire. Ainsi, le caractère du mouvement orbital a entraîné le droit international à admettre une nouvelle limitation du domaine sur lequel s'exerce la notion de souveraineté, et à accepter que le survol du territoire national par un engin spatial ne constitue pas une intrusion. Acceptation naturellement facilitée par le fait que le satellite n'est pas porteur d'armes et par les avantages qu'en ont tirés les grandes puissances.

Cependant, l'exercice de la souveraineté ne se limite pas au contrôle, à l'acceptation ou au rejet des intrusions matérielles. Il s'exerce également dans la dimension immatérielle, par le contrôle de l'information qui entre dans un territoire soumis à souveraineté et de celle qui en sort, par le contrôle des flux d'information transfrontaliers. La technique spatiale transforme profondément l'exercice de ce droit parce qu'elle dissocie fortement l'intrusion informationnelle de l'intrusion matérielle. A vrai dire, cette dissociation s'est amorcée dès l'apparition des techniques radioélectriques, mais les techniques spatiales l'ont accusée en permettant, à un degré inconnu jusqu'alors, d'observer l'activité à l'intérieur d'un territoire souverain ou d'y faire pénétrer des messages complexes – images télévisuelles par exemple – sans pour autant y pénétrer matériellement.

L'exercice de ce droit nouveau est en principe ouvert à tous, mais il est évidemment très inégalement accessible, de sorte qu'il engendre de fortes inégalités. Les seuls Etats qui auraient, le cas échéant, les moyens de s'y opposer – par exemple en développant des armes antisatellites –

sont ceux qui ont les moyens de l'exercer et qui y trouvent leur avantage ; aussi ne rencontre-t-il pas d'obstacles sérieux. Il constitue à l'évidence un enjeu de défense majeur, mais aussi, bien évidemment, un enjeu culturel, et il suscite, chez les grandes puissances, les mêmes préoccupations et les mêmes démarches de recherche de l'hégémonie, voire de contrôle de la prolifération, que l'on observe dans le domaine des armes.

Chapitre IV

LA RECHERCHE SCIENTIFIQUE

L'apport au progrès de la connaissance forme une autre composante majeure des enjeux de la technique spatiale. Il ne s'agit pas d'un enjeu économique, du moins pour l'essentiel, mais d'un enjeu proprement culturel ; d'une « valeur de société » qui transcende les besoins matériels pour répondre à des interrogations fondamentales sur l'Univers et sur la place de l'humanité dans cet Univers[4].

Le progrès de la connaissance s'appuie, dans toutes les disciplines, sur le progrès du savoir-faire technique et fournit en retour une source de ce progrès. On a même inventé, pour décrire cette rétroaction croisée, le terme de « technoscience », qui n'est pas très heureux parce qu'il tend à confondre sous un même vocable les progrès du savoir-faire et ceux de la connaissance. Or, si les démarches de recherche et de développement imbriquent souvent de façon inextricable la quête du savoir et celle du savoir-faire, science et technique n'en demeurent pas moins des concepts distincts. Dans le cas de la technique spatiale, l'apport essentiel consiste en un progrès immense dans la connaissance de l'Univers mais, à la différence des savoirs qui concernent la matière, l'énergie ou la vie, cette connaissance n'est source par elle-même d'aucun savoir-faire spécifique.

Naturellement, les projets spatiaux, complexes et difficiles, qui servent l'objectif de connaissance fondamentale ne peuvent manquer d'engendrer des progrès technologiques qui seront utilisés ailleurs. Il faut cependant se garder de considérer ces « retombées » comme une justification essentielle ou même accessoire de la recherche sur l'Univers. Une telle recherche n'a aucun besoin d'alibi, elle répond à une aspiration fondamentale et, s'il est parfaitement légitime de s'interroger sur le niveau des moyens qu'une société développée peut lui consacrer, on ne conçoit guère que ce niveau puisse s'abaisser indéfiniment sans que la société devienne purement végétative.

L'observation

Depuis les origines, la recherche scientifique spatiale s'est organisée autour de deux grands axes : l'observation et l'expérimentation, très inégalement développés et avec une réussite non moins inégale. L'observation spatiale a totalement renouvelé notre accès à l'Univers y compris à notre propre planète, la Terre. Les facteurs de cette révolution sont aisés à identifier et l'ont été dès les premiers balbutiements de la technique spatiale. Ils diffèrent selon que l'on s'intéresse à l'Univers lointain, étoiles et galaxies ou à l'Univers proche, le Système solaire.

Dans le premier cas, la transposition en orbite des techniques d'observation astronomique permet de s'affranchir des effets perturbateurs de l'environnement terrestre, d'élargir les observations à toute l'étendue du spectre électromagnétique, d'éliminer les effets de réfraction qui limitent la précision des déterminations astrométriques, de s'abstraire, pour observer les sources faibles, des effets gênants de la nébulosité et de la turbulence atmosphérique, de la lumière parasite et de la durée limitée des nuits terrestres, d'élargir, enfin, l'observation aux rayonnements particulaires que l'atmosphère et le champ magnétique terrestres arrêtent ou altèrent. Il s'y ajoute la possibilité d'étendre les dimensions de l'instrument d'observation très au-delà des limites imposées par le diamètre de la sphère terrestre. Le principe de l'interférométrie à très longue base consiste à combiner les signaux reçus par deux radiotélescopes pour obtenir la résolution spatiale d'une antenne dont la dimension serait la distance qui sépare les deux instruments. En plaçant l'un des instruments en orbite, on peut porter cette distance à des valeurs très supérieures au diamètre de la Terre, et c'est ainsi qu'un projet japonais permettra d'observer « un grain de riz à 7 700 km » ouvrant de nouvelles possibilités pour l'étude des objets dont les instruments actuels ne discernent pas le diamètre angulaire. De tout cela sont nés un outil nouveau au service de la compréhension de l'Univers, de son origine et de son évolution, et une relation de dépendance de l'astronomie à l'égard des engins spatiaux. Non que l'astronomie terrestre et les instruments « au sol » aient disparu de l'outillage des chercheurs ou soient promis à disparaître à brève échéance, mais ils sont devenus le complément de l'outil spatial qui a acquis une position centrale. Cependant, s'agissant de l'Univers lointain, aucun effet de proximité accrue ne s'ajoute à la suppression des effets perturbateurs de l'environnement terrestre. Les distances accessibles aux véhicules spatiaux demeurent négligeables devant les distances interstellaires et intergalactiques. Il est vrai que certains véhicules, les Voyager par exemple, sont placés sur des trajectoires qui les éloignent indéfiniment du système solaire, mais le contact avec ces véhicules sera perdu bien avant qu'ils s'approchent d'une autre étoile.

Il en va autrement de l'étude des corps qui forment le Système solaire. Les sondes spatiales peuvent s'en approcher, se mettre en orbite autour d'eux, faire pénétrer des instruments dans leur atmosphère ou en déposer sur leur surface, rapporter sur Terre des fragments du matériau qui les constitue. Le Soleil lui-même peut être observé sous des angles nouveaux ; on a pu s'en approcher jusqu'à environ un tiers de la distance qui le sépare de la Terre, faire passer des sondes au-dessus de ses pôles, mesurer les caractéristiques de son rayonnement de façon continue, sans être perturbé par l'alternance des jours et des nuits et dans toute l'étendue du spectre où il émet, étudier son atmosphère jusqu'au-delà de l'orbite de Pluton. Ce que l'on savait des planètes et ce que l'on pouvait observer est négligeable devant ce que la technique spatiale a fourni et, encore plus, devant ce qu'elle va permettre. L'exploration et la connaissance approfondie du Système solaire apparaissent comme l'un des objectifs majeurs du progrès de la connaissance, l'une des grandes aventures scientifiques qui s'ouvrent devant nous pour le prochain siècle, et la technique spatiale en est l'outil exclusif.

Puisque l'avenir de l'astronomie est lié à la maîtrise et à l'usage des moyens spatiaux, l'enjeu culturel se mesure à la place de l'astronomie dans l'histoire de la civilisation. C'est la prescience de cet enjeu qui a été le premier moteur de la coopération spatiale européenne. Les pères fondateurs de l'ESRO, Pierre Auger, sir Harry Massey et Edoardo Amaldi, ont perçu, dès le début des années 1960, que la disponibilité d'outils spatiaux allait devenir une nécessité pour certains secteurs de la recherche, que l'importance des moyens nécessaires exigeait une mise en commun des ressources de l'Europe et qu'il fallait, de toute nécessité, créer une structure européenne dans ce domaine, sur le modèle de ce qu'ils avaient déjà fait avec le CERN pour assurer aux chercheurs européens la disponibilité de grands accélérateurs. Leur clairvoyance est l'origine principale de la coopération spatiale en Europe.

Avec la possibilité d'accéder à la surface des planètes, un changement de nature s'introduit dans les recherches que permet la technique spatiale. On retrouve des conditions semblables à celles des recherches conduites à la surface de la Terre, sur le matériau terrestre. On n'est plus réduit à observer, on peut expérimenter. On reprend en quelque sorte un contact direct avec la matière dense dont on peut prélever des échantillons pour les analyser, voire pour les ramener sur la Terre. De toute évidence, cet accès aux parties denses du Système solaire est essentiel à son étude et non moins évidemment elle fait appel à des techniques spécifiques. S'il s'agit simplement d'opérer avec des instruments déposés sur une planète, il faut transposer à l'environnement de cette planète les techniques de rentrée et d'atterrissage qui ont été mises au point pour le retour d'objets spatiaux vers la Terre. L'absence d'atmosphère dans le cas de la Lune, la présence d'une atmosphère très ténue dans le cas de Mars, très dense dans le cas de Vénus exigent évidemment des adaptations considérables. De même, le retour vers la Terre, lorsqu'il est possible, est une adaptation de techniques existantes. En revanche, le travail à la surface d'une planète fait appel à des engins techniques où la robotique joue un rôle majeur et, de ce fait, introduit un débat sur les avantages du robot comparé aux opérateurs humains.

A ce jour, seule la Lune a été visitée par des hommes et par des robots qui sont revenus sur la Terre et qui ont les uns et les autres rapporté des échantillons. Mais le dernier retour d'échantillons lunaires date déjà de vingt-cinq ans et ni dans le cas du projet Apollo ni dans celui des robots soviétiques la recherche n'était le moteur principal de l'entreprise.

Mars, Vénus et Jupiter ont reçu des engins sur leur surface ; sur Vénus, avec les technologies aujourd'hui disponibles, les instruments ne résistent que quelques heures aux conditions de température et de pression ; Jupiter n'a pas de surface solide et une descente à travers son atmosphère, réussie par la sonde Galileo, se termine inéluctablement par la destruction de l'engin. Parmi les planètes proches, Mars est celle qui offre le moins de difficultés. Les sondes Viking qui se posèrent sur sa surface, en 1976, ont fonctionné pendant plusieurs mois, fournissant une moisson d'informations scientifiques[5], sans toutefois déceler la moindre trace de vie. Il a fallu attendre 1997 pour que le petit robot Sojourner, déposé par la sonde Pathfinder, circule sur la surface martienne à proximité immédiate de sa plate-forme porteuse, rééditant l'exploit accompli sur la Lune par les Lunokhod soviétiques en 1970. Le plus remarquable, dans ce projet, outre la réussite technique qu'il représente, est son faible coût, 180 millions de dollars, soit nettement moins que la moitié du prix d'un seul vol de la Navette spatiale. C'est dire, et nous y reviendrons, qu'un tel projet est très largement à la mesure des moyens financiers que l'Europe consacre à la recherche spatiale. Le retour d'échantillons de la surface de Mars est lui aussi à portée des techniques disponibles.

Il reste que le débat sur la recherche planétaire, que ce soit dans les cercles politiques, dans les médias ou les agences spatiales, est dominé par la question du rôle que joueront ou que ne joueront pas les astronautes. Ce n'est pas un débat que gouverne la seule rationalité technique ; il mérite donc d'être considéré en soi. La place centrale qu'occupe la vision du Système solaire dans l'histoire de la science, et plus généralement dans l'histoire de la pensée, d'Aristarque à Galilée, de Galilée à Newton et de Newton à Einstein, est sans doute ce qui donne la meilleure mesure de l'enjeu qui s'attache à l'étape ouverte par la technique spatiale. En regard de cela, le voyage d'hommes vers les planètes prolonge une autre dimension de l'évolution humaine, à court de territoires vierges sur la planète. Gérer la rencontre de ces deux dimensions est l'un des grands problèmes auxquels est confrontée la politique spatiale.

L'expérimentation

L'expérimentation en environnement spatial n'a pas porté les mêmes fruits que l'observation. On pouvait légitimement espérer qu'elle fournirait une moisson de résultats nouveaux parce qu'elle donne accès à des conditions expérimentales nouvelles. L'histoire des découvertes sur la matière est étroitement liée à l'exploration de champs expérimentaux nouveaux. L'exemple le plus frappant en est sans doute la découverte de la supraconductivité et de la superfluidité qui ont surgi, de façon totalement inattendue, de l'extension de l'expérimentation au domaine des très basses températures. Mais le phénomène est beaucoup plus général et on pourrait l'illustrer d'exemples empruntés au domaine des très hautes et des très basses pressions, des très hautes températures, des très grandes vitesses. Or la technique spatiale permet pour la première fois de s'affranchir, pour des périodes aussi longues qu'on le désire, des effets de la pesanteur. Certes, il subsiste toujours un résidu lié à divers phénomènes qui perturbent le mouvement orbital du satellite : freinage de l'atmosphère résiduelle, pression de radiation du rayonnement solaire, attraction des masses qui constituent le véhicule spatial, d'où l'expression de « microgravité » pour désigner les conditions physiques qui règnent à bord du satellite. Cependant, ce résidu peut être ramené à des valeurs aussi faibles qu'on le souhaite moyennant des précautions expérimentales adéquates : choix d'une orbite suffisamment élevée, compensation de la traînée résiduelle, localisation de l'expérience au voisinage d'un point où les attractions locales se compensent.

De nombreux phénomènes physiques sont gouvernés ou perturbés par les forces de gravité. Les mouvements de convection au sein d'un fluide, par exemple, sont engendrés par l'action du champ gravitationnel sur les différences de densité. Un autre domaine est celui de la matière vivante. La vie s'est développée, depuis les origines, dans le champ de gravité terrestre. Même si, pour la vie marine, certains effets de cette gravité sont compensés par les forces d'Archimède, ils ne le sont pas tous, et en tout cas pas ceux qui résultent de différences de densité. La vessie natatoire et le plan de symétrie vertical des poissons sont là pour nous rappeler que l'évolution darwinienne qui a façonné les organismes s'est déroulée dans un champ de gravité. On peut légitimement attendre que le vivant soit profondément marqué, non seulement dans ses aspects les plus visibles, la structure des organismes, mais dans ses aspects les plus profonds et les plus cachés, au niveau des mécanismes intracellulaires, par cette omniprésence des forces de gravité. Il était donc normal que la recherche investisse ce nouveau domaine par une démarche exploratrice fondée sur l'inventaire des phénomènes physiques affectés par la gravité et par l'étude de ses effets sur la matière vivante.

Malheureusement, autant l'accès par l'espace à de nouveaux champs d'observation s'est montré fertile, autant l'usage de la microgravité a été décevant. A l'opposé de ce qu'on observe en astronomie et encore plus en planétologie, la microgravité n'a pas transformé de façon significative la pratique expérimentale des domaines pertinents de la recherche ; elle demeure à ce jour dans un rôle tout à fait accessoire. Un groupe de travail établi par ELGRA *(European Low Gravity Research Association)* [6] et présidé par Ilya Prigogine expose dans son rapport que « la microgravité est un outil expérimental utile pour l'étude de nombre de phénomènes physiques et physico-chimiques qui sont importants pour la science, l'ingénierie et la technologie », mais qu'elle n'a conduit à aucune découverte majeure. Naturellement, on peut arguer que le volume des expérimentations en orbite est encore très limité et qu'on ne peut exclure une percée future. Cependant, on doit constater les progrès du scepticisme dans les communautés scientifiques concernées et le peu d'enthousiasme que suscite la perspective de disposer, avec la Station spatiale internationale, d'un laboratoire orbital permanent.

Reste évidemment la recherche sur le comportement de l'organisme humain qui n'a de justification réelle que si, pour d'autres raisons que cette recherche, on veut faire séjourner des hommes en orbite.

L'absence de résultats majeurs de la recherche en microgravité a une conséquence importante pour l'avenir de la technique spatiale : aucune activité de production en orbite n'a pu être identifiée ni n'est en voie de l'être. Il existe bien des cas où l'élaboration en orbite a conduit à des produits plus parfaits que ceux qu'il est possible d'élaborer au sol. Ainsi des cristaux de protéines dont l'obtention est utile à la caractérisation des structures moléculaires. Mais aucune activité industrielle n'a pu se fonder sur la production de matériaux en orbite.

Pour qu'un matériau soit un bon candidat à une fabrication dans l'espace, il doit réunir deux conditions :

– l'élaboration en orbite doit apporter une plus-value suffisamment élevée pour compenser le surcoût lié au transport de la Terre vers l'orbite puis de l'orbite vers la Terre. Cela implique que le matériau ait une valeur massique élevée, supérieure par un ordre de grandeur à celle de l'or ;

– le marché doit être de dimension suffisante pour supporter le coût d'exploitation du système de transport spatial et de l'unité de production orbitale.

La première condition a pu être remplie dans quelques cas, par exemple pour la production de microsphères parfaites, mais le marché correspondant est de taille dérisoire et il n'existe actuellement aucune perspective concrète de réaliser la conjonction des deux facteurs. Cela a des conséquences importantes pour le développement des techniques de récupération orbitale. Elles ne sont plus guère utilisées par les satellites militaires pour la récupération de films photographiques en raison du progrès des capteurs électroniques et, de ce fait, elles n'ont plus de lien direct avec les applications.

Plus généralement, cette absence de débouchés de la microgravité a une conséquence majeure en termes d'enjeux. La recherche sur l'Univers lointain n'est évidemment pas porteuse de développements économiques directs et l'exploration du système solaire place de telles perspectives à des horizons trop lointains pour qu'elles aient la moindre conséquence immédiate. Seule la microgravité permettait d'espérer qu'un volet d'activité concernant la matière viendrait se juxtaposer aux activités informationnelles pour élargir et diversifier la relation de la technique spatiale avec l'économie technico-industrielle[7]. Il semble bien qu'il n'en sera rien et que la dimension informationnelle demeurera le seul lien permanent entre la technique spatiale et l'économie.

Cette absence de la dimension matérielle a des conséquences importantes sur deux aspects du développement spatial : la place de la robotique et, par voie de conséquence, le débat homme-robot, la maîtrise des techniques de transport de l'orbite vers la Terre, nécessaires pour ramener des matériaux et *a fortiori* des hommes mais inutiles au développement des systèmes informationnels. Seule la perspective d'avoir à ramener sur terre des matériaux résultant d'un processus de production en orbite pourrait justifier le développement et permettre l'exploitation rationnelle de systèmes de transport spatial qui, comme la Navette, ont une capacité au retour importante, voisine de leur capacité à l'aller.

Les lois fondamentales de la physique

Alors que les espoirs suscités par l'accès à la microgravité s'estompent, un autre domaine peut fournir un champ d'action privilégié à la technique spatiale, celui de la recherche sur les lois fondamentales de la physique. Mais ce domaine exige des performances technologiques extrêmes, de sorte qu'il commence à peine à se dessiner.

La description de l'Univers physique repose schématiquement sur quatre interactions fondamentales. Les trois premières régissent les propriétés de la matière à l'échelle des particules, des atomes et des molécules. Ce sont l'interaction forte qui gouverne les propriétés de la matière nucléaire, l'interaction électromagnétique, par laquelle s'édifient les atomes, les molécules et la matière condensée et l'interaction faible, qui explique l'instabilité de certaines particules et de certains noyaux. La quatrième interaction est l'interaction gravitationnelle qui régit le comportement et la structure de l'Univers à grande échelle.

Deux théories dominent la physique contemporaine, le « modèle standard » qui unifie dans une même description les interactions forte, électromagnétique et faible et qui décrit l'Univers à l'échelle microscopique, et la « relativité générale » qui décrit l'Univers à grande échelle. Le modèle standard est une théorie quantique, qui s'exprime dans le langage de la théorie des champs ; la relativité générale est une théorie non quantique, qui repose sur une interprétation de la gravitation comme une propriété géométrique de l'espace-temps. Cette dualité de la description physique de l'Univers appelle naturellement une nouvelle étape d'unification, qui n'est pas aujourd'hui acquise.

Comment la technique spatiale peut-elle intervenir dans cette démarche ? Les deux grands volets de la physique fondamentale se sont édifiés sur des bases empiriques d'origine radicalement différente. Les grands accélérateurs ont fourni l'essentiel des résultats expérimentaux sur lesquels on a construit le modèle standard. Au contraire, les vérifications expérimentales de la relativité généralisée se sont fondées sur l'observation de phénomènes astronomiques comme la précession anormale du périhélie de Mercure ou la déviation de la lumière par un corps massif. Les confirmations de la relativité générale obtenues par des mesures astronomiques au sol étaient relativement fragiles. Ainsi, la valeur observée de la précession du périhélie de Mercure est supérieure de 43 secondes d'arc par siècle à la valeur déduite de la théorie newtonienne ; on le sait depuis le milieu du XIXe siècle grâce aux calculs de Le Verrier, mais il suffirait d'un faible aplatissement de la masse solaire sous l'effet de sa rotation propre pour produire cette dérive du périhélie et la rendre compatible avec la mécanique newtonienne ; l'hypothèse d'une coïncidence entre la valeur mesurée et la valeur prédite par la théorie d'Einstein ne pouvait donc être écartée.

Dans un premier temps, les engins spatiaux ont permis de confirmer avec une précision inaccessible aux mesures terrestres les prévisions de la relativité générale. C'est ainsi que les sondes Viking, plus connues pour la tentative infructueuse de recherche de la vie sur Mars, ont permis de mesurer le ralentissement des ondes électromagnétiques par le champ gravitationnel du Soleil[8].

Le satellite astrométrique Hipparcos de l'Agence spatiale européenne a mesuré avec une très grande précision la déviation de la lumière stellaire au voisinage du Soleil, ce qui a non seulement confirmé la prédiction relativiste, mais aussi fourni une mesure de l'aplatissement solaire, démontrant que cet aplatissement n'était pas susceptible de produire la dérive du périhélie de Mercure.

Sans qu'il soit nécessaire d'entrer dans une description des nombreuses vérifications auxquelles la technique spatiale a permis de procéder, disons que la théorie de la relativité générale en sort confirmée dans la forme que lui avait donnée Einstein et que les principales variantes ont été invalidées. Mais le problème de la grande unification demeure entier.

De quoi s'agit-il aujourd'hui ? Les tentatives théoriques visant à unifier la gravitation et les autres interactions fondamentales prédisent l'existence de nouvelles particules liées à des interactions nouvelles qui se superposeraient à la gravitation. Les énergies caractéristiques de ces particules se situent très au-delà de ce qu'on peut espérer atteindre avec les accélérateurs. Cependant, une autre voie reste possible. La théorie de la relativité générale repose sur l'équivalence de la masse pesante et de la masse inerte. L'existence d'une interaction fondamentale supplémentaire produirait des écarts infimes à cette équivalence ; le test du principe d'équivalence revêt ainsi une importance cruciale comme test expérimental des théories de grande unification. La précision atteinte dans la vérification du principe d'équivalence par des expériences à la surface de la Terre atteint 10^{-12}. Pour aller au-delà et atteindre les précisions qui semblent nécessaires pour discriminer les écarts au principe d'équivalence caractéristiques des théories de grande unification, il faut recourir à l'expérimentation spatiale. C'est l'objectif par exemple du projet GeoSTEP *(Gravitation Experiment in Earth Orbiting Satellite to Test the Equivalence Principle)*[9] étudié par le Centre national d'études spatiales[10] ; il permettrait d'accéder à une précision de 10^{-17} alors que les travaux théoriques semblent indiquer que la violation du principe d'équivalence pourrait être observée pour des précisions comprises entre 10^{-13} et 10^{-23}. L'exploration de ce nouveau domaine n'exige pas des véhicules spatiaux de grande dimension. En fait, la présence de masses importantes à proximité de l'expérience est une source de perturbations qui doit être évitée ; la conduite de ces expériences à bord de la station spatiale est exclue. GeoSTEP, par exemple, est compatible avec la plate-forme multiusages PROTEUS qui est développée par le CNES pour des minisatellites de la gamme 500 kilogrammes. Toute la difficulté de ce nouveau domaine réside dans les technologies qu'il faut mettre en œuvre pour éviter tout effet perturbateur et pour accéder à la précision ultime ; ce sont par exemple les micro-accéléromètres ultrasensibles dont l'ONERA s'est fait une spécialité depuis les origines du programme spatial français.

Le test du principe d'équivalence apparaît comme un problème central qui pourrait marquer l'entrée de la technique spatiale dans le domaine de la physique fondamentale, mais ce n'est pas le seul qui soit accessible aux engins spatiaux.

Le rayonnement gravitationnel prédit par la relativité généralisée n'a pu, jusqu'à ce jour, être détecté par des expériences au sol. Il en existe, certes, une preuve indirecte, qui est l'évolution de la fréquence d'un pulsar double, compatible avec la perte d'énergie rayonnée sous forme d'ondes gravitationnelles, mais on ne possède aucune observation expérimentale directe. Tout se passe comme si on en était réduit à déduire l'existence d'un rayonnement infrarouge du refroidissement d'un corps, mais sans être capable de détecter ce rayonnement. Il est possible que les expériences terriennes en cours de développement en Europe et aux Etats-Unis aboutissent, mais pour que se développe une véritable astronomie du rayonnement gravitationnel, il faudra sans doute attendre la mise en orbite d'observatoires spatiaux fondés, comme le projet LISA de l'ESA, sur un interféromètre laser formé de plusieurs véhicules spatiaux séparés par des distances de l'ordre du million de kilomètres[11].

Ainsi se dessine, pour la technique spatiale au service de la connaissance, un nouveau domaine dont il serait prématuré de vouloir cerner les limites. Tout au plus peut-on dire qu'il combine, à des exigences modestes en matière de transport spatial et de dimension des plates-formes, des exigences extrêmes en matière de technologie des charges utiles. Même s'il n'est pas susceptible d'être porteur d'applications économiques directes, peut-être sera-t-il à l'origine d'avancées technologiques susceptibles de diffuser vers d'autres secteurs.

Chapitre V

OBSERVATION DE LA TERRE : LA GESTION DE LA PLANÈTE

Vole sur l'un et l'autre
A travers jour et nuit
L'oiseau qui fait sans bruit
Le tour de la planète
Et jamais ne la touche
Et jamais ne s'arrête.

Jules SUPERVIELLE,
Le Forçat innocent

L'observation de la Terre est par nature un domaine ambigu. La Terre est un objet céleste parmi d'autres ; sa connaissance s'inscrit comme un enjeu scientifique analogue à celui dont témoignent la planétologie et l'astronomie. Mais la Terre est aussi l'habitat de l'homme et tout progrès dans la connaissance de notre planète est lourd de conséquences matérielles pour l'humanité.

Les programmes spatiaux d'observation de la Terre servent ainsi un double objectif de connaissance de la planète et de maîtrise de sa gestion. Cette dualité ne se retrouve au même degré dans aucun des autres secteurs de l'activité spatiale sauf, mais sous une autre forme qui n'a pas abouti, dans celui de l'expérimentation en microgravité. L'observation de la Terre, au contraire, est solidement ancrée à la fois dans le progrès de la connaissance et dans la fourniture de services. Les activités conduites dans ces deux domaines ne sont pas indépendantes ; dans tout le domaine de l'observation civile, il s'établit une synergie étroite entre la recherche de connaissances nouvelles et le développement des applications. Cette symbiose n'est pas totalement absente de l'observation militaire, mais elle y a exercé, du moins jusqu'à ce jour, un rôle moins fondamental.

Deux mécanismes jouant en des sens opposés régissent l'interaction entre recherche et applications dans le domaine de l'observation de la Terre. D'une part, les projets scientifiques enrichissent l'activité opérationnelle en lui transférant de nouvelles techniques d'observation. C'est ainsi que les satellites météorologiques géostationnaires, comme les GOES aux Etats-Unis et les Météosat en Europe, sont directement issus d'un concept développé par le professeur Verner Suomi à l'université du Wisconsin et expérimenté sur les satellites technologiques ATS de la NASA[12]. En sens inverse, les systèmes opérationnels, fournisseurs de services dont la continuité est assurée, apportent à la recherche les longues séries d'observations dont elle a besoin pour aborder divers problèmes, par exemple celui que pose l'évolution du climat. Construire cette complémentarité fructueuse est l'un des objectifs que peut s'assigner la politique spatiale, mais il reste que l'ambiguïté de nature qui marque ce secteur confronte une diversité inhabituelle d'acteurs, ce qui ne va pas toujours sans de grandes difficultés.

L'observation de la Terre intéresse en outre aussi bien le domaine civil que le domaine militaire et, dans tout le secteur civil, elle procède tantôt d'une activité de service public, tantôt d'une activité commerciale, sans que la limite entre ces deux domaines puisse être tracée avec précision.

Le rôle de la technique spatiale dans l'observation de la Terre tient à deux capacités spécifiques ; elle permet d'observer de façon homogène, c'est-à-dire avec le même instrument, toute la surface du globe, indépendamment de l'accessibilité ou de l'habitabilité des régions concernées ; elle fournit le recul nécessaire à l'appréhension des structures à très grande échelle : dépressions météorologiques, courants océaniques, glaces de mer, etc. En somme, elle tend à rapprocher l'étude de la Terre de celle des planètes en palliant dans un cas les inconvénients de la proximité, dans l'autre ceux de l'éloignement.

L'analyse d'un champ d'activité aussi vaste et aussi complexe exige que l'on y introduise des catégories. Cela peut se faire de diverses façons, en se fondant par exemple sur les techniques d'observation utilisées ou sur la nature des phénomènes observés ; cependant, pour en apprécier les enjeux, il est logique d'organiser le domaine en fonction de la nature de la demande, c'est-à-dire en fonction des objectifs et des sources de financement. Naturellement, un exposé historique du développement de l'observation spatiale de la Terre exigerait que l'on introduise, en regard de la demande, l'évolution des capacités de la technique – lanceurs, satellites et technologies génériques. Pendant longtemps, ce que l'on a fait dans ce domaine a été limité par ce que l'on savait faire ; une très forte demande d'observation stratégique et d'observation météorologique a été bornée, dans ses effets, par la capacité des lanceurs qui limitait la masse des satellites et par les technologies disponibles pour la conception de ces satellites. Telle n'est plus, au moins en première approximation, la situation actuelle, le facteur limitant tend à devenir, dans les différents secteurs, le financement disponible. L'évolution des technologies génériques oriente et contraint, là comme ailleurs, la conception des satellites, mais la logique du domaine s'organise autour des catégories d'utilisateurs qui expriment la demande, et de leur solvabilité.

Un examen des programmes en cours ou en projet conduit à distinguer quatre catégories d'objectifs :

– la prévision du temps ;
– la gestion des ressources terrestres ;
– le renseignement militaire ;
– la connaissance scientifique de la planète.

Bien entendu, comme chaque fois qu'on établit des catégories, il existe des zones grises et surtout des interactions entre les secteurs ainsi définis.

Historiquement, l'observation stratégique et l'observation météorologique ont été les premières à émerger, l'une parce qu'elle correspondait, pendant la guerre froide, à un très puissant besoin d'information qui s'est maintenu jusqu'à l'effondrement de l'Union soviétique, l'autre parce qu'elle répondait aux besoins de structures utilisatrices, les services météorologiques, fortement organisées à l'échelle mondiale et que ses exigences technique initiales étaient modestes. Il s'agissait seulement de former des images à faible définition des formations nuageuses qui marquent les grands systèmes dépressionnaires. L'une et l'autre activités sont financées, aux Etats-Unis comme ailleurs, par de l'argent public et correspondent à l'exercice d'une responsabilité étatique. C'est évident en ce qui concerne la défense, mais ce ne l'est guère moins pour la météorologie. En effet, s'il est généralement admis que le coût des services météorologiques est compensé par des bénéfices économiques qui lui sont, en gros, vingt fois supérieurs, ces bénéfices économiques ne sont pas, pour l'essentiel, constatés par des flux commerciaux. Ils consistent en gains de productivité distribués sur des secteurs économiques majeurs : agriculture, transports, pêche, etc. Une fraction modeste de ces coûts est imputée directement aux utilisateurs, et notamment à l'aviation civile, mais l'équilibre des comptes d'exploitation n'est pas, pour les services météorologiques, un objectif accessible. Par ailleurs, le rôle des services météorologiques dans la sécurité des biens et des personnes et le fait que les armées ont des besoins spécifiques confortent le caractère de responsabilité étatique qui s'attache à la prévision du temps.

La télédétection *(remote sensing)* est l'observation à haute définition de la surface de la Terre, et singulièrement des continents, à des fins de gestion des ressources ; elle s'est greffée historiquement sur le savoir-faire créé par les programmes météorologiques. Les premiers satellites de « ressources terrestres », rebaptisés Landsat, ont utilisé la plate-forme Nimbus, créée par la NASA pour l'observation de l'atmosphère.

Bien que la parenté technique entre satellites météorologiques et satellites de télédétection soit évidente, ces domaines sont nettement distincts. La télédétection concerne, pour l'essentiel, l'observation des zones de la surface terrestre sujettes à souveraineté nationale et à appropriation. Elle permet une connaissance des ressources contenues dans ces zones, que le territoire soit coopératif ou non ; elle fournit ainsi des observations utiles au développement de nombreuses activités économiques, au premier rang desquelles l'agriculture. De ce fait, l'exploitation de ces programmes suscite une activité de caractère commercial.

Le service que fournit la technique spatiale dans ce domaine ne se substitue pas à une technique existante ; il est entièrement nouveau. L'observation aéronautique a certes été utilisée largement à des fins cartographiques mais elle n'a jamais été exploitée de façon significative à des fins de gestion des ressources, et sa capacité de couverture est insignifiante comparée à celle des satellites. Du fait du caractère radicalement innovant de ce service, il n'existait à l'origine ni marché, ni perception du besoin, ni structure utilisatrice, ni capacité d'utilisation chez les usagers potentiels, situation très différente de celle qui prévalait dans le secteur de la météorologie où les services nationaux, après quelques manifestations de rejet imputables au conservatisme, ont été rapidement capables d'évaluer l'observation spatiale et de l'intégrer dans leur panoplie opérationnelle. L'usager final des données de télédétection était en général incapable, faute de détenir l'expertise nécessaire, d'exploiter lui-même les observations pour la solution de son problème particulier : prévision de la récolte, état des emblavures de telle ou telle culture, état de santé d'une couverture forestière, etc. Le développement des usages de la télédétection a donc été subordonné au développement d'un réseau de sociétés de services, intermédiaires entre le fournisseur de données brutes et l'usager final, capables, à partir de ces données, de fournir à cet usager une réponse directe à son problème. Un tel processus – création d'un marché nouveau et d'entreprises susceptibles de l'exploiter – est nécessairement lent et cela signifie que, pendant toute la phase de constitution du marché, le programme doit recevoir des injections d'argent public. S'il est en effet relativement aisé d'équilibrer financièrement l'exploitation d'un satellite existant par la vente des images, il a été jusqu'à présent hors de portée de financer par le marché le renouvellement du segment spatial. Les Etats-Unis ont fait la désagréable expérience de cette logique lorsqu'ils ont tenté de privatiser intégralement le système Landsat, faute que leur système politico-économique leur permette d'envisager le recours à des structures d'économie mixte que les Européens, et singulièrement la France, maîtrisent aisément. On a vu le programme Landsat osciller entre gestion publique et gestion privée au détriment de sa continuité alors que, dans le même temps, le programme français SPOT, construit sur un financement public du segment spatial et une gestion commerciale de l'exploitation par la firme SPOT Image, acquérait une position dominante sur le marché des images. Ainsi fut perdue, au bénéfice de l'Europe, la maîtrise d'un secteur que la NASA avait littéralement inventé et où elle avait fait, de bout en bout, œuvre de pionniers.

Le processus de constitution d'un marché de la télédétection est encore aujourd'hui loin d'être abouti. On en reste, pour ce qui est de SPOT, à une situation d'économie mixte et pour ce qui est de Landsat, à une impasse. Cependant, de nouveaux éléments apparaissent.

La résolution des premiers Landsat – c'est-à-dire, en simplifiant beaucoup, la dimension minimale des détails qu'ils étaient susceptibles de discerner – était de 70 mètres. On est allé progressivement vers des résolutions de plus en plus élevées et SPOT 5, en construction, distinguera des détails inférieurs à 5 mètres. Trois compagnies américaines *(Space Imaging Eosat, Earthwatch Inc. et Orbital Imaging Inc.)* construisent des satellites qui donneront accès à une résolution de 1 mètre et seront en outre beaucoup plus petits que les SPOT ou les Landsat. Naturellement, cela se paie en capacité de couverture et en débit d'information, mais l'objectif n'est pas le même que celui de satellites comme SPOT, capables de fournir en quelques jours une couverture complète d'une vaste région agricole comme la Beauce. L'apparition d'une résolution métrique a une double signification. D'une part, elle donne accès à un marché civil nouveau, celui de la gestion urbaine, d'autre part, elle pénètre largement dans ce qui était jusque-là le domaine réservé de l'observation militaire. Il n'existe plus de différence essentielle entre un satellite civil capable de fournir une résolution de 1 mètre et ce que le vocabulaire traditionnel des traités de contrôle des armements qualifiait de « moyens techniques de vérification ». De la sorte, le contrôle des traités qui fut le domaine réservé des superpuissances pourrait devenir, comme l'exprime Kostas Tsipis, directeur du programme de science et technologie pour la sécurité internationale au MIT[13], accessible à tout Etat disposé à dépenser « quelques millions de dollars par an ».

Il est encore beaucoup trop tôt pour savoir si cette télédétection à haute définition s'ouvrira un marché rentable, à quelles difficultés elle pourra éventuellement conduire entre observateurs et observés – une chose étant que l'on évalue sans votre consentement l'état de vos moissons, une autre que l'on examine ce que vous faites dans votre arrière-cour –, et quelles conséquences politiques résulteront de la prolifération des images à haute définition. De même, il est difficile d'apprécier si les minisatellites se substitueront aux satellites lourds comme SPOT 5 ou si on assistera à une diversification des systèmes spatiaux et à une segmentation du marché. Cette évolution appelle en tout cas l'attention sur la dimension stratégique de la télédétection que manifestent le chevauchement croissant des activités civiles et militaires et le caractère dual de la technique.

Cet aspect des choses a pu être quelque peu voilé par le fait qu'aux Etats-Unis les branches civile et militaire de l'observation de la Terre se sont développées indépendamment l'une de l'autre. La source de ce clivage réside d'une part dans une forte disparité de la demande, d'autre part dans la séparation institutionnelle entre les programmes civils et les programmes militaires qui prévaut depuis les origines dans la démarche américaine. Dans le contexte de la guerre froide, il existait une forte demande d'observations stratégiques, alors que l'observation civile ne suscitait aucune demande prioritaire de la part d'activités établies. Cela explique que l'observation militaire, bien que techniquement plus exigeante, se soit développée la première aux Etats-Unis comme d'ailleurs en Union soviétique et que l'observation civile ait entamé son développement beaucoup plus tard : dix ans se sont écoulés entre les premiers Discoverer et les premiers Landsat.

En outre, il existe une différence marquée entre les besoins militaires et civils en observation spatiale qui tient à ce que l'action militaire se fonde, pour une part essentielle, sur la connaissance en temps réel, ou quasi réel, des activités humaines. Cela exige des images à très haute définition sur lesquelles des détails de dimension métrique soient nettement visibles alors que les activités civiles, du moins à l'origine, se sont accommodées de définitions décamétriques, mais se sont orientées vers une capacité de couverture globale de la planète.

Cette disparité des enjeux et des priorités a entraîné, aux Etats-Unis, l'existence de deux filières tout à fait distinctes, malgré l'analogie de leur fonction essentielle d'observation. La nature des enjeux et l'organisation des responsabilités correspondantes au sein des structures sociales ont prévalu dans ce cas sur la parenté technique, mais cette situation est le résultat de circonstances historiques qui ne se retrouvent pas ailleurs.

Dans le cas de la France qui n'était pas impliquée de la même façon que les Etats-Unis dans une confrontation planétaire, et qui n'avait ni les mêmes priorités ni les mêmes moyens, le développement d'une capacité d'observation militaire s'est greffé, avec le projet Hélios, sur le savoir-faire acquis par le programme civil SPOT de télédétection, tout à fait comme Landsat s'était greffé sur Nimbus. Il est probable que si d'autres pays, le Japon ou l'Inde, suivent l'exemple de la France, ils utiliseront la capacité d'observation civile dont ils sont déjà dotés pour bâtir une capacité d'observation militaire.

Il existe cependant quelques domaines où se manifestent des besoins militaires qui n'ont guère d'équivalents civils et que matérialisent par exemple les satellites d'alerte avancée *(early warning)* et les satellites d'écoute électromagnétique. Les premiers étaient directement liés à l'affrontement Est-Ouest, étant un élément de la stratégie de « destruction mutuelle assurée » et, ainsi, ils appartiennent plutôt au passé qu'à l'avenir, du moins peut-on l'espérer. Ces satellites d'alerte avancée ont joué un rôle important, et d'ailleurs ambigu, dans le contrôle de la stabilité de l'équilibre de la terreur. Ce sont des satellites chargés de détecter en temps réel le lancement d'un engin balistique, ce qui impose une observation permanente et par conséquent le recours à l'orbite géostationnaire. Ils sont apparus sous une forme expérimentale dans les années 1970 et sous forme d'un système opérationnel vers le début des années 1980. Ce qu'il s'agit de détecter, l'émission infrarouge produite par un missile au cours de sa phase propulsée, est un objet très particulier qui exige un instrument d'observation spécifique. Les satellites d'alerte avancée n'interviennent pas dans la connaissance des arsenaux nucléaires, mais dans le contrôle de leur mise en œuvre. Plus précisément, leur objectif est d'inhiber la tentation de frappe préventive ou de frappe antiforce destinée à détruire le potentiel nucléaire de l'adversaire et à le laisser désarmé, privé de capacité de réponse. Il s'agit d'être capable de répondre à une attaque dans le court espace de temps, environ vingt-cinq minutes, qui s'écoule entre la détection de missiles adverses et les premiers impacts. Cette stratégie de lancement sous attaque réduit le risque de frappe préventive, ce qui conforte la stabilité de l'équilibre nucléaire, mais accroît, en revanche, le risque de déclenchement accidentel. Avec la fin de la guerre froide, les satellites d'alerte avancée, tout comme les satellites du réseau VELA, destinés à la détection des essais nucléaires atmosphériques, ont perdu une justification militaire essentielle. Ils pourraient cependant trouver un nouveau domaine d'utilisation dans le contrôle de la prolifération des engins balistiques, des armes nucléaires et de leur utilisation éventuelle dans des conflits locaux.

Les satellites d'écoute électromagnétique répondent en revanche à un « besoin » permanent. Leur tâche est de recevoir les émissions radioélectriques de toutes sortes qui sont produites par les activités humaines, rayonnées vers l'espace et qui, naturellement, sont porteuses d'information sur ces activités. Il s'agit de les analyser, de les interpréter, voire de les décoder. C'est typiquement une tâche de renseignement qui couvre tout le domaine, aux frontières imprécises, qui va de la sécurité nationale à l'espionnage économique.

Notons au passage que le système VELA est à l'origine de la découverte d'un phénomène astronomique nouveau et mystérieux : les sursauts gammas, puissantes bouffées de rayonnement qui semblent provenir des profondeurs de l'Univers et dont l'origine, après plus de vingt années de recherches, demeure mystérieuse. A l'inverse, l'étude des bruits électromagnétiques naturels dans l'environnement terrestre, secteur important de la recherche fondamentale, fournit aux concepteurs des satellites d'écoute une information précieuse sur l'environnement électromagnétique dans lequel ils devront fonctionner.

Il reste à voir comment l'évolution de la technique, et singulièrement l'émergence des constellations de satellites dans le domaine des télécommunications civiles, affectera la conception des systèmes militaires futurs. Le concept de constellation de minisatellites accomplissant, par exemple, une fonction d'observation, possède en principe des avantages séduisants sur le satellite isolé comme Hélios ou Keyhole : moins grande vulnérabilité aux pannes et plus grande facilité de reconstitution du système en cas de défaillance d'un élément, quasi-permanence de l'observation, standardisation de la production des satellites, etc. Mais la place de tels systèmes dans la panoplie militaire future est difficile à évaluer parce que, plus encore que les techniques disponibles pour le satisfaire, le besoin a évolué avec la fin de la guerre froide. Or, en définitive, le besoin doit déterminer le moyen, ou, en d'autres termes, la politique spatiale doit procéder de la politique de défense et non l'inverse. Mais, s'il est relativement simple et donc tentant d'extrapoler l'évolution du moyen en fonction de l'évolution technique, il est difficile et hasardeux d'extrapoler le besoin dans une époque marquée par une rupture politique majeure et par une décroissance mondiale des dépenses militaires, assortie de difficiles reconversions industrielles.

Un exemple à méditer est sans doute celui d'Israël qui s'est doté, avec Offek 2 (225 kg), mis en orbite par le lanceur Shavit, d'une capacité autonome d'observation militaire. La configuration géographique d'Israël l'oblige, pour que les étages du lanceur retombent en Méditerranée, à lancer vers l'ouest, en acceptant la pénalisation qu'inflige la rotation de la Terre, et à s'accommoder d'une orbite de faible inclinaison. Mais cette orbite se prête bien à l'observation des pays qui entourent Israël. Dans ce cas particulier, le besoin n'était certainement pas celui d'une capacité globale, mais d'une capacité centrée sur la zone géographique où peuvent s'exprimer des menaces pour ce pays. Un minisatellite et un lanceur léger suffisent à y pourvoir.

La gestion de la planète

L'apparition d'une interaction globale entre la planète et les activités techniques de l'homme est sans doute le phénomène qui marquera notre époque dans l'histoire de l'humanité. Bien que le recul nous fasse encore défaut, le stade est atteint où les effets globaux de l'activité humaine deviennent perceptibles et où cette perception est éprouvée collectivement. Notre relation à la Terre s'en trouve progressivement transformée ; elle fut jadis un espace ouvert et dangereux qu'il s'agissait d'explorer et d'investir ; puis elle devint une réserve de richesses dans laquelle on pouvait puiser sans compter ; elle commence à être perçue comme un patrimoine unique, fini et fragile, qu'il convient de préserver pour permettre à l'humanité de survivre à l'échelle des durées historiques.

Cette mutation dans notre relation à la Terre est l'effet d'une interaction longtemps négligeable mais que les changements d'ordre de grandeur rendent progressivement dominante. Chacun voit que deux sources conjuguent leurs effets pour créer cette situation nouvelle : d'une part, l'évolution technique qui tend à accroître le prélèvement sur les « ressources » et les « rejets » de l'individu moyen et, d'autre part, la croissance démographique globale. Ces deux causes ne sont d'ailleurs nullement indépendantes ; la technique permet de faire reculer les barrières naturelles qui limitaient jadis la densité démographique et fournit, *a contrario,* les outils nécessaires pour tenter de la contrôler.

A supposer que l'on parvienne à rééquilibrer progressivement l'économie mondiale, de telle sorte qu'elle s'alimente exclusivement à des ressources renouvelables ou à des stocks inépuisables, la survie de l'humanité demeurerait subordonnée à la maîtrise du second volet, celui des « rejets », de l'apparition d'altérations globales du milieu naturel et d'une détérioration progressive et irréversible de la biosphère.

L'épuisement des ressources alimente depuis le début du XIXe siècle, de Malthus jusqu'au Club de Rome, une ligne de pensée ancienne ; la prise de conscience d'une altération globale de la biosphère est beaucoup plus récente. On en trouve les premiers indices dans les théories d'Arrhenius, prix Nobel de chimie en 1903 pour ses travaux sur les solutions ioniques. Il s'intéresse, en ce début du siècle où triomphe la thermodynamique classique, aux problèmes cosmogoniques et, dans son ouvrage *L'Evolution des mondes*[14] paru en 1907, il analyse quantitativement l'influence, sur l'équilibre thermique de la Terre, d'une consommation annuelle de houille qu'il estime à 1 200 millions de tonnes. Sa conclusion est empreinte de tout l'optimisme de son époque à l'endroit de l'avenir que la technique réserve aux hommes : « Par suite de l'augmentation de l'acide carbonique de l'air, il nous est permis d'espérer des périodes qui offriront au genre humain des températures plus égales et des conditions climatiques plus douces. Cela se réalisera sans doute dans les régions les plus froides de notre terre. Ces périodes permettront au sol de produire des récoltes considérablement plus fortes qu'aujourd'hui, pour le bien d'une population qui semble en voie d'accroissement plus rapidement que jamais. »

Un tel optimisme n'est plus de mise, et la tendance inverse prévaut aujourd'hui, qui consiste à souligner le caractère menaçant et dangereux de toute évolution, et particulièrement de toute évolution rapide, de l'environnement global.

La prise de conscience s'est cristallisée autour de deux phénomènes, la modification du climat – le réchauffement induit par l'enrichissement de l'atmosphère en gaz à effet de serre – et la dégradation de la couche d'ozone par les chlorofluorocarbones.

Les prédictions de réchauffement du climat lié à l'augmentation de la richesse de l'atmosphère en gaz à effet de serre reposent sur un principe physique : le transfert radiatif dans l'atmosphère, et sur des modélisations complexes du système atmosphère, océan, végétation. L'enrichissement de l'atmosphère en CO_2, mais aussi en méthane, oxydes de l'azote, ozone troposphérique et chlorofluorocarbones est un fait d'observation incontestable et d'ailleurs incontesté. L'effet de serre n'est pas davantage contestable ni contesté dans son principe ; il détermine la température de l'atmosphère chargée en vapeur d'eau, nuages et gaz carbonique, et il peut être facilement mis en évidence par une observation non professionnelle : par temps calme, il fait bien plus froid le matin après une nuit claire que lorsque le temps est couvert et que les nuages piègent le flux infrarouge montant.

Les difficultés surgissent lorsqu'il s'agit d'évaluer l'impact sur le climat de l'accroissement de l'effet de serre lié à l'enrichissement en gaz carbonique ; elles ne tiennent nullement à une mise en cause ou à une imprécision des principes physiques de base, mais à leur traduction dans les modèles climatiques globaux. Les modèles utilisés permettent de reproduire les principales caractéristiques du climat actuel, mais sont-ils suffisamment complets, détaillés et validés pour que l'on puisse être assuré qu'ils réagiront de la même façon que l'atmosphère réelle à une modification d'un paramètre d'entrée, en l'occurrence la richesse en gaz carbonique ? La réponse, en l'état actuel de la technique, fait encore l'objet de controverses ; tous les modèles existants convergent qualitativement sur une prévision de réchauffement global mais il existe, dans le rapport de 1 à 3, d'importantes divergences quantitatives, liées notamment aux difficultés que l'on rencontre pour modéliser la nébulosité et ses effets ; en outre, le retard induit, dans l'apparition du réchauffement, par l'inertie thermique des océans et les effets locaux sur la pluviométrie ne sont pas prévus de façon fiable. De très grands progrès sont donc indispensables.

On peut établir, à cet égard, un parallèle avec l'effet des chlorofluorocarbones (CFC) sur la couche d'ozone stratosphérique. Au début des années 1970, le principe de l'action du chlore sur l'ozone stratosphérique était connu et admis par la communauté scientifique. Toutefois, des incertitudes subsistaient concernant certains processus physico-chimiques et les prévisions de l'évolution de la couche d'ozone, fondées sur des résultats de modèles beaucoup plus rudimentaires que ceux dont on dispose aujourd'hui, restaient largement incertaines. Compte tenu de ces incertitudes, aucune mesure sérieuse n'était prise, dans les années 1970, pour limiter les rejets atmosphériques de CFC. Seul leur usage comme gaz propulseur dans les bombes aérosols était réglementé par un certain nombre de pays, sans que pour autant, du fait de l'ouverture de nouveaux marchés, les émissions totales diminuent. Survient en 1985 la première manifestation tangible d'une destruction de l'ozone. Elle se produit au printemps, aux hautes latitudes de l'hémisphère Sud, dans la basse stratosphère vers 20 km d'altitude : c'est le désormais fameux « trou d'ozone ». Ce phénomène de grande ampleur montre qu'effectivement les modèles utilisés jusqu'alors sont imparfaits et que de nouveaux processus doivent être pris en compte qui modifient la compréhension des équilibres chlorés et de leur action sur l'ozone. L'action politique et industrielle est alors rapide, d'autant que des produits de substitution existent, puisque leur développement a été amorcé dès les premières alertes au début des années 1970. Un protocole d'arrêt progressif des émissions est ratifié à l'échelle mondiale, ce qui conduit à une élimination totale des émissions de CFC.

Ces deux exemples d'atteinte à l'environnement global rendent manifeste un aspect fondamental de la relation qui s'établit, dans ce domaine, entre la connaissance et l'action : l'importance qui s'attache à la réduction de l'incertitude scientifique. C'est en fonction, d'une part, du degré d'incertitude et, d'autre part, des enjeux et des difficultés qu'elle comporte que l'action politique se déclenche ou ne se déclenche pas. Le doute, en effet, alimente la controverse, controverse scientifique véritable ou controverse intéressée, greffée sur des intérêts particuliers. Faut-il rappeler qu'au début des années 1970 Concorde a été accusé par les Américains, en retard dans le domaine des supersoniques commerciaux, de détruire l'ozone stratosphérique, alors que, compte tenu de son altitude de vol, il est aujourd'hui établi qu'il en produit. Et la controverse, quelle que soit sa nature, engendre l'hésitation chez les décideurs politiques qui, sur un tel sujet, n'ont guère d'autre recours, pour fonder leur démarche, que la convergence des opinions.

Dans le cas de l'ozone, l'observation du trou polaire et son interprétation ont apporté au pouvoir politique le degré de sécurité dans la connaissance dont il avait besoin pour agir. Non que la certitude soit totale et qu'elle ait éteint toute polémique, mais le basculement vers l'action s'est produit. Encore faut-il noter qu'il s'agit d'une action relativement facile, parce qu'elle porte sur un secteur restreint de l'activité économique des pays développés et que des activités de substitution sont possibles.

Le cas de l'enrichissement de l'atmosphère en gaz à effet de serre est infiniment plus difficile. Les mesures à prendre pour tempérer les effets d'une évolution du climat ou même, simplement, y adapter les systèmes économiques touchent en effet aux activités les plus fondamentales des sociétés modernes : la production d'énergie, les transports et l'agroalimentaire. Aussi bien n'a-t-on guère dépassé, pour l'instant, le stade de la gesticulation politique, fût-elle planétaire. Quelle que soit l'ampleur des enjeux potentiels, le niveau d'incertitude demeure tel qu'il inhibe encore l'action.

Pourtant, comme l'écrivaient dès 1956 Roger Revelle et Hans Suess[15] : « Les êtres humains se livrent à une expérience géophysique à grande échelle d'une nature telle qu'elle n'aurait pu se produire dans le passé et qu'elle ne pourra pas non plus être reproduite dans le futur. » Et cette expérience porte sur un système complexe, au comportement incertain et dont dépend notre existence. Mais nos sociétés sont ainsi faites que la présomption d'un danger vague, fût-il immense, ne suffit pas pour changer le cours des choses ; il y faut une quasi-certitude et l'identification collective d'un avenir inacceptable.

Que faut-il faire pour sortir de cette dangereuse spirale où nous entraîne l'évolution de la société technique ? De toute évidence, nous attaquer à ce qui est, en l'état actuel des choses, notre faiblesse essentielle, la compréhension insuffisante de l'impact de nos activités sur l'équilibre planétaire. Il se trouve que les moyens d'y accéder sont disponibles. Car, si l'évolution de l'humanité la confronte à la nécessité d'une gestion globale de la planète, la même évolution rend disponibles les outils du savoir qu'exige cette gestion. Ainsi coïncident, à l'échelle temporelle de l'histoire d'une espèce inscrite sur plus de trois millions d'années, l'émergence des problèmes liés à la saturation de la biosphère par l'homme et l'apparition des techniques nécessaires pour en comprendre les effets.

La coïncidence, bien sûr, n'est pas fortuite, elle reflète simplement le fait que le stade de l'évolution technique qui a permis la construction d'une civilisation planétaire et l'exploitation globale des ressources permet aussi d'appréhender le système planétaire dans sa globalité.

Les outils de cette connaissance sont de deux sortes ; ceux qui permettent une surveillance planétaire et l'acquisition de mesures continues sur les éléments les plus pertinents, et ceux qui fournissent à partir des mesures ainsi acquises le moyen de procéder à des modélisations numériques pour simuler et prédire – voire même pour comprendre – les évolutions en cours : la technique spatiale et l'informatique.

La technique spatiale fournit les outils de base pour l'observation. Or, comme toujours pour les systèmes naturels sur lesquels l'expérimentation est impossible, l'observation est la source irremplaçable du progrès de la connaissance ; c'est d'elle que doit partir toute démarche de compréhension du système terrestre. Un effort délibéré pour maîtriser la compréhension de l'environnement planétaire doit d'abord viser à concevoir et à faire fonctionner un système permanent d'observation de la Terre, d'autant que, quelle que soit l'importance des moyens nécessaires au stockage et au traitement de l'information acquise, leur coût sera inférieur par un ordre de grandeur à celui du système d'observation lui-même. Un tel système d'observation sera d'abord un système spatial. Sans doute sera-t-il nécessaire de le compléter par d'autres types d'observations, observations de surface et sondages dans les profondeurs océaniques, car le satellite ne permet pas de tout atteindre, mais il est le seul outil qui permette d'accéder, avec une fréquence élevée et pour une très grande diversité de paramètres, à une couverture planétaire. Il est aussi le seul outil qui donne accès, depuis l'orbite géostationnaire, à une surveillance continue de larges secteurs de la surface terrestre. Il est enfin, par son rôle de relais de communication, l'engin qui permet de concentrer rapidement les informations acquises en un lieu quelconque de la Terre pour y être traitées et stockées. Sans un recours systématique à la technique spatiale, un système global n'est pas concevable.

Le système permanent d'observation de la Terre tel qu'on pourrait aisément le concevoir sur la base des technologies disponibles n'existe pas. Certes, il en existe, ici ou là, des éléments, mais ils ne relèvent pas d'une conception et encore moins d'une mise en œuvre globale.

Il s'agit en effet, pour répondre au besoin de connaissance sur l'évolution de la planète, de disposer d'un système qui exploite au mieux toutes les ressources de la technique actuelle, et de le faire fonctionner sans interruption tout en le perfectionnant progressivement.

Il existe un embryon de système permanent d'observation, le système météorologique, conçu pour satisfaire aux besoins de la prévision du temps ; constitué de satellites opérationnels en orbite géostationnaire et en orbite polaire héliosynchrone, il est le seul système qui assure une couverture globale de la planète et dont la pérennité soit assurée. Mais il s'en faut de beaucoup que les paramètres observés satisfassent l'ensemble des besoins.

Une première approche de cette question fondamentale consiste à examiner ce qui s'est passé dans d'autres domaines. Il est de nombreux domaines où l'existence d'un besoin a suscité la création de systèmes permanents à l'échelle planétaire. C'est ainsi qu'il existe un système de télécommunications mondial, un système de transport aérien mondial qui ont un caractère permanent et évolutif et qui s'appuient sur une concertation organisée à l'échelle mondiale. S'agissant des télécommunications mondiales, qui disposent d'une flotte de satellites opérationnels, l'analogie avec ce que pourrait être le système permanent d'observation est saisissante, mais le contraste entre les contextes ne l'est pas moins. Le système de télécommunication s'est édifié sur la base d'un besoin perçu au niveau de l'usager final ; ainsi, l'action de la puissance publique, largement relayée par l'initiative privée, s'appuie-t-elle sur une demande directe, solvable, des institutions utilisatrices et des individus.

Dans le cas du système météorologique opérationnel, la demande est indirecte mais elle existe. Elle est exprimée par les services météorologiques nationaux, qui ont eux-mêmes à répondre à la demande d'usagers finaux. Les besoins ainsi exprimés sont locaux ou catégoriels mais la nature du problème, le fait que l'atmosphère ne connaisse pas de frontière, a imposé une organisation à l'échelle mondiale. Le caractère indirect de la demande et le fait que l'entreprise n'est pas commercialement solvable rendent beaucoup plus malaisé que dans le cas des télécommunications le financement du système d'observation ; l'initiative privée en est, et pour cause, absente. Et rien de comparable au système d'observation météorologique n'existe dans le domaine océanique parce que aucun besoin analogue à celui de prévoir le temps n'en a suscité la création.

Qu'en est-il de la demande sur laquelle pourrait s'édifier un système permanent d'observation ? Le besoin auquel répond un tel système n'est directement perçu ni au niveau des individus, ni au niveau des institutions, ni même à celui des collectivités nationales. Il ne s'impose clairement que lorsqu'on s'interroge sur l'avenir de l'humanité tout entière et cela tend, étant l'affaire de tous, à n'être l'affaire de personne.

La construction d'un système permanent d'observation de la Terre pose ainsi un problème entièrement nouveau pour lequel il n'existe ni modèle ni précédent : comment engendrer un effort organisé à l'échelle du monde en l'absence du moteur qu'est la pression du besoin sur les individus ou les groupes. Car l'intérêt d'un tel système n'apparaît clairement que lorsqu'on envisage d'optimiser la gestion de la planète, et il se situe dans le long terme, au-delà de l'horizon temporel des forces du marché, des intérêts politiques et des motivations institutionnelles.

La plupart des structures dont on dispose au niveau international ont été façonnées par une longue évolution ; c'est dire qu'elles sont adaptées à ce qui était l'unique problème du passé et qui demeure aujourd'hui le problème le plus aigu : traiter des conflits entre les intérêts parcellaires de l'humanité. Ce sont des structures construites pour élaborer des compromis ou des arbitrages et non pour gérer les intérêts globaux. Elles nous laissent relativement désarmés pour entreprendre une action solidaire contre un défi commun. Il existe bien quelques embryons d'outils collectifs que la gestion d'une ressource rare et unique, le spectre électromagnétique par exemple, a suscités, mais on est encore très loin d'une généralisation de ce type de comportement et nul ne sait ce que sera, dans la durée, l'avenir du débat engagé à Rio et poursuivi à Tokyo.

Effet de serre anthropique et altération de la couche d'ozone, quelle que soit leur importance intrinsèque, ne sont que des signaux précurseurs, les premières manifestations médiatisées d'une nouvelle catégorie de problèmes auxquels nous confronte l'évolution de l'humanité, problèmes très divers qui ont en commun de trouver leur origine dans le caractère fini de la planète. Lorsque, en 1955, la revue *Fortune* demanda à diverses personnalités de l'époque d'exprimer leur vision de l'avenir, John von Neumann y contribua par un article intitulé : « Pouvons-nous survivre à la technologie ? » qui contrastait fortement avec l'optimisme ambiant. Il y prévoyait une crise due « non pas à des événements accidentels ou des erreurs humaines » mais « inhérente au rapport de la technologie à la géographie d'une part et à l'organisation politique d'autre part ». Cette crise de globalisation, écrivait von Neumann, « va fondre les affaires de chaque nation avec celles de toutes les autres, plus profondément que la menace d'une guerre nucléaire ou autre n'a pu le faire ». Nous ressentons les premiers effets de cette évolution qui confronte à des problèmes globaux ; et donc à une interdépendance croissante, une organisation politique morcelée et disparate.

Parce qu'elle est par essence globale, la technique spatiale intervient comme outil de maîtrise, à différents niveaux de cette mutation vers la globalité, et singulièrement comme outil de communication entre les entités géopolitiques, mais nulle part son rôle n'est aussi irremplaçable que dans la compréhension de l'interaction entre l'activité humaine et la planète. Il en résulte un nouveau type d'enjeu qui n'est, à proprement parler, ni culturel ni économique, mais qui concerne l'avenir de la société humaine tout entière et qu'aucune nation ne peut aborder isolément. Sur quels ressorts peut-on fonder l'action sans faire l'hypothèse que la perception des intérêts lointains de l'humanité suffira à susciter une action collective de grande ampleur et à la maintenir dans le long terme ? Comment peut-on concilier, dans la conception d'une politique spatiale, la prise en compte de cet enjeu global avec les intérêts particuliers des entités géopolitiques dont cette politique émane ? Ces questions ne peuvent être éludées.

Chapitre VI

LA MONTÉE EN PUISSANCE DU MARCHÉ

Absentes à l'origine, les forces du marché ont pénétré dans le champ de la technique spatiale par le secteur des télécommunications. C'est là, et là seulement, que les financements privés ont pris le relais de l'argent public. Il existe, dans d'autres domaines, des amorces du même phénomène et leur évolution mérite attention, mais les télécommunications sont le seul domaine où il ait atteint la maturité.

Il est singulier que cela se soit produit dans un secteur économique qui était traditionnellement organisé sur la base d'un monopole, monopole étatique en Europe, monopole concédé à AT&T aux Etats-Unis. Mais il faut observer que ce monopole trouve son origine dans la nécessité d'aménager le domaine public pour y installer les réseaux de télécommunications, non dans une absence de rentabilité commerciale qui contraindrait à financer le service avec de l'argent public. D'ailleurs, l'expansion des télécommunications spatiales a contribué à la désagrégation de ces monopoles et, au-delà, continue à affaiblir le contrôle des Etats sur les systèmes de télécommunica-tions. Notre propos n'est pas ici d'aborder dans toute sa généralité l'évolution de la « société de l'information », mais seulement d'analyser comment l'espace s'est introduit dans ce domaine, comment il a imposé sa logique aux structures et comment, en retour, le marché des télécommunications transforme le contexte dans lequel se développe la technique spatiale.

Pour que celle-ci puisse pénétrer un secteur protégé par le conservatisme inhérent aux structures monopolistiques, il fallait qu'elle disposât d'un avantage déterminant. En termes généraux, cet avantage découle de la possibilité qu'elle offre, et qu'elle est seule à offrir, d'établir un relais en visibilité directe et simultanée de deux points éloignés de la surface terrestre. Mais pour que cet avantage se matérialise, il fallait qu'il permette des services auxquels ne pourvoyaient pas les techniques traditionnelles de guidage des signaux. La brèche par laquelle la technique spatiale a pénétré est celle des télécommunications transocéaniques à large bande. A l'époque où sont apparus les premiers satellites, les câbles sous-marins ne fournissaient pas une largeur de bande suffisante pour permettre les conversations téléphoniques, encore moins la transmission en temps réel d'images télévisuelles. Il existait bien des liaisons en onde courte, mais la qualité du service était extrêmement médiocre et sa disponibilité incertaine. La transmission d'images télévisuelles était impossible. Il existait de ce fait, entre les grands pôles économiques, et notamment entre l'Europe et les Etats-Unis, une demande insatisfaite et d'ailleurs, dans la mesure où les moyens de la satisfaire n'existaient pas, largement inexprimée. L'exploitation de cette demande fut le point d'entrée de la technique spatiale dans l'univers des télécommunications. Cela s'est fait à une époque où les Etats-Unis disposaient, dans le monde occidental, d'un monopole de fait des moyens de lancement et où la capacité européenne de construire des satellites était inexistante. L'idée de contrôler, par l'intermédiaire de ce monopole de fait, un système global de télécommunications par satellites s'imposait donc tout naturellement et fut exprimée dès 1961 dans la *Déclaration de politique sur les télécommunications par satellites*[16] par laquelle le président Kennedy invitait « toutes les nations à participer à un système de commu-

Page 127 : *croissance de la capacité des satellites de télécommunications en orbite. (Document Euroconsult, 1997.)*

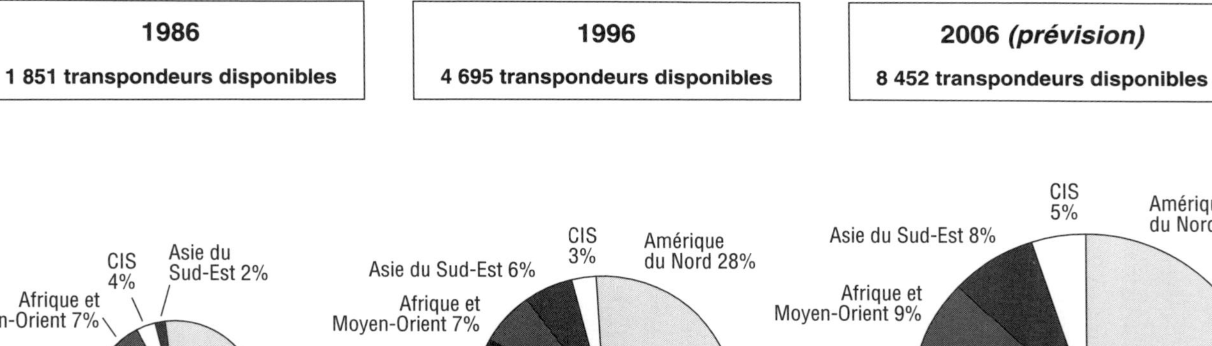
1986
1 851 transpondeurs disponibles
1996
4 695 transpondeurs disponibles
2006 (prévision)
8 452 transpondeurs disponibles

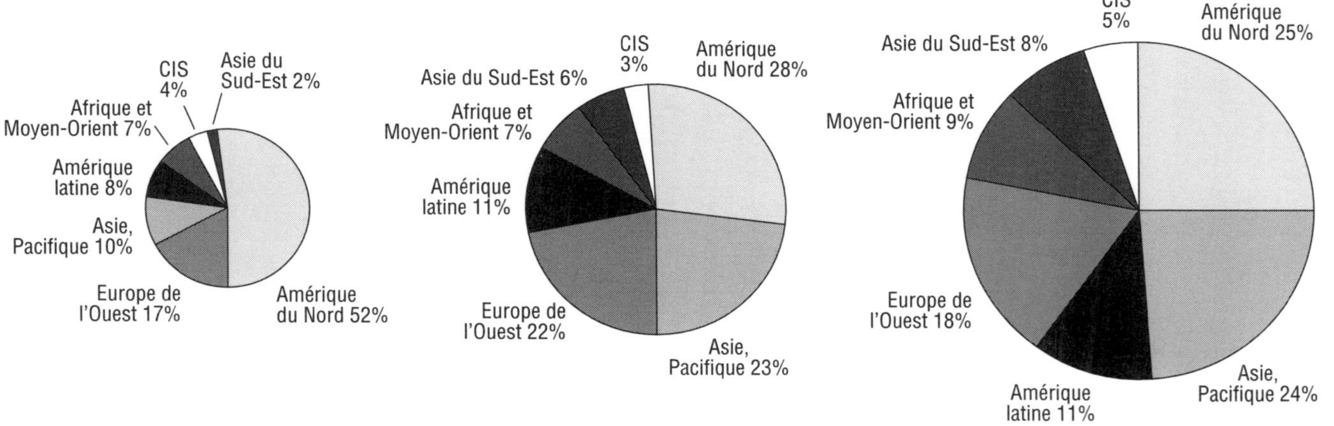
CIS 4%
Asie du Sud-Est 2%
Afrique et Moyen-Orient 7%
Amérique latine 8%
Asie, Pacifique 10%
Europe de l'Ouest 17%
Amérique du Nord 52%
Asie du Sud-Est 6%
CIS 3%
Amérique du Nord 28%
Afrique et Moyen-Orient 7%
Amérique latine 11%
Europe de l'Ouest 22%
Asie, Pacifique 23%
Asie du Sud-Est 8%
CIS 5%
Amérique du Nord 25%
Afrique et Moyen-Orient 9%
Europe de l'Ouest 18%
Amérique latine 11%
Asie, Pacifique 24%

nications par satellite dans l'intérêt de la paix mondiale et d'une fraternité plus étroite entre les peuples ». On reconnaît l'habillage humanitaire qui est la langue de bois du politique. L'année suivante, un acte du Congrès, le *Communication Satellite Act*[17], concrétisait la démarche présidentielle, suivi par la création de la *Communication Satellite Corporation,* en 1963, et de l'organisation internationale Intelsat, en 1964.

La charte d'Intelsat lui confère un caractère monopolistique à l'échelle mondiale. On observera qu'à la date où elle fut établie le satellite géostationnaire ne s'était pas encore imposé et la conception d'un système global se fondait sur un ensemble de satellites défilants ; par nature, un tel système ne se prête pas à une régionalisation qu'au contraire le satellite géostationnaire tend à imposer[18]. Dès 1965, avec Intelsat 1 construit par Hughes, il allait faire son entrée à Intelsat pour en devenir l'outil exclusif.

Pendant les quinze années suivantes, la croissance très rapide d'Intelsat est contrôlée par les progrès de la technique spatiale qui peine, malgré la puissance croissante des lanceurs et la masse croissante des satellites, à satisfaire une demande libérée par l'apparition d'une technique capable de la satisfaire. Ce n'est qu'à la cinquième génération de satellites que l'organisation Intelsat, emportée par son élan et extrapolant un peu trop hardiment, se mit temporairement en surcapacité.

Sur le créneau des télécommunications intercontinentales à large bande, les satellites géostationnaires ont maintenant été rejoints, puis dépassés en compétitivité économique, par les câbles sous-marins à fibres optiques. Si l'émergence de cette technologie filaire s'était produite dix ans plus tôt, l'histoire des télécommunications spatiales en eût été changée.

La période pendant laquelle Intelsat occupe une position dominante est aussi celle qui est gouvernée de façon exclusive par les initiatives des Etats. Il existe bien quelques fissures dans cette omniprésence étatique : le fait que le premier satellite de télécommunication, Telstar, ait été financé par AT&T, que les Etats-Unis soient représentés au sein d'Intelsat par une compagnie privée, la COMSAT, cependant créée à cet effet par une initiative fédérale, l'abandon par la NASA, au début des années 1960, du secteur des télécommunications. Mais Intelsat demeure l'outil d'une volonté hégémonique des Etats-Unis qui veillent jalousement sur le respect par ses membres de ses prérogatives monopolistiques. En témoignent, par exemple, les obstacles mis à l'obtention de lancements pour les satellites de télécommunications franco-allemands Symphonie. La situation a si profondément évolué qu'Intelsat est aujourd'hui considéré par les Etats-Unis comme une entrave dont ils souhaitent se débarrasser. C'est le résultat d'un long cheminement qui, loin d'être achevé, s'accélère d'année en année, composante parmi d'autres, mais composante importante, de la révolution de l'information. En suivre dans tous ses méandres le déroulement historique nous ferait aisément perdre de vue les grandes lignes de cette transformation ; mieux vaut examiner globalement quelles sont les forces qui ont joué et qui continuent à jouer, comment se décrit globalement leur effet et vers quoi conduit cette évolution.

Il y a d'abord un glissement du rôle central des télécommunications spatiales vers la desserte de terminaux mobiles et d'usagers individuels. L'origine de ce glissement, dont l'importance est capitale, est double. D'une part, comme nous l'avons dit, la concurrence des câbles sous-marins est apparue et continue à monter en puissance sur le créneau des télécommunications intercontinentales. Le câble possède quelques avantages sur le satellite géostationnaire ; le temps de transit du signal est beaucoup plus faible, imperceptible dans une conversation téléphonique, ce qui procure un confort accru ; sa rentabilité économique et les capacités installées ont dépassé en 1997 celles des satellites et la vulnérabilité aux écoutes est moins grande. Ainsi, le marché du raccordement des réseaux continentaux échappe pour une part croissante au satellite, et un tel changement touche naturellement de plein fouet l'organisation Intelsat dans sa vocation centrale. Cependant, dans le même temps que le créneau des télécommunications internationales se fermait progressivement, l'évolution de la technique spatiale en ouvrait un autre, de façon certainement plus durable.

La communication avec des terminaux mobiles ou des usagers individuels met en jeu une supériorité intrinsèque de la technique spatiale sur les techniques terriennes, sa capacité à couvrir d'un seul coup une zone choisie. Cette supériorité peut s'exploiter dans deux directions qui ne sont pas exclusives l'une de l'autre. Elle peut être utilisée à communiquer avec des mobiles, navires, véhicules terrestres, terminaux portables, qui par nature ne peuvent être raccordés à un réseau matériel. Dans ce domaine du service mobile, les techniques terriennes sont astreintes aux limitations de la transmission radioélectrique à partir d'émetteurs au sol, c'est-à-dire à une portée restreinte pour les transmissions à large bande ou à une faible capacité pour les transmissions à grande distance. Quant aux usagers individuels de terminaux fixes, la possibilité existe naturellement de les relier à un réseau à large bande. C'est ce qu'on fait en « câblant » les villes. Mais cette technique terrienne est assujettie à deux contraintes ; outre que la construction du réseau doit progresser de proche en proche pour aboutir à une arborescence continue, la rentabilité du raccordement dépend de la dispersion des usagers comme des difficultés d'aménagement ou d'entretien du réseau, toutes entraves qu'ignore le satellite.

On peut alors se demander pourquoi ce créneau, sur lequel la technique spatiale dispose d'avantages pérennes, n'a pas été occupé dès l'origine des télécommunications spatiales. Cela tient tout d'abord à ce que les performances

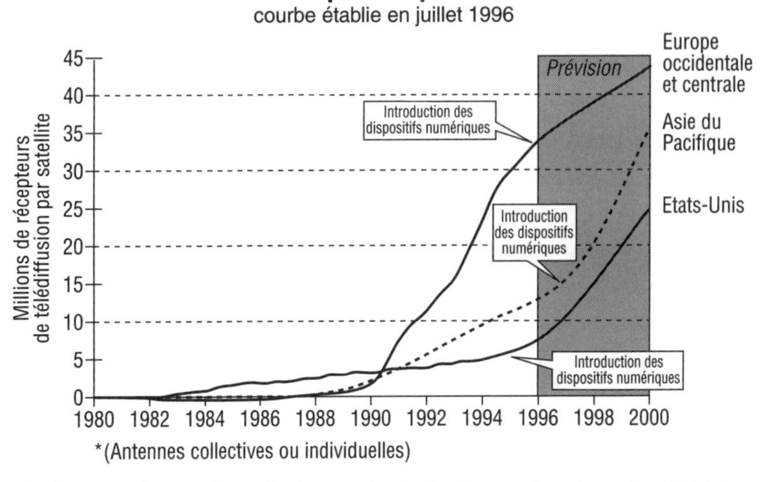

Evolution du nombre de foyers équipés d'une réception de télévision par satellite. (Document Euroconsult, 1996.)

requises des satellites pour assurer ce type de service n'ont été rendues disponibles que progressivement, par l'accroissement de la capacité des lanceurs et par les progrès des technologies génériques qui entrent dans la composition des charges utiles. La capacité des lanceurs n'est plus un élément critique, mais l'évolution technologique continue de jouer un rôle important. Par ailleurs, ce nouveau créneau d'expansion de la technique spatiale, à la différence des liaisons transocéaniques, n'était pas libre de tout occupant ; il était tenu, plus ou moins bien, par les techniques terriennes existantes qu'il a fallu faire reculer. L'affrontement n'est pas d'ordre purement technique ; il fait intervenir des structures que le changement déstabilise. Mais avant d'en venir à ces aspects institutionnels, examinons comment pourront se prolonger les effets de l'évolution technique.

Un premier aspect de cette évolution est la pénétration des technologies numériques dans un domaine qu'elles avaient jusque-là laissé de côté, celui de la diffusion radiophonique et télévisuelle. L'origine de ce retard est claire, c'est l'importance du parc de récepteurs détenus par des usagers individuels qui interdit tout changement brusque, introduisant dans le processus de changement technique un effet d'inertie. Cependant, les progrès des satellites, et notamment l'usage d'antennes spatiales directives qui permettent de concentrer la puissance émise sur la zone à desservir, les progrès des récepteurs individuels, la chute de leurs coûts ont rendu accessible la réception spatiale à un prix nettement inférieur à celui d'un bon téléviseur. En outre, le passage au numérique qui est en cours s'impose comme une évolution naturelle parce qu'il va permettre de multiplier par un facteur 10, à coût et à masse identiques, la capacité de diffusion d'un satellite. La capacité de diffusion a toujours été – sauf dans les toutes premières années, alors que la capacité de produire des émissions était embryonnaire – le goulot d'étranglement du média télévisuel ; ce goulot est en train de disparaître.

En regard de cette banalisation définitive du numérique qui prolonge et achève une évolution technologique universelle, l'usage de constellations de satellites en orbite défilante constitue pour les télécommunications spatiales une voie nouvelle dont il est encore difficile de mesurer l'importance. Cette étape possède, par rapport aux précédentes, des caractères très accusés. Nous avons déjà précisé ses fondements techniques : réduction des temps de transit et des puissances nécessaires pour établir les liaisons au prix d'une complexité accrue du segment spatial. Comme l'écrivait en substance Arthur Clarke, qui fut le premier à proposer l'usage de satellites géostationnaires à des fins de télécommunications [19], nous pouvons être reconnaissants à la nature de nous avoir donné une orbite géostationnaire, mais nous ne pouvons nous empêcher de regretter qu'elle ne l'ait pas placée plus près. Les constellations sont une réponse à cette carence de l'ordre des choses.

Mais, à l'opposé de ce qui s'est passé à l'origine, les systèmes LEO sont le fait d'initiatives privées qui s'inscrivent dans une concurrence mondiale, tant pour le financement des systèmes que pour le marché des utilisateurs. C'est la première fois dans l'histoire de la technique spatiale que le secteur privé s'engage sans avoir été précédé par une initiative publique. Il existe naturellement de nombreux systèmes géostationnaires qui sont la propriété d'opérateurs privés, mais ils ne sont qu'un élargissement et une diversification des usages d'une technique créée par l'initiative publique. En revanche, la puissance publique n'a eu aucune part à la conception et au financement des systèmes LEO qui sont en cours de réalisation ou en projet.

Deux marchés ont mobilisé les efforts des promoteurs ; d'abord le marché du téléphone portable, qui s'est énormément développé sur la base de techniques terriennes. Ces techniques exigent le déploiement de réseaux denses de postes fixes pour couvrir un territoire. Ce n'est pas toujours techniquement ni économiquement praticable. La tentation est donc grande de raccorder ces petits terminaux mobiles à un segment spatial de façon qu'ils soient utilisables n'importe où à la surface du globe, dans les déserts, dans les zones sous-développées ou sur les océans. Comme on ne peut trop les alourdir, ni augmenter leur puissance ni les munir d'une antenne directionnelle, l'utilisation de satellites en orbite basse est la solution de choix. Des extensions de ce marché à des domaines voisins sont aisées à concevoir. Imaginons, par exemple, un pays dont le territoire est étendu, la population peu dense et dispersée. Pour y créer un réseau de cabines téléphoniques publiques, le recours à un raccordement direct des cabines à un système LEO peut se révéler moins coûteux et plus souple que la construction d'un réseau terrien sur le modèle de ce qui existe dans les pays industrialisés.

Un second marché important est celui des liaisons à grande capacité destinées à donner un second souffle au développement d'Internet et à permettre la mise en réseau, à l'échelle mondiale, des ordinateurs. La réduction des temps de transit devient alors un aspect essentiel.

Il est encore difficile de prévoir l'équilibre qui s'établira dans l'avenir entre les systèmes GEO et les systèmes LEO et entre les techniques terriennes et les techniques spatiales. Le domaine est mouvant et son évolution rapide. Trois aspects doivent retenir l'attention par leurs effets à long terme et l'importance qu'ils revêtent pour la définition des priorités d'une politique spatiale : la dimension prévisible du marché, l'évolution de la relation entre la puissance publique et les acteurs de ce marché, l'arrivée dans le domaine de nouveaux acteurs.

La dimension du marché

Les fournisseurs de service de lancement comme Arianespace sont à l'origine des études les plus approfondies que l'on possède sur le marché des télécommunications spatiales pour la raison simple que le marché des lancements en procède et qu'il détermine leur stratégie d'entreprise. En France, la société Euroconsult, à qui nous empruntons les diagrammes qui illustrent cette section, s'est acquis une grande réputation dans ce domaine. Le nombre de facteurs en jeu rend l'analyse et la prévision extrêmement complexes. C'est ainsi que la généralisation de la transmission numérique rend possible l'usage des techniques de compression du signal qui permettent, comme nous l'avons dit, de multiplier, en gros, par un

Page 135 : *chaîne de valeur ajoutée des télécommunications et de la navigation spatiale. L'industrie spatiale proprement dite – satellites et lanceur – se place en amont d'une cascade d'activités de dimensions croissantes qui débouche sur les utilisateurs finaux. (Document Euroconsult, 1997.)*

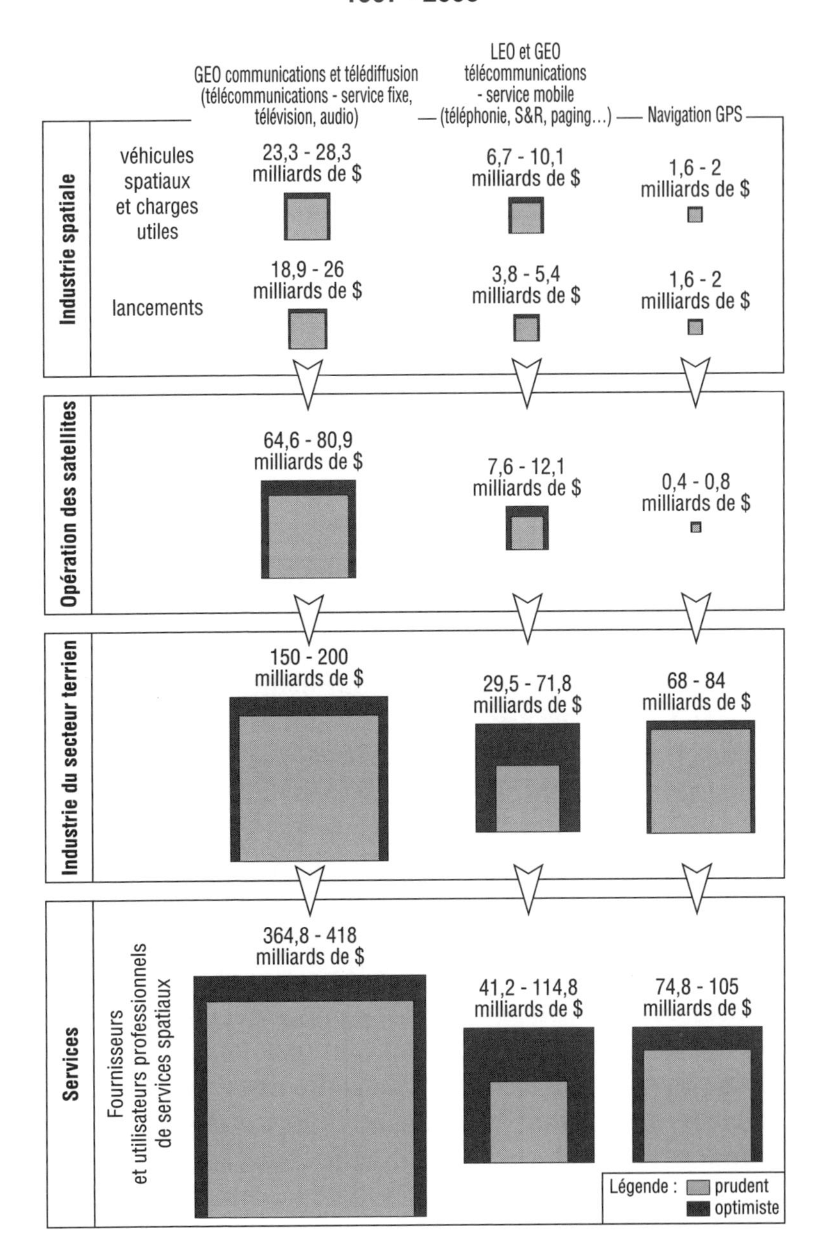
1997 - 2006
GEO communications et télédiffusion (télécommunications - service fixe, télévision, audio)
LEO et GEO télécommunications - service mobile (téléphonie, S&R, paging...)
Navigation GPS
Industrie spatiale
véhicules spatiaux et charges utiles
23,3 - 28,3 milliards de $
6,7 - 10,1 milliards de $
1,6 - 2 milliards de $
lancements
18,9 - 26 milliards de $
3,8 - 5,4 milliards de $
1,6 - 2 milliards de $
Opération des satellites
64,6 - 80,9 milliards de $
7,6 - 12,1 milliards de $
0,4 - 0,8 milliards de $
Industrie du secteur terrien
150 - 200 milliards de $
29,5 - 71,8 milliards de $
68 - 84 milliards de $
Services
Fournisseurs et utilisateurs professionnels de services spatiaux
364,8 - 418 milliards de $
41,2 - 114,8 milliards de $
74,8 - 105 milliards de $
Légende : prudent optimiste

facteur 10, la capacité de diffusion télévisuelle d'un satellite. Il en résulte un abaissement du coût annuel du canal de diffusion qui augmente considérablement la compétitivité du satellite de diffusion par rapport au câble mais qui, *a contrario,* restreint la demande de transpondeurs en orbite. De même l'accroissement continu de la fiabilité et de la durée de vie des satellites attire les utilisateurs mais, à volume d'utilisation constant, réduit la demande. Enfin, le marché est affecté de cycles qui correspondent à des générations successives ; il est modulé par les effets de l'évolution technique sur la concurrence entre solutions spatiales et solutions terriennes ; il s'élargit par l'ouverture de nouveaux domaines, comme la radiodiffusion sonore dont Alcatel s'est fait le promoteur avec le projet Worldspace[20].

Il est cependant possible de dégager à grands traits les principales caractéristiques et les évolutions probables. L'aspect le plus saisissant du marché des télécommunications spatiales est la propagation d'effets de taille croissante dans une chaîne économique qui va de la construction des satellites à la fourniture des services en passant par les activités de lancement, la mise en œuvre des satellites en orbite, la construction et le déploiement des secteurs terriens. Les estimations d'Euroconsult pour les satellites géostationnaires sur la période 1996-2006 s'établissent ainsi, en 1997 : 23 à 28 milliards de dollars pour la construction des satellites, 150 à 200 milliards de dollars pour les activités industrielles induites, 360 à 400 milliards de dollars pour les services en aval. Les chiffres pour LEO sont nettement plus faibles, dans le rapport de 1 à 4, et aussi nettement plus incertains. Il est intéressant de rapporter ces chiffres aux financements étatiques que l'on peut estimer pour l'année 1996, dépenses civiles et militaires confondues, à 35 milliards de dollars. Si l'on fait l'hypothèse d'un maintien de ce niveau de financement sur la période 1996-2006, on arrive au chiffre de 350 milliards de dollars, supérieur d'un facteur 10 au chiffre d'affaires résultant de la construction des satellites commerciaux, mais sensiblement égal au volume des activités industrielles induites. Cela donne la mesure de l'importance des enjeux économiques qui s'attachent au marché des télécommunications spatiales. Encore faut-il tenir compte de la répartition inégale des activités de l'industrie spatiale entre marché commercial et commandes gouvernementales selon que l'on considère les Etats-Unis, l'Europe et le Japon. Pour l'année 1994, le marché commercial représente 7 % des ventes de l'industrie spatiale américaine, soit 2B$ (milliards de dollars) sur un total de 28,5B$, mais 34 % pour l'Europe, soit 1,2B$ sur un total de 3,5B$ et 42 % pour le Japon, soit 0,85B$ sur un total de 2B$. A cela s'ajoute que le pourcentage d'exportations est beaucoup plus élevé en Europe, 10 à 15 %, qu'aux Etats-Unis, 5,6 % en 1994. On mesure à ces chiffres l'importance critique que revêt pour l'industrie spatiale européenne la maîtrise de ce marché et pour l'Europe en général la maîtrise de ses effets induits.

Opérateurs publics et initiative privée

Le développement des télécommunications spatiales s'inscrit dans un contexte de déréglementation de tout le secteur des télécommunications qui, en quelques décennies, a démantelé les monopoles, et tend en outre, en les évinçant des tâches d'opérateur, à cantonner les Etats dans un rôle de régulateurs. L'évolution du statut de France-Telecom, dont on peut prédire sans grand risque qu'elle aboutira à une privatisation totale, est un exemple parmi beaucoup d'autres de cette tendance globale.

La diffusion des télécommunications spatiales tient une place importante dans ce processus en même temps que, par un mouvement inverse, elle tend à accroître l'importance des tâches de régulation.

Pour comprendre cette double évolution, il faut la rapporter aux origines des structures monopolistiques et du contrôle étatique. Le monopole des télécommunications trouve sa justification économique dans l'existence d'un réseau matériel, le réseau des lignes de communication terriennes qu'il est évidemment avantageux de ne pas dupliquer. Le monopole d'EDF a la même origine, et on observera qu'EDF possède le monopole de la distribution, c'est-à-dire du réseau de lignes et non, comme on le croit parfois, celui de la production. Aux débuts du téléphone, des villes américaines ont vu s'édifier plusieurs réseaux concurrents, ce qui, pour un investissement supérieur, conduisait à un service médiocre, les clients de l'un ne pouvant communiquer avec les clients des autres. C'est là l'origine du monopole d'AT&T. Outre cette justification, les télécommunications terriennes fournissent au monopole un point d'ancrage : la nécessité de procéder à des aménagements matériels du domaine public pour y faire passer les lignes. L'Etat détient donc à la fois la justification économique de son monopole, qu'il le concède ou qu'il l'exerce, et les moyens de le faire respecter avec la propriété d'un domaine, celui des voies de communications, qui a la structure d'un réseau reliant les domaines privés. En outre, le contrôle de l'Etat sur les communications était puissamment justifié, à l'origine, par la nécessité d'empêcher qu'elles ne soient un outil de spéculation[21]. Dans les débuts du télégraphe Chappe, alors que son seul concurrent était la malle-poste, la possibi-

Page 139 : *distribution des ventes de l'industrie spatiale aux Etats-Unis, en Europe et au Japon. On notera l'importance du marché gouvernemental civil et militaire aux Etats-Unis et la faiblesse relative du secteur commercial. (Document Euroconsult,* Government Space Programs, *1996.)*

ETATS-UNIS
Total des ventes :
28,5 milliards de $

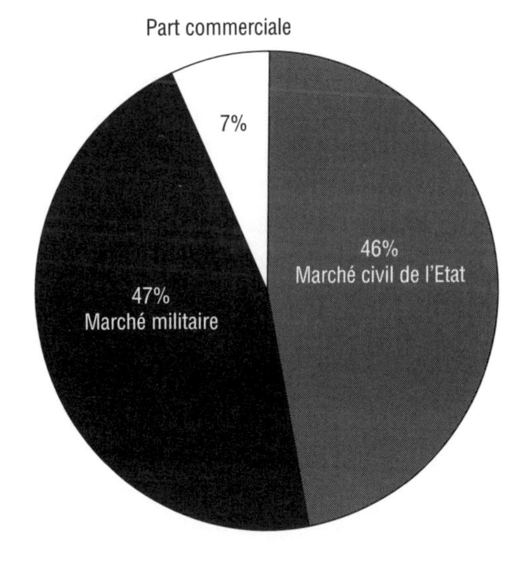

EUROPE
Total des ventes :
3,5 milliards de $

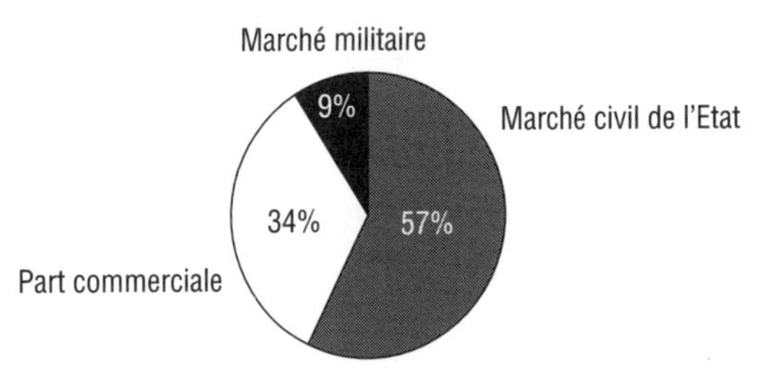

JAPON
Total des ventes :
2 milliards de $

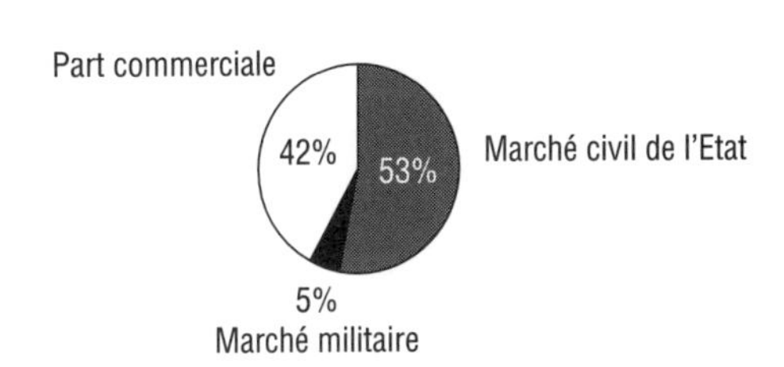

1 ECU = 1,1895 US$ ET 1 US$ = 102,2 ¥

Estimation Euroconsult janvier 1996

lité qu'il offrait d'obtenir en quelques dizaines de minutes des informations sur les cours des marchandises pouvait devenir un avantage aussi important qu'inacceptable, constituant très exactement ce qui est, de nos jours, le délit d'initié. Il fallait donc interdire la détention de systèmes privés de télécommunications et en réserver l'usage à l'Etat. Savoir si les hommes politiques d'alors en ont fait un usage déontologiquement correct est un autre chapitre, dont il existe des versions modernes, et que nous n'aborderons pas.

La technique spatiale attaque les fondements mêmes du monopole étatique sur deux points critiques : elle dématérialise le réseau et détruit la nécessité d'aménager le domaine public. La dématérialisation du réseau emporte avec elle la logique économique du monopole naturel. La possibilité d'établir des liaisons directes, de domaine privé à domaine privé, en passant par un relais orbital détruit toute nécessité d'aménager le domaine public. Elle prive le monopole d'une ligne de défense naturelle, le réduisant à s'abriter derrière une couverture purement juridique et comme telle fragile, susceptible d'être progressivement démantelée, ce qui n'a pas manqué de se produire. Quant à l'avantage économique d'un accès privilégié à l'information, il trouvait son origine dans une pénurie qui a depuis longtemps disparu ; le privilège emprunte aujourd'hui d'autres voies qui ne sont pas d'ordre technique. La diffusion télévisuelle par satellite offre un exemple parfait du jeu de ces trois éléments. L'émetteur est n'importe où, hors du territoire national et du domaine public ; il suffit qu'il soit en vue directe du satellite géostationnaire qui assure la rediffusion, ce qui laisse de très vastes possibilités. Le satellite, propriété privée, est placé dans un espace sur lequel ne s'exerce pas de souveraineté nationale. L'antenne de réception est chez un particulier. Aucun monopole naturel n'intervient et aucun recours au domaine public n'est plus nécessaire. Cela n'est pas sans poser au pouvoir politique des problèmes nouveaux que, selon sa nature, il aborde de diverses façons. Les « oreilles de Satan » qui troublent le pouvoir iranien sont un exemple d'une démarche qui trouve son équivalent dérisoire dans les arrêtés d'interdiction qu'ont cru pouvoir prendre certains maires pour protéger leur population immigrée contre des influences néfastes. Il s'agit en définitive du droit d'accès à l'information qui est l'un des fondements de la démocratie, non qu'il soit illégitime de le limiter, mais cette légitimité doit à l'évidence s'exprimer aux niveaux les plus élevés de la représentation nationale. Qu'il s'agisse d'interdire la diffusion de certains messages venant de l'intérieur ou de l'extérieur, ou de protéger certaines catégories de la population, les enfants par exemple, le droit ne peut s'exprimer par des bricolages à un niveau subalterne. Certes, ces problèmes ne sont pas nouveaux, mais la diffusion spatiale de la télévision ou l'accès au réseau Internet les posent avec une intensité extrême qui exige que les démocraties élaborent et mettent en œuvre leur doctrine.

En dehors de cette exigence nouvelle et proprement politique que les télécommunications spatiales imposent aux Etats, elles créent un besoin aigu de régulation technique au niveau mondial. Elle utilisent en effet deux ressources uniques, le spectre électromagnétique et l'orbite géostationnaire, dont il s'agit d'optimiser l'usage. La première de ces contraintes n'est pas spécifiquement spatiale et il était naturel que la seconde soit prise en compte par la même instance internationale qui a fait ses preuves sur la répartition des fréquences radioélectriques entre les usagers. En fait, le problème que pose l'usage de l'orbite géostationnaire n'est pas absolument nouveau. Le partage international des fréquences tenait naturellement compte de l'implantation géographique des émetteurs. Mais, à l'origine, ces émetteurs étaient, à l'exception des bâtiments en haute mer, implantés sur des territoires nationaux. Le développement de l'aviation civile, puis l'apparition des satellites ont introduit progressivement une dimension internationale.

L'Union internationale des télécommunications (UIT) assure le rôle central de coordination des utilisateurs au niveau international. Elle est née en 1865, bien longtemps avant l'ère spatiale et avant même l'apparition des techniques radioélectriques. L'évolution technique lui a donné un rôle croissant de sorte qu'elle est devenue, en 1947, une agence de l'ONU reconnue par la presque totalité des Etats. Naturellement, les jeux de pouvoir ne sont pas absents du fonctionnement d'une telle instance dont les prises de position interagissent avec le développement du marché. La tâche qu'elle accomplit aujourd'hui est d'abord une tâche technique complexe d'optimisation de l'usage de ressources naturelles limitées. Dans ce domaine, la nature impose ses lois. Mais, si l'on ne saurait transgresser les lois naturelles, en revanche, elles ne dictent pas une solution unique, et le choix de telle ou telle approche dans l'assignation des fréquences et des emplacements comporte une forte composante politique. En outre, chaque Etat conserve la souveraineté sur ses télécommunications nationales. Il existe donc un large espace de négociation dans lequel s'impliquent d'autres acteurs dont le domaine de compétence est plus vaste que celui de l'UIT. C'est ainsi que l'Organisation mondiale du commerce (OMC) tend à considérer les télécommunications comme une activité de service parmi d'autres et à l'englober dans l'accord cadre qui régirait les activités de service au niveau mondial. La préservation des intérêts nationaux, ou des intérêts de l'Europe, exige donc une attention constante de la part des Etats ; en quelque sorte, l'évolution technique qui tend à atrophier leur rôle d'opérateur accentue au contraire leurs responsabilités de régulateurs d'un marché porteur d'enjeux tout à la fois économiques, culturels et politiques.

Le développement des systèmes LEO donne un regain d'acuité à ces problèmes. Les GEO ont certes affaibli, mais de façon encore limitée, l'emprise des structures nationales sur les systèmes de télécommunications. Les fonctions de type Intelsat, d'interconnexion entre des réseaux nationaux, demeuraient aisément sous contrôle institutionnel parce qu'elles ne concernaient pas directement les usagers finaux. Le service direct aux usagers finaux des GEO concerne pour l'essentiel la diffusion télévisuelle ; il n'a pas pénétré le domaine de la téléphonie. Il en va tout autrement des systèmes LEO, qui visent en priorité cette cible avec l'objectif de fournir un service mondial. La relation avec les fournisseurs de services locaux prend alors une double signification, économique et politique, qui fait l'objet de choix très contrastés. C'est ainsi que le projet Skybridge d'Alcatel prévoit de s'appuyer sur un ensemble de 150 à 200 stations d'accès qui le connecteraient à des réseaux locaux sous contrôle national et qui seraient financées par les opérateurs locaux[22]. En revanche, Iridium peut contourner entièrement les opérateurs et les réseaux locaux en s'appuyant sur des liaisons intersatellites et sur un réseau de dix à quinze stations terriennes ; aussi prometil, pour désarmer les oppositions, d'interdire l'accès à partir des pays qui n'autoriseraient pas l'usage de son service.

Il semble certain que le développement des systèmes LEO sera contrôlé, au moins dans sa phase initiale, par sa relation avec le marché des téléphones portables ; il est non moins certain que la généralisation de ces systèmes posera en des termes nouveaux le problème du contrôle par les Etats des communications transfrontières, et singulièrement de leur utilisation à des fins illégitimes ou jugées telles.

Il est encore trop tôt, répétons-le, pour discerner si l'utilisation des orbites basses pourra se diversifier à partir de son point d'ancrage initial et comment s'organisera son interface avec les systèmes GEO et les systèmes terriens. Mais il est d'ores et déjà clair que l'émergence de ces

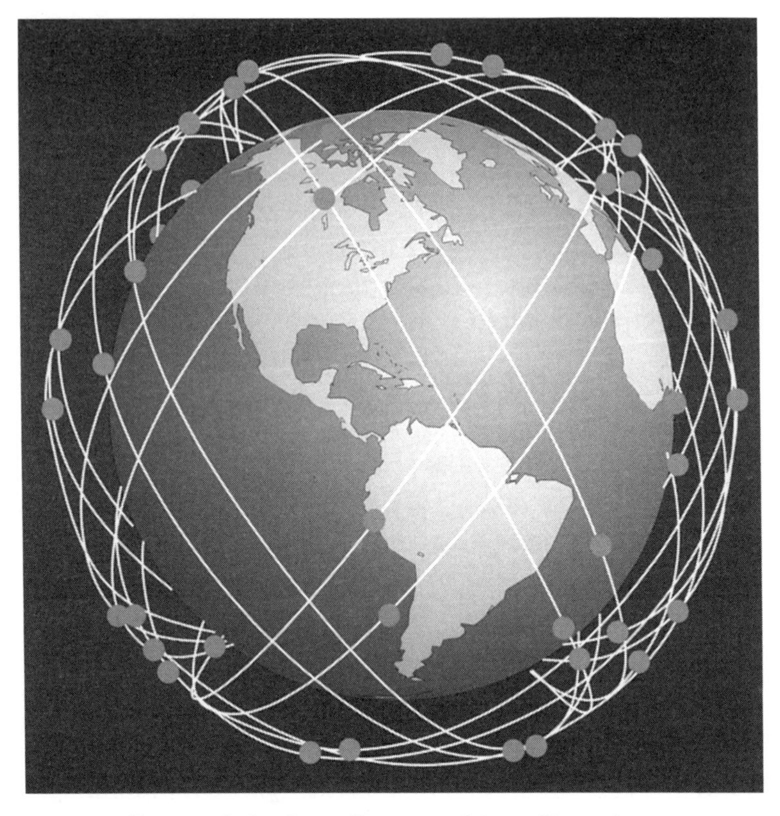

La constellation Skybridge : elle compte 64 satellites placées sur seize plans d'orbite inclinés à 55° sur l'équateur ; les orbites sont circulaires d'altitude 1 457 km. (Document Alcatel Espace.)

nouveaux systèmes marquera une nouvelle étape dans le déclin du contrôle des pouvoirs politiques locaux sur les systèmes de télécommunication. Encore faut-il distinguer. Ce qui est vrai pour les pays de dimension moyenne comme la France, et *a fortiori* pour les pays en développement, ne l'est pas nécessairement pour les Etats-Unis. La FCC *(Federal Communication Commission)*, qui est l'organisme régulateur américain, contrôle un marché national d'une ampleur telle qu'en autoriser ou en refuser l'accès détermine la viabilité d'un projet à l'échelle mondiale, ce qui lui confère, en fait sinon en droit, un pouvoir supranational. Même si ce pouvoir est utilisé avec discernement, il est certain qu'il l'est et le sera pour peser sur la politique mondiale. Cela pose inéluctablement le problème du rôle de l'Europe, seul ensemble de dimension suffisante pour équilibrer le rôle dominant des Etats-Unis.

Les nouveaux acteurs

Les premières étapes du développement des télécommunications spatiales se sont construites autour de deux catégories d'acteurs : les Etats et leurs prolongements institutionnels, agences spatiales et opérateurs publics, d'une part, l'industrie spatiale d'autre part. L'intervention de financements privés a profondément transformé ce schéma, transformation qui s'est accentuée avec l'apparition des systèmes LEO. A l'effacement de la puissance publique répond un rôle croissant des opérateurs privés et des financiers. Ce sont eux qui désormais détiennent l'initiative et l'exercent en fonction de leur appréciation du marché. On est passé d'une situation de *« technology push »* dans laquelle l'industrie spatiale jouait un rôle moteur, à une situation de *« market pull »*, dans laquelle la constitution d'un tour de table financier est la démarche centrale. Il en résulte un transfert de leadership au détriment de l'industrie spatiale et au profit des opérateurs. En témoigne, en Europe, l'initiative croissante d'une firme comme Alcatel dont les télécommunications sont le métier de base, et qui tend à cantonner les maîtres d'œuvre spatiaux traditionnels : Aérospatiale, Matra Marconi, dans un rôle de fournisseur. Cette transformation des rapports de forces a nécessairement des effets sur la politique spatiale des Etats – et, par voie de conséquence, sur le rôle des agences spatiales –; elle tend à en restreindre le champ d'action. Il n'y a là, au fond, rien que de très naturel ; un large secteur de la technique spatiale atteint la maturité et se structure dans une relation normale avec le marché. Il en résulte pour certains acteurs, et singulièrement pour les agences spatiales, une perte de pouvoir qui peut être source de frustration, mais qui est inéluctable et irréversible.

L'extension du domaine des activités commerciales

Il reste à examiner si le phénomène qui s'est manifesté dans les télécommunications est susceptible de s'étendre à un domaine plus large.

Deux cas fort différents sont à considérer ; celui des services de lancement et celui des services fournis par les satellites.

Le lanceur demeure la base de l'autonomie stratégique et cela fait que de nombreux pays veulent en disposer sans considération de rentabilité commerciale. Mais la disponibilité d'un lanceur et d'un champ de tir est une entreprise coûteuse et, pour en alléger la charge, on cherche à en commercialiser l'usage. Il en résulte globalement un marché où l'offre n'est plus régulée par la demande et où il y a – sauf situation accidentelle comme celle qu'a provoquée la destruction de Challenger – surabondance de l'offre. En outre, un lanceur, pour être fiable, doit être utilisé et, utilisé ou non, il induit des frais fixes. Tout cela incite à réserver aux lanceurs nationaux les lancements gouvernementaux civils et militaires. C'est ce que font officiellement les Etats-Unis et c'est ce dont débat l'Europe sous le vocable de « préférence européenne » qui recouvre un élément capital de la politique spatiale. A cela s'ajoute la pratique universellement adoptée qui consiste à ne pas inclure dans le prix du lancement l'amortissement des coûts de développement. La NASA, lorsqu'elle commercialisait les vols de la Navette, avant l'accident de Challenger, est même allée plus loin en ne comptabilisant pas l'érosion du potentiel des orbiters à chaque vol dans le coût marginal du vol. On est donc très loin des conditions normales d'un marché autorégulé. Les pratiques spécifiques de quotas négociés entre les pays détenteurs d'une véritable capacité commerciale, qui tentent de se substituer au jeu normal de la concurrence, traduisent davantage un rapport de force entre Etats qu'un équilibre concurrentiel.

Pour l'essentiel, les lanceurs existants ont été développés sur des fonds publics. Les exceptions dans le passé ont été minimes. Quelques fonds privés ont permis, par exemple, le passage de la version 2914 à la version 3914 du Delta. Mais la situation s'est transformée aux Etats-Unis. De petits lanceurs, Pegasus, dont nous avons déjà parlé, et Conestoga, ont été développés sur fonds privés avec un succès mitigé ; ils sont coûteux et peu fiables. Mais surtout, les deux colosses de l'industrie spatiale américaine, Lockheed Martin et Boeing Mac Donnell, se dotent l'un et l'autre d'une capacité de lancement, réalisant ainsi une concentration verticale de tous les éléments d'une capacité spatiale. Cette démarche, outre le fait qu'elle se fonde sur une responsabilité centrale du secteur privé, présente trois caractères marqués :

– elle fait exclusivement appel à des lanceurs consommables ;

– l'interlocuteur, qui est aussi l'usager gouvernemental principal, n'est plus la NASA, mais le département de la Défense (DoD) ;

– elle exploite systématiquement une relation entre l'industrie spatiale russe, héritée de l'Union soviétique, et l'industrie américaine. C'est ainsi que les vols commerciaux du Proton russe sont commercialisés par Lockheed Martin.

A cela s'ajoute que l'usage d'anciens missiles soviétiques pour la mise en orbite de certaines constellations LEO, Teledesic notamment, est une éventualité crédible.

Dans ce tableau un peu confus, il est important de distinguer un aspect essentiel : il est peu probable que ces évolutions conduisent rapidement à faire de l'industrie des lanceurs consommables un secteur soumis aux seules lois du marché. La faible dimension relative de ce marché, l'importance de l'enjeu d'autonomie et le coût des développements nouveaux se conjuguent pour maintenir une forte emprise de l'Etat. En témoigne le lien privilégié établi entre ce segment de l'industrie américaine et le DoD. Le recours au budget de la défense, qui finance la part la plus importante des vols gouvernementaux, est, on le sait, le mécanisme que privilégient les Etats-Unis pour injecter de l'argent public dans les industries de pointe lorsqu'elles sont affrontées à la concurrence internationale.

S'agissant des activités spatiales proprement dites, les images à haute définition de la surface des continents ont suscité l'émergence d'un marché modeste sur lequel la France, avec des partenaires européens, s'est acquis une position dominante.

Les ventes d'images des satellites SPOT par SPOT Image atteignaient, en 1995, 210 millions de francs, soit environ 60 % du marché mondial. Ce chiffre est faible par rapport au marché des télécommunications. Il est faible aussi en regard du coût des satellites. Sur la période 1986-1995, SPOT Image a induit un chiffre d'affaires de 1,5 milliard de francs, dont 1 milliard sur les cinq dernières années. Dans le même temps, le CNES a investi plus 8 milliards dans les satellites. Il y a donc peu d'apparence que l'on puisse atteindre la rentabilité pour l'ensemble du système. L'activité commerciale n'existe que moyennant un apport d'argent public en amont pour couvrir non seulement, comme dans le cas des lanceurs, le développement des engins spatiaux, mais aussi leur renouvellement.

Page 149 : *marché des lancements de satellites commerciaux. (Document Euroconsult, 1997.)*

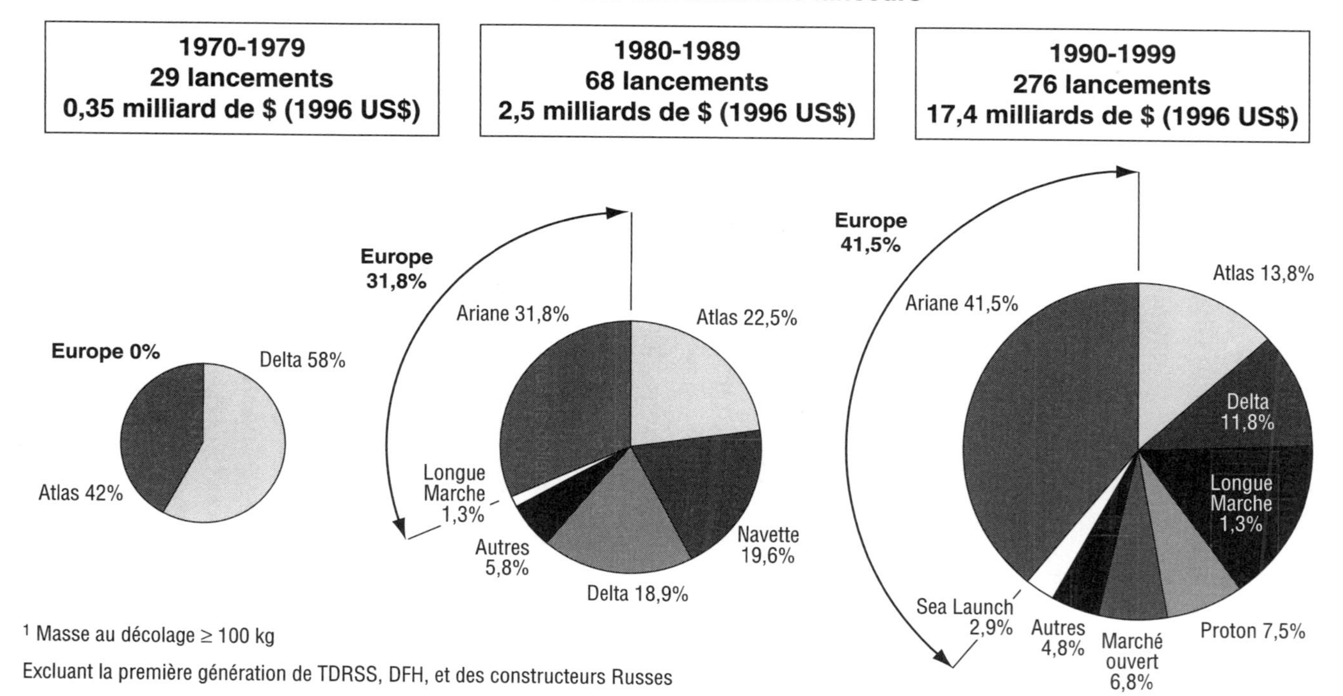
Marché du lancement de satellites commerciaux¹, de 1970 à 1999
- Part de marché des différents lanceurs -
1970-1979
29 lancements
0,35 milliard de $ (1996 US$)
1980-1989
68 lancements
2,5 milliards de $ (1996 US$)
1990-1999
276 lancements
17,4 milliards de $ (1996 US$)
Europe 0%
Delta 58%
Atlas 42%
Europe 31,8%
Ariane 31,8%
Atlas 22,5%
Navette 19,6%
Delta 18,9%
Autres 5,8%
Longue Marche 1,3%
Europe 41,5%
Ariane 41,5%
Atlas 13,8%
Delta 11,8%
Longue Marche 1,3%
Proton 7,5%
Marché ouvert 6,8%
Autres 4,8%
Sea Launch 2,9%
¹ Masse au décolage ≥ 100 kg
Excluant la première génération de TDRSS, DFH, et des constructeurs Russes

La situation actuelle pose ainsi un double problème :

– est-on, dans ce domaine, en présence d'un service public ou, en d'autres termes, est-il justifié de le financer avec un apport permanent d'argent public parce qu'on en obtient des retours socio-économiques significatifs auxquels un mécanisme purement commercial ne donnerait pas accès ?

– la situation que l'on observe aujourd'hui est-elle susceptible d'évoluer vers l'émergence d'un véritable marché ?

La première question correspond à une interrogation légitime. De nombreux secteurs d'activité sont financés partiellement par des fonds publics, par exemple, dans un domaine contigu, la météorologie en général, et les satellites météorologiques en particulier. Mais l'on sait identifier le bénéfice socio-économique qu'en obtient la communauté ; on sait même l'évaluer avec assez de précision pour être sûr qu'il excède de beaucoup les sommes investies, et on sait aussi analyser les raisons pour lesquelles il ne peut être fondé en totalité sur des flux commerciaux. La météorologie est une activité assez ancienne pour qu'une doctrine ait pu parvenir à maturité. Les réflexions concernant la télédétection spatiale sont nettement moins avancées. Il est tout à fait clair que la construction actuelle – programme SPOT et société SPOT Image – résulte d'une démarche « poussée par la technologie » à l'origine de laquelle se trouve le Centre national d'études spatiales dans ce qui est, le plus normalement du monde, son rôle. Cependant, une telle démarche se fragilise si elle n'est pas, à un certain stade, relayée par une demande, que ce soit celle du marché ou celle du secteur public. Les bénéfices économiques non commerciaux issus du programme SPOT sont divers. L'interprétation des images par des sociétés de services sert par exemple au

Page 151 : *évolution du marché mondial des applications de la télédétection. (Document Euroconsult, 1997.)*

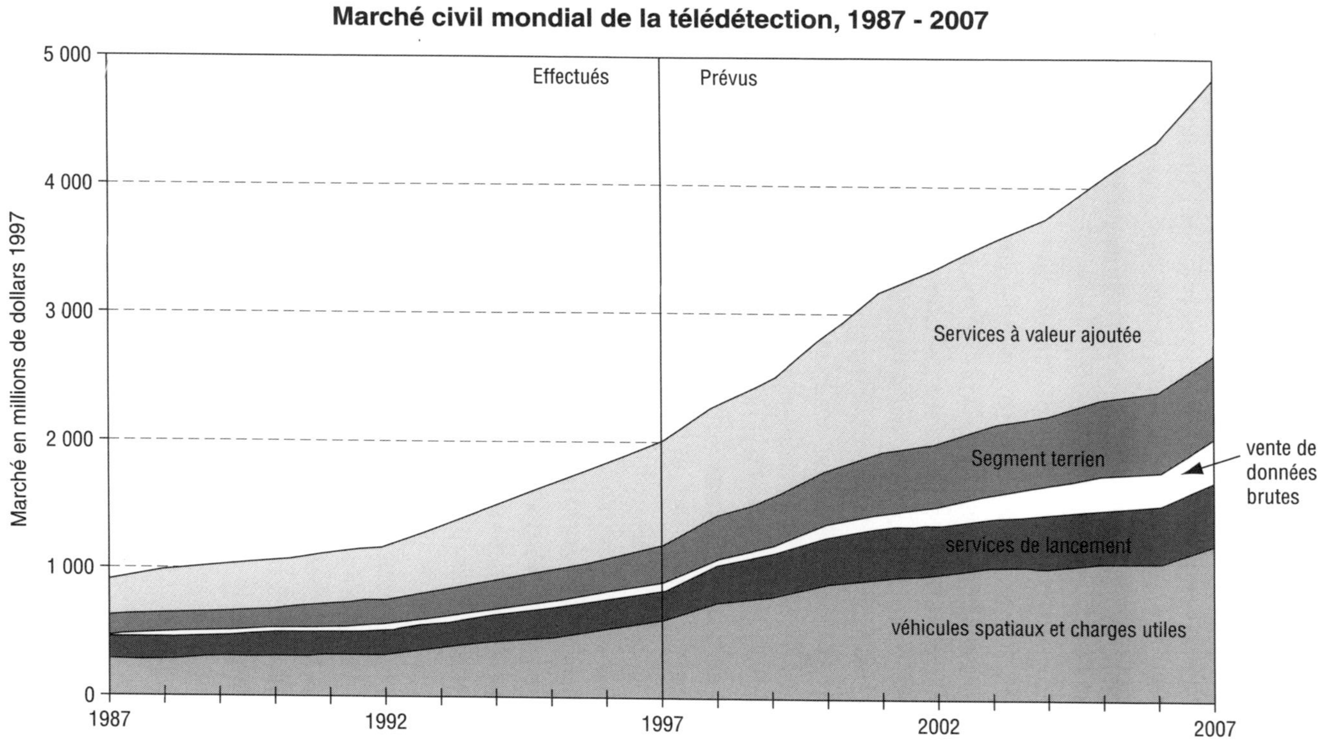
Marché civil mondial de la télédétection, 1987 - 2007
Marché en millions de dollars 1997
5 000
4 000
3 000
2 000
1 000
0
1987
1992
1997
2002
2007
Effectués
Prévus
Services à valeur ajoutée
Segment terrien
vente de données brutes
services de lancement
véhicules spatiaux et charges utiles

contrôle des dispositions de la politique agricole commune. Cependant, la plus grande partie du marché (68 % pour la période 1986-1995) se situe hors de l'Europe et ne peut correspondre de ce fait à un service public dont bénéficierait le contribuable européen. Mais cette activité extra-européenne peut aider à la pénétration de marchés extérieurs par la technologie européenne. Par ailleurs, il est remarquable que l'un des plus gros clients du programme SPOT soit le Pentagone qui, pendant la guerre du Golfe, a acquis des images SPOT pour un montant de 4,7 millions de dollars et s'est doté d'une station de réception transportable *« Eagle vision »* conçue pour donner accès à des images SPOT sur un champ de bataille. Cela tient naturellement à ce que les Etats-Unis ne disposaient pas de satellites civils permettant d'établir aussi efficacement la carte à grande échelle d'une zone d'action militaire. Mais cela met aussi l'accent sur un aspect fondamental du programme, son caractère « dual », dont l'étroite parenté entre les satellites militaires Hélios et les satellites SPOT est un autre aspect.

Cela nous conduit à la seconde question : Va-t-on vers l'émergence d'un véritable marché ? Pour que cela puisse se produire, il faut à la fois réduire le poids financier des satellites et élargir le marché. Les projets de satellites nés de l'initiative privée, aux Etats-Unis, ont en commun d'être beaucoup plus légers que les SPOT et d'atteindre des résolutions beaucoup plus élevées.

Le *Land Remote Sensing Policy Act* de 1992 a autorisé les compagnies privées à entrer sur le marché de la télédétection, et la décision présidentielle de 1994, a permis la

Page 153 : *croissance du marché des équipements et des services GPS pour la période 1993-2000. On notera la faiblesse du marché militaire et la part prépondérante des applications terrestres. Cette prépondérance pourrait être encore accentuée par l'explosion du marché de l'automobile. (Document Euroconsult, 1996, source* US GPS Industry Council, *1995.)*

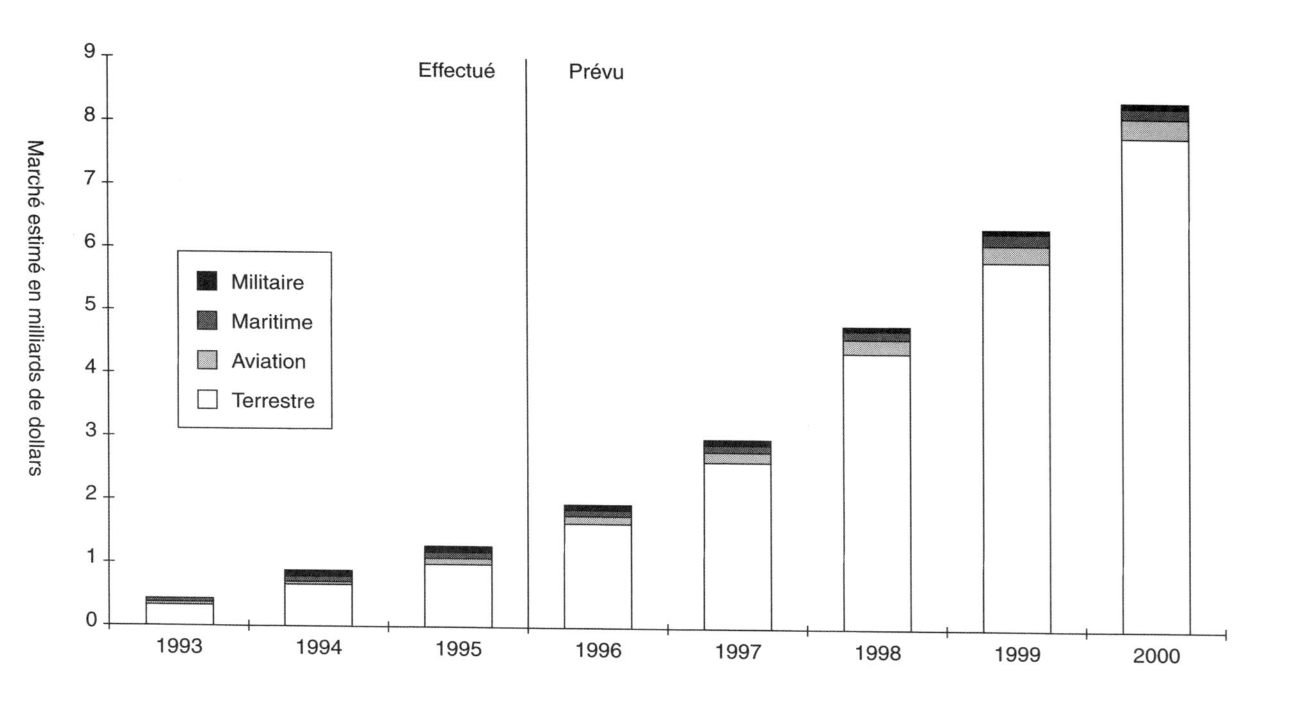
Marché mondial des équipements et des services GPS 1993-2000
Marché estimé en milliards de dollars
Effectué
Prévu
Militaire
Maritime
Aviation
Terrestre
0
1
2
3
4
5
6
7
8
9
1993
1994
1995
1996
1997
1998
1999
2000

vente des technologies de télédétection. Le sens de la démarche est double. D'une part, on vise un nouveau segment du marché de la télédétection, d'autre part, on supprime la cloison entre l'observation militaire et l'observation civile. La fin de la guerre froide n'est évidemment pas sans rapport avec cette évolution qui ouvre deux marchés, celui de la fourniture des services pour lesquels la résolution métrique est nécessaire et qui correspondent, pour l'essentiel, à tous les problèmes de gestion des zones urbanisées, celui de la fourniture de systèmes d'observation, clés en main, à des pays qui souhaitent en disposer à des fins stratégiques. En outre, il s'établit, entre le département de la Défense et ces entreprises privées, l'équivalent américain d'une démarche d'économie mixte sur laquelle nous reviendrons.

Cette situation rapidement évolutive appelle une réflexion spécifique de l'Europe. La position avantageuse que la France lui a donnée résulte d'une analyse stratégique correcte faite il y a vingt ans. Le contexte a changé et il faut donc éviter que des choix politiques brillants mais anciens ne se transforment en ornières.

Quant à la navigation par satellite, l'enjeu de dépendance stratégique y excède de beaucoup, comme nous l'avons souligné, l'enjeu commercial. Mais ce dernier n'est pas négligeable ; il atteint 3 milliards de dollars en 1997, avec une croissance estimée qui devrait l'amener à plus de 8 milliards de dollars en l'an 2000 et sans que les limites de cette croissance puissent être prévues. Il concerne exclusivement les matériels de réception terriens et occupe un créneau spécifique distinct de celui qui correspond aux enjeux de dépendance. Ce sont les applications à l'automobile, avec en perspective un très grand nombre de récepteurs à faible coût unitaire, qui constituent la partie essentielle de ce marché. On observe là, et de façon plus marquée encore que dans le secteur des télécommunications, l'effet de cascade qu'engendre l'investissement dans le segment spatial avec cette particularité que le marché de la navigation est complètement décalé, non seulement par rapport aux objectifs qui ont été à l'origine de la création du segment spatial, mais même par rapport aux enjeux politiques essentiels que l'on peut identifier aujourd'hui.

Chapitre VII

L'HOMME DANS L'ESPACE

> Les faits ne pénètrent pas dans le monde où vivent nos croyances, ils n'ont pas fait naître celles-ci, ils ne les détruisent pas ; ils peuvent leur infliger les plus constants démentis sans les affaiblir...
>
> Marcel PROUST,
> *Du côté de chez Swann*

La question des vols habités – l'homme dans l'espace – exige qu'on la considère à part. Le poids de l'irrationnel y est tel que l'ignorer reviendrait à négliger un aspect fondamental du problème. Mais aussi, toute tentative de rationalisation demande que l'on prenne en compte des horizons lointains, hors de portée des forces du marché et des motivations politiques. On se trouve en somme – et sans qu'on puisse savoir si l'issue finale sera de même nature, si l'on parviendra un jour à amarrer ce secteur à des objectifs concrets – dans la situation où se trouvait globalement la technique spatiale à ses origines, porteuse d'enjeux majeurs, mais mal identifiés. Avec cette différence, cependant, que certains des enjeux originels étaient faciles à cerner, et qu'il n'en va pas de même pour ceux qui s'attachent à la présence de l'homme dans l'espace.

Inlassablement répétée par les avocats des vols habités, la phrase de Tsiolkovski : « La Terre est le berceau de l'humanité mais on ne passe pas sa vie dans un berceau » est sans doute de celles qui expriment le mieux cette pulsion vers l'espace, perçu comme un nouveau territoire, qui est présente depuis les origines. Comme elle n'a jamais cessé de s'inscrire en contrepoint de la relation qui s'est établie entre la technique spatiale et la société, il vaut la peine d'examiner ses origines et ses fondements.

L'extrapolation à l'espace d'une tendance de l'espèce humaine à explorer, occuper, coloniser tous les territoires ouverts à son expansion offre la rationalisation la plus immédiate de cette pulsion. C'est clairement ce qu'exprimait l'astronaute Neil Armstrong interrogé sur les objectifs d'Apollo : « L'objectif de ce vol est très précisément d'amener un homme sur la Lune, d'atterrir et de revenir. L'objectif primaire est de démontrer que l'homme, en fait, peut accomplir ce genre de tâches », ou encore George Mueller[23], administrateur associé pour les vols habités de la NASA : « L'avenir de l'Humanité est d'abord de peupler le système solaire et, partant de là, de développer une technologie pour visiter les étoiles et peupler l'Univers. » C'est non moins clairement ce que condamnait James Van Allen lorsqu'il écrivait : « Le simple goût de l'aventure [...] a été élevé, dans certains cercles, à la croyance quasi religieuse que l'espace est un habitat naturel pour l'homme. »

S'ajoute à cela, depuis que la technologie a réduit les dimensions de la Terre, le sentiment croissant d'un enfermement que l'on aspire à rompre. Enfin, élément circonstanciel mais non négligeable, les vols habités ont rapproché la technique spatiale de l'aéronautique ; en recrutant les premiers astronautes parmi les pilotes d'essai – et c'était sans nul doute ce qu'il fallait faire –, on a introduit dans le cercle spatial une catégorie d'acteurs influents, qui, spontanément, conçoivent le développement de la technique spatiale comme le prolongement naturel de l'aéronautique et qui veulent ajouter un nouveau et glorieux chapitre à la saga de l'équipage.

La Terre a connu deux grands épisodes d'exploration et de colonisation par l'homme. Le premier, qui a vu l'espèce humaine se répandre sur les continents à partir de son berceau d'Afrique orientale, intéresse les paléontologues. Le second appartient à l'histoire et la technologie y a joué un rôle capital, tout comme elle le ferait dans une colonisation des territoires extraterrestres. Cependant, il existe une différence fondamentale. Les territoires rendus accessibles aux puissances occidentales par la maîtrise de la navigation océanique appartiennent à la biosphère, et, davantage, ils étaient déjà, dans leur immense majorité, occupés depuis des âges lointains. Très peu d'espaces nouveaux, quelques îles isolées, ont été conquis par l'homme au cours de cette phase de son histoire qui commence à la fin du XVe siècle, sauf naturellement à confondre colonisation humaine et colonisation par les puissances occidentales et à nier aux premiers occupants la capacité d'exprimer une présence humaine.

Pour examiner dans quelle mesure le progrès de la technologie a ouvert de nouveaux territoires au cours des cinq derniers siècles, il y a lieu de définir avec plus de précision la notion de colonisation. Je dis qu'il y a colonisation lorsqu'un groupe humain s'installe sur un territoire pour y accomplir toutes les activités fondamentales d'une société, reproduction, éducation, etc., et lorsque les individus composant ce groupe peuvent envisager de séjourner sur ce territoire de leur naissance à leur mort ; lorsqu'on y construit des maternités, des écoles et des cimetières.

Cette définition établit une distinction fondamentale entre la colonisation et la présence occasionnelle ou permanente de l'homme. Les établissements des Vikings sur la côte est du Groenland étaient de véritables colonies qui ont été éradiquées par un refroidissement du climat. En revanche, il n'existe pas aujourd'hui de colonies sur le continent antarctique ; il existe des stations permanentes où les individus font des séjours limités. Il n'existe pas non plus de colonies à la surface des océans, ou dans leurs profondeurs ou dans les airs. Si l'on applique cette distinction essentielle entre colonie humaine et simple présence, on observe que le développement technique n'a pas induit un élargissement considérable des territoires colonisés par l'homme ; il a permis une occupation plus dense et plus confortable, plus productive au sens économique du terme, de territoires qui étaient déjà colonisés, au nord et au sud de la zone tempérée, mais il n'a pas produit d'élargissement majeur de l'espace dans lequel sont implantées des sociétés humaines. Il a en revanche élargi considérablement les zones ouvertes à la simple présence de l'homme. Là aussi, il faut distinguer entre les zones qui font l'objet d'une occupation permanente, encore que de caractère non colonial, et les zones où l'homme ne fait que passer. La première catégorie concerne une population très limitée, occupée à des tâches de recherche ou à des tâches de service. La seconde est beaucoup plus considérable, mais elle est composée d'individus dont l'objectif n'est pas de séjourner, mais d'aller d'un territoire colonisé et hospitalier à un autre. Il y a en moyenne, dans le monde à chaque instant, plus de 100 000 individus en vol, mais leur présence dans le milieu aérien n'est pas une fin, c'est un moyen d'aller d'un point à un autre.

Enfin, si l'on examine la nature des nouveaux territoires dans lesquels la technologie a permis la présence occasionnelle de l'homme, on observe qu'ils se situent toujours dans la biosphère – c'est le cas de la surface des océans – ou aux confins de la biosphère. Il est souvent nécessaire, pour permettre à l'homme d'y séjourner et d'y travailler, de modifier localement certaines caractéristiques physiques de l'environnement ; il faut chauffer les stations antarctiques, pressuriser et chauffer les avions de ligne, mais l'environnement dans lequel les hommes sont plongés, pour être hostile, n'est pas intrinsèquement différent de celui qui est adapté à la vie humaine. On peut y puiser pour le modifier et, d'ailleurs, c'est aussi ce qu'on fait pour améliorer le confort du séjour dans les territoires colonisés. Il y a là une différence fondamentale avec le milieu spatial à partir duquel on ne saurait reconstituer aisément un élément de biosphère propre à permettre la vie humaine. Il faut donc y transporter avec soi sa bulle de biosphère et se donner les moyens de la maintenir en état. C'est bien ce qu'on fait dans les stations spatiales, dans les capsules habitées qui les desservent et dans les scaphandres spatiaux, lourde servitude qui n'a guère de précédent sur la Terre, sauf peut-être dans l'exploration des grandes profondeurs océaniques que nul ne songe à coloniser. Il y a donc rupture avec la simple extrapolation de ce que la technologie a permis d'affronter jusque-là. Certes, on peut imaginer que sur la surface de planètes comme Mars, on pourra emprunter au matériau planétaire de quoi reconstituer un élément de biosphère, mais c'est là une perspective nettement plus lointaine et une démarche qui n'a pas non plus de précédent.

Cependant, sur cette base, des conceptions utopiques se sont édifiées dont la plus remarquable est sans doute celle de Gerard O'Neill exposée dans son livre *The High Frontier*[24]. Elle est remarquable parce que Gerard O'Neill, un scientifique de haute volée, professeur à l'université de Princeton et inventeur des anneaux de stockage, accessoire essentiel des grands accélérateurs, a su donner un contenu technique, solide et détaillé à son concept d'« îles de l'espace ». La justification de sa démarche réside dans l'idée qu'il faut trouver un vase d'expansion à la démographie humaine et créer pour cela des habitats spatiaux qui offriront une issue aux pénuries d'énergie, d'espace et de nourriture qui menacent l'avenir de l'humanité. Diverses considérations lui font écarter la surface des planètes et proposer la création de véritables villes spatiales pouvant abriter plusieurs millions d'individus. Mais autant la construction technique de O'Neill est empreinte d'une volonté de rigueur, autant son approche des problèmes sociologiques et économiques relève de la plus absolue naïveté.

En somme, la colonisation de l'espace conçue comme une quête de nouveaux territoires ouverts à l'expansion de l'humanité apparaît comme une entreprise paradoxale, alors que tant de territoires beaucoup plus accessibles à la surface de notre planète demeurent vierges de toute colonie humaine et que, par ailleurs, les hommes manifestent une propension incontrôlable à s'agglutiner dans des métropoles qui occupent une part infime des territoires habitables. Cela ne condamne pour autant ni la présence occasionnelle d'hommes dans l'espace ni même une occupation permanente, mais cette perspective plus limitée pose un problème qu'on ne peut alors éluder : présence dans l'espace *pour quoi faire ?* Car, si la création de colonies peut être considérée comme une fin en soi, fût-elle utopique, il n'en va pas de même de la création d'une station permanente, qui doit nécessairement servir un objectif clair. C'est ainsi que, même si quelques considérations nationalistes s'y sont mêlées, la présence de stations permanentes sur le continent antarctique est justifiée par des tâches de recherche. Il faut donc répondre à la question : Où aller, pour y faire quoi ? Faute que les réponses à ces questions soient de bonnes réponses, les vols habités courent le risque de s'engager dans une impasse.

Un héritage du monde bipolaire

Remarquons d'emblée que les termes dans lesquels le problème se pose aujourd'hui sont pour une part l'héritage des décennies écoulées. L'histoire de l'espace est inséparable du contexte géopolitique dans lequel s'est inscrite son origine, celui du monde bipolaire de la guerre froide. La technique spatiale y a puisé non seulement ses outils techniques initiaux, mais un de ses rôles essentiels, celui d'être un outil de prestige, d'affirmation de la supériorité d'un système politique. L'Union soviétique a été la première à jouer le jeu et à percevoir tous les avantages qu'elle pouvait en tirer en termes de stature et d'influence internationales. La volonté du président Eisenhower de séparer nettement l'espace américain des programmes balistiques et de lui donner un caractère civil a sans doute coûté aux Etats-Unis la gloire d'être les premiers à mettre en orbite un satellite artificiel. Tout indique[25] que le tir d'une fusée Jupiter C, le 20 septembre 1956, aurait atteint la vitesse orbitale si l'étage supérieur, le même qui allait mettre en orbite le premier satellite américain en 1958, n'avait été, d'ordre du pouvoir politique, un étage inerte.

Quoi qu'il en soit, le défi soviétique allait susciter une puissante réaction américaine, qui a culminé avec le projet Apollo. La déclaration du président Kennedy, en 1961, assignait un objectif à la nation américaine : « Mettre un Américain sur la Lune avant la fin de la décennie… » L'audace de ce défi et le déploiement de force gigantesque qu'il a suscité en ont occulté un aspect essentiel, le fait que ce dessein présidentiel ne comportait pas de suite. Cet aspect de la démarche du pouvoir politique devient saisissant lorsqu'on le rapproche du plan d'exploration planétaire dont Wernher von Braun se faisait l'avocat depuis le début des années 1950. L'architecture de son plan s'articulait sur quatre éléments fondamentaux : une navette spatiale, une station orbitale, une base lunaire, une mission habitée vers Mars. La NASA allait d'ailleurs tenter, sans succès, d'y revenir à l'issue du projet Apollo. Ce qui distingue profondément les deux démarches, c'est que l'une s'assigne un objectif à long terme et tend, à travers une succession d'étapes, à créer un engagement irréversible ; l'autre, quelle que soit son ambition, a le caractère d'un coup politique, d'une démonstration, mais c'est elle qui fut mise en œuvre parce que c'est elle qui a convergé avec la motivation politique. Notons au passage que la station spatiale de von Braun n'avait nullement les mêmes objectifs que la Station spatiale internationale ; elle constituait un relais pour assembler dans l'espace des véhicules planétaires, non une fin en soi.

Dans le message de Kennedy, l'objectif de la fin de la décennie est ce qui marque le plus clairement, par son caractère arbitraire et symbolique, la nature fondamentalement politique du programme. La nécessité d'obéir à cette contrainte allait peser lourd sur la conception technique du projet, l'orienter, pour des raisons de délai, vers un rendez-vous en orbite lunaire qui, seul, permettait d'aboutir en temps voulu, plutôt que vers un assemblage en orbite terrestre, et le rendre sinon inapte à constituer la première étape d'une exploration planétaire[26], du moins très éloigné de ce qui était considéré comme une étape logique.

Wernher von Braun se rallia à cette conception du programme lunaire, en 1962, à la condition que soient conduits en parallèle des programmes complémentaires destinés à pallier le faible potentiel de croissance du programme, disposition qui allait demeurer lettre morte.

La fin du programme Apollo est le résultat logique de la rencontre entre un dessein politique à court terme et le développement technique. Il illustre ce processus dangereux dont Freeman Dyson[27] a analysé plusieurs exemples, et dont il dit : «[...] les technologies gouvernées par l'idéologie ont toute chance de conduire à des déboires, même quand l'idéologie en cause n'est pas passée de mode ».

Une fois la démonstration de supériorité accomplie, et les Soviétiques ayant abandonné la course à la Lune, le déclin de la motivation spécifique qui avait porté Apollo céda la place à un souci plus permanent du pouvoir politique, celui de réduire les dépenses, ce que l'on fit en ramenant de vingt à dix-sept le nombre des vols Apollo, c'est-à-dire, compte tenu de l'échec d'Apollo 13, en réduisant de neuf à six le nombre des débarquements lunaires. Il n'est pas indifférent de noter qu'en termes de résultats scientifiques les vols humains annulés auraient sans doute été les plus fructueux en raison de la durée du séjour à la surface de la Lune et de la diversité des sites retenus, du fait aussi qu'on disposait des moyens de se déplacer avec un véhicule électrique et que la maîtrise du système permettait d'inclure un scientifique dans l'équipe. Apollo 17, l'ultime vol lunaire fut le seul qui permit de faire participer un géologue professionnel à la collecte d'échantillons lunaires.

Quoi qu'il en soit, le programme écourté laissa la NASA confrontée à un problème difficile. Comment poursuivre, et que faire avec les surplus laissés pour compte par Apollo ?

Des trois fusées Saturne 5 restantes, l'une fut utilisée pour lancer un laboratoire orbital, le Skylab, et les deux autres, transformées en objets de musée, restèrent sur terre pour témoigner d'une époque.

Le véhicule Apollo servit enfin un autre dessein symbolique, il illustra la réconciliation qui, dans les sagas humaines, succède traditionnellement à l'affrontement. L'amarrage en orbite d'une capsule Apollo à un véhicule Soyouz et la poignée de main entre astronautes et cosmonautes y participèrent. Non sans qu'il ait fallu surmonter auparavant un perfide obstacle : dans l'amarrage des deux vaisseaux, le soviétique et l'américain, lequel porterait la pièce mâle et lequel la pièce femelle ? Posé en ces termes, qu'aurait imposés la réutilisation de matériels existants, qu'ils soient soviétiques ou américains, le problème était insoluble. La technique dut se soumettre à la force du symbole et produire un système d'amarrage symétrique.

Ni Skylab ni Apollo-Soyouz n'étaient porteurs d'un dessein à long terme, et, après eux, rien de palpable ne subsistait plus du projet Apollo. La trace de cette rencontre entre un dessein politique et une ambition technique demeure dans la courbe qui décrit l'évolution du budget de la NASA en fonction du temps sous la forme d'une bosse qui s'amorce en 1962, culmine en 1964-1965 et décline avant même le débarquement lunaire de 1969.

Certes, il subsiste, pendant toute cette période qui va de la fin du programme Apollo à la période actuelle, et qui fut marquée, au début de la phase post-Apollo, par une tentative avortée pour ressusciter le paradigme von Braun d'exploration planétaire, une certaine convergence entre les visions de la NASA et les vues politiques de l'exécutif. La « vision » de la NASA s'exprime avec une pureté cristalline dans une lettre de l'administrateur général James Fletcher que cite Xavier Pasco[28] : « L'homme a travaillé dur pour parvenir – et y est en fait parvenu – à la liberté de mouvement sur la Terre, à la liberté de navigation sur les océans, et à la liberté de voler dans l'atmosphère. Et maintenant, depuis la dernière douzaine d'années, l'homme a appris qu'il pouvait aussi s'arroger cette liberté dans l'espace. [...] L'homme a volé dans l'espace, et l'homme continuera à voler dans l'espace. C'est un fait. Et ce fait étant acquis, les Etats-Unis ne peuvent fuir leur responsabilité – pour eux-mêmes et pour le monde libre – d'avoir leur part dans le vol habité. Ne pas y être, alors que d'autres auront des hommes dans l'espace, est impensable, et constitue une position que les Etats-Unis ne peuvent accepter. » Il faut naturellement juxtaposer à ce plaidoyer les non-dits inévitables dans un sujet qui touche à l'existence même d'un avenir pour l'agence ; on peut en voir les effets dans la transformation de l'attitude de James Fletcher, sceptique à l'endroit des vols habités et singulièrement du programme de la Navette spatiale lorsqu'il était membre du *Presidential Science Advisory Committee,* puis défenseur acharné de ce même programme lorsqu'il fut devenu administrateur général de la NASA. Du côté du pouvoir présidentiel, le souci de ne pas être celui qui aura mis fin aux vols habités américains est présent dans l'attitude de Richard Nixon, confronté à une décision sur le programme de Navette ; une sorte de résignation à un destin qui transcende la décision politique transparaît dans son propos que rapporte James Fletcher[29] : « Les hommes volent dans l'espace et continueront d'y voler, et nous ferions mieux d'en faire partie. » Naturellement, des considérations plus politiciennes ont aussi pesé sur cette décision, comme l'existence de poches de chômage en Californie, engendrées par la décroissance des dépenses spatiales et susceptibles de peser sur l'élection présidentielle de 1972. Mais la convergence entre l'administration spatiale et le pouvoir politique n'était pas telle qu'elle puisse conduire à formuler un objectif national, à assigner aux vols habités la tâche d'affirmer la prééminence américaine. Il fallut donc plaquer sur le programme de Navette une rationalisation économique artificielle, porteuse de lourds mécomptes.

Cette recherche d'une convergence entre une motivation politique et une ambition technique n'a pas cessé de servir de trame au programme des vols habités de la NASA jusqu'à l'heure présente. Sans qu'il soit besoin de suivre cette longue histoire dans tous ses méandres, il suffira de noter que le programme de Station spatiale internationale a été tiré d'un enlisement inéluctable par sa rencontre avec un objectif nouveau de politique étrangère, surgi de l'effondrement de l'Union soviétique.

L'idée de tendre la main à l'autre superpuissance n'est pas neuve. Elle s'exprime déjà dans le projet Apollo-Soyouz (1975) et Richard Nixon, après Kennedy[30], avait exprimé sa volonté de voir une ère de coopération internationale succéder à la course à la Lune. Mais la disparition du système soviétique l'inscrit dans un contexte politique radicalement nouveau. Elle en fait l'instrument tout à la fois matériel et symbolique d'une aide à la Russie qui lui permette de surmonter une mutation difficile et de maintenir sa place dans un domaine qui fut pour elle, depuis l'origine, un sujet légitime d'orgueil national. Ainsi serait favorisé, à l'issue de cette mutation, l'établissement de liens privilégiés entre les Etats-Unis et la Russie nouvelle. Là aussi, comme il est naturel, les motivations plus terre à terre ne sont pas absentes de la démarche américaine.

Dans la conception nixonienne de la coopération spatiale, l'intention de faire de cette coopération un outil de prééminence américaine est partout présente, même s'il est rare qu'elle s'exprime de façon explicite. Citons cependant le mémorandum du sous-secrétaire d'Etat U. Alexis Johnson à Henry Kissinger[31] : « Du point de vue de la sécurité nationale, engager les Européens à devenir des partenaires du programme américain présente des avantages évidents, si l'on compare cette solution à celle qui consisterait pour eux à développer une capacité de lancement spatial séparée et indépendante qui serait gaspillée et sur laquelle nous aurions peu ou pas d'influence. »

On ne saurait, sans faire preuve de naïveté, ignorer cette composante, pas plus qu'on ne saurait s'en offusquer tant elle est inévitable chez une puissance dominante. A moindre échelle et avec moins de capacités, les principales puissances européennes ne sont certainement pas exemptes d'arrière-pensées analogues.

La Station spatiale internationale

Il reste à voir quelles sont les qualités et les faiblesses intrinsèques du projet dans lequel les Etats-Unis se sont engagés et ont engagé, à leur suite, leurs partenaires occidentaux, Europe, Japon et Canada.

Précisons d'abord la dimension financière du projet. La NASA affiche un coût de 17,4 milliards de dollars auxquels il convient d'ajouter 9 milliards de dollars fournis par les partenaires internationaux autres que la Russie. La contribution russe en nature est difficile à estimer. Les vols de la Navette nécessaires pour construire la station coûteront

19,6 milliards de dollars jusqu'en 2002 et 46 milliards pour la phase d'exploitation. Au total, le GAO *(Government Accounting Office)* estime le coût total à 100 milliards de dollars pour une durée d'exploitation de dix ans, dans l'hypothèse où le projet ne connaîtrait ni accident ni aléas. Il s'agit donc d'un investissement considérable, environ quatre années de dépenses de R & D de la France, toutes catégories confondues. Son efficacité en tant qu'outil de recherche est donc un sujet d'importance majeure.

La revue *Scientific American*[32] a publié, en juin 1996, sous le titre « Science in the Sky » une analyse qui n'a pas été reprise dans sa version française « Pour la science ». Dans cet article, dont toute trace de polémique est absente, l'auteur Tim Beardsley passe en revue, secteur par secteur, les perspectives offertes par la Station spatiale internationale. Le résultat de cet inventaire est désespérément médiocre ; nous en reprenons ici les conclusions :

– produits high-tech : aucune grande compagnie n'a manifesté à ce jour d'intérêt pour la production dans l'espace ; aucun produit n'a été identifié qui justifierait le coût additionnel lié au transport par la Navette : de 20 000 à 40 000 dollars par kilogramme ;

– astronomie : aucune recherche envisagée à ce jour, la station est trop instable ;

– science des matériaux et mécanique des fluides : de nombreux phénomènes intéressants se produisent en microgravité, mais les avions en vol parabolique et les véhicules spatiaux automatiques couvrent une grande partie du domaine pour un coût très inférieur ; la NASA et ses partenaires prévoient des expériences ;

– développement des animaux et des plantes : de nombreuses expériences ne peuvent être envisagées que dans une station spatiale parce qu'elles sont de longue durée, mais l'intérêt des résultats est douteux. La NASA et ses partenaires préparent des expériences ; l'intérêt du secteur commercial est limité à la recherche subventionnée ;

– biotechnologie : certains cristaux croissent mieux en microgravité, notamment les cristaux de protéines ; la croissance cellulaire est affectée ; cependant, les techniques terriennes progressent ; la NASA et ses partenaires préparent des expériences, mais l'intérêt du secteur privé se limite à la recherche subventionnée ;

– épitaxie moléculaire : la présence de pollution gazeuse au voisinage de la station interdit cette activité dans un rayon de 75 km ; la NASA a assigné une faible priorité à ce domaine et aucun intérêt commercial ne s'est manifesté ;

– vie et travail de l'homme dans l'espace : des observations sur le comportement à long terme et des découvertes médicales fortuites sont possibles ; la NASA considère ce domaine comme la mission majeure de la station.

Ce dernier secteur, qui s'inscrit dans la ligne des études poursuivies par les Russes à bord de MIR, n'a d'importance que dans la perspective d'une autre mission de longue durée, par exemple vers Mars.

Il semble clairement impossible de construire une argumentation rationnelle sur une base purement scientifique et c'est le sens qu'il faut accorder aux propos de l'administrateur général Daniel Goldin cités par *Scientific American* : « Nous construisons la station pour voir comment les hommes peuvent vivre et travailler efficacement et en sécurité dans l'espace. Nous pourrons faire des recherches impressionnantes, mais ce n'est pas là la justification. »

Cette rationalisation du projet s'inscrit clairement dans ce que l'on peut appeler, selon le sentiment qu'on en a, une vision à long terme ou une fuite en avant. Elle implique que la Station spatiale internationale ne trouvera de justification véritable que dans un projet plus lointain et plus ambitieux : occupation de la Lune ou conquête de Mars, qui reste à définir et surtout à faire approuver. C'est sans nul doute la démarche la moins directement critiquable. On n'en finirait pas d'énumérer les motions de défiance que le projet a suscitées de la part des instances scientifiques les plus diverses[33], aux Etats-Unis, en Europe et ailleurs. Il est clair que la recherche d'un soutien solide de ce côté est promise à l'échec. Tout au plus peut-on attendre un appui venant de secteurs très spécifiques directement intéressés par l'étude des effets de la microgravité sur les organismes supérieurs et sur l'homme, mais le caractère tautologique de leur argumentation en diminue fortement la valeur. Cela ne signifie pas qu'il n'y aura pas d'expérimentation à bord de la station, mais que cette recherche devra faire l'objet d'un financement spécifique que la NASA a d'ores et déjà identifié dans son budget.

Considérer la station spatiale comme une étape indispensable à la préparation de projets à plus long terme – ce qui, après tout, est une démarche plausible – laisse cependant ouvertes au moins deux questions :

– la conception de la station est-elle adaptée à cette mission principale d'acquisition de savoir-faire propres à la vie et au travail dans l'espace ?

– que se passera-t-il pendant la phase d'exploitation ?

Les stations soviétiques ont déjà permis d'accumuler une expérience considérable sur les effets de séjours de longue durée en microgravité. On peut considérer, certes, que ces résultats doivent être confirmés et que les standards de la science occidentale sont plus exigeants que ceux de la science soviétique. Mais, à supposer que ce soit vrai, est-il nécessaire pour y pourvoir de disposer d'un engin de la taille de la station internationale et de capacités en volume, en énergie, en traitement de l'information adaptées à une recherche très diversifiée, qui vont par conséquent, outre leur coût initial, exiger pour leur bon emploi le financement d'une activité scientifique considérable ? Il semble qu'il existe une disparité entre l'objectif principal du projet, tel que le définit la NASA, et sa dimension.

Cela nous amène à la seconde question : Que va-t-on faire pendant la phase d'exploitation prévue pour durer dix ans ? On peut craindre de voir alors se manifester un sentiment de désaffection et de désintérêt analogue à celui qui a conduit à écourter le projet Apollo.

Au nombre des supporters relativement discrets mais puissants de la station spatiale, il faut naturellement compter les grandes compagnies industrielles qui reçoivent, du fait de l'existence de ce projet, d'importantes injections d'argent public. Les créations d'emplois qui en résultent sont un élément important pour la construction d'une majorité au Congrès, comme elles le furent pour le programme de la Navette spatiale. L'industrie ne se fait pas faute d'assurer la publicité du programme en des termes qui, parfois, méconnaissent la déontologie la plus élémentaire. Qu'en sera-t-il de ce soutien lorsque sera achevée la phase de développement et que les principales dépenses seront des dépenses d'exploitation ? Il est vraisemblable qu'il disparaîtra pour se reporter éventuellement sur un nouveau projet. La stratégie bureaucratique à l'endroit du pouvoir politique doit inévitablement tenir compte de cette difficile transition. Elle sera d'autant plus malaisée que l'exploitation de la station spatiale apparaîtra davantage comme un échec et le projet comme une impasse. On sent déjà transparaître une inquiétude dans les colonnes de *Space News* à propos de l'attitude japonaise[34] : « Après avoir dépensé 2,5 milliards de dollars dans sa contribution à la station spatiale, le Japon serait stupide de ne pas en tirer complètement avantage. Néanmoins, les officiels japonais préviennent qu'il n'y aura peut-être pas assez d'argent pour faire pleinement usage du Module expérimental japonais lorsqu'il sera attaché à la station spatiale en 2001 [...]. Le Japon pourrait réduire ses coûts en réduisant l'utilisation de son lanceur H2 pour ravitailler la station. » Il est probable qu'au fur et à mesure que les échéances se rapprocheront les pressions sur les partenaires internationaux « amarrés » au projet s'accroîtront, car il s'agira à tout prix de donner, grâce à leurs contributions, un contenu présentable à la phase d'exploitation.

Cette perspective historique débouche ainsi sur une démarche en porte à faux. Exemple type de ces technologies mues par une motivation idéologique dont Freeman Dyson souligne les dangers, l'homme dans l'espace peine à se relever de la disparition d'une idéologie d'affrontement. L'idéologie de coopération mondiale, voilant une idéologie d'hégémonie mondiale, n'offre qu'un faible substitut à ce qui fut, depuis l'origine des temps, le grand principe mobilisateur des énergies humaines.

Cependant, le caractère aberrant de l'entreprise par laquelle ils se concrétisent aujourd'hui ne constitue pas en soi une condamnation des vols spatiaux habités. Il ne dispense pas d'une réflexion sur ce que pourraient être, au-delà des vacillations idéologiques, des motivations qui auraient les attributs de la permanence, ni d'examiner comment l'évolution technologique pourrait changer les perspectives.

Et cela nous ramène aux questions fondamentales : l'homme dans l'espace pour aller où, et pour y faire quoi ?

Aller où ?

> Chaque îlot signalé par l'homme de vigie
> Est un Eldorado promis par le Destin ;
> L'Imagination qui dresse son orgie
> Ne trouve qu'un récif aux clartés du matin.
>
> Baudelaire,
> *Le Voyage*

Dans toute l'histoire de l'humanité, le progrès des techniques de transport a été utilisé comme un nouveau moyen d'aller d'un endroit à un autre. Dans l'immense majorité des cas, l'objectif d'un voyage océanique n'est pas d'être en haute mer, il est d'atteindre un port. Aux époques où l'exploration de la planète n'était pas achevée, la seule attente des équipages qui franchissaient les bornes du monde connu était le cri de « Terre », annonciateur d'une trêve dans la morne et dangereuse traversée des étendues océaniques.

La conquête de l'air n'a vraiment commencé que le jour où les véhicules aériens ont pu atteindre une destination, plus d'un siècle après le premier envol d'une montgolfière. Le ballon libre, après avoir suscité un intense enthousiasme, était alors tombé au rang d'attraction de foire parce qu'il était incapable de maîtriser son trajet. Cette logique est-elle extrapolable à l'espace ? En d'autres termes, peut-on considérer la présence de l'homme dans les stations spatiales, en orbite terrestre ou ailleurs, comme une fin en soi, ou faut-il considérer l'espace comme une étendue à traverser pour atteindre d'autres mondes. La première conception semble intenable. Il n'y a rien de significatif à faire, à échéance prévisible, dans une station spatiale orbitant en rase-mottes aux confins de l'atmosphère.

Pour toutes les applications spatiales déployées dans l'espace circumterrestre, la présence de l'homme est au mieux un handicap, et généralement une impossibilité. Quant aux colonies humaines conçues par O'Neill, dont le seul objectif serait de fournir un déversoir aux excédents démographiques que la Terre ne pourrait plus absorber, elles relèvent, répétons-le, d'une utopie sociale particulièrement aberrante.

Mais il y a des terres dans l'espace, et la technique spatiale peut permettre de les atteindre. Plus heureux que les navigateurs du XVe siècle, suspendus au cri de la vigie, nous pouvons les voir, nous savons où elles sont et, dans une large mesure, ce qu'elles sont. Les questions qu'elles nous posent sont : peut-on y mettre le pied, pourquoi faudrait-il le faire et quand ?

Pour certaines d'entre elles, la réponse à la première question est clairement affirmative.

Outre la Lune qui a déjà été atteinte, un certain nombre de corps célestes, au premier rang desquels la planète Mars, sont à portée des techniques actuelles. D'autres sont radicalement et définitivement inaccessibles en raison de leur masse et de leur nature physique comme Jupiter. Mais, parmi les satellites des grosses planètes et les astéroïdes, s'offre toute une gamme d'entreprises à des niveaux variés de difficulté selon l'éloignement des corps, leur masse et la présence ou l'absence d'une atmosphère.

La seconde question – pourquoi faudrait-il prendre pied sur ces mondes ? – touche à l'aspect le plus profond du débat sur l'avenir des vols habités. On peut l'aborder de deux façons radicalement distinctes.

On peut d'abord considérer la présence humaine comme un simple outil au service de la connaissance. Elle ne vaut donc que ce que vaut l'outil. Surgit alors le problème de la place respective de l'homme et du robot dans une stratégie optimisée.

On peut aussi la considérer comme une fin en soi. Fouler le sol de la Lune ou de Mars est-il vraiment un enjeu de société, au-delà même de ce que peut représenter cette présence en termes d'enjeux géopolitiques, indépendamment de tout objectif concret ? On ne saurait répondre sans précaution à une telle question parce que, comme l'a montré l'aventure lunaire, la présence de l'homme sur une autre planète a un impact significatif sur l'image que l'humanité se forme d'elle-même.

La question de l'urgence, fondamentale pour la conception des programmes, n'est évidemment pas indépendante des motivations profondes qui pourront prévaloir ni de ce que l'on peut anticiper de l'évolution technique, et cela nous conduit à examiner de plus près deux aspects du problème : la place de l'opérateur en regard de celle du robot et le jeu des motivations que, faute d'un meilleur vocable, on peut qualifier d'irrationnelles.

L'astronaute et le robot

La question de la place respective de l'homme et du robot dans l'exploration des planètes – en fait, de la Lune et de Mars – s'inscrit dans le contexte d'une évolution extrêmement rapide des technologies informationnelles. Croissance continue de la capacité des composants électroniques en termes de vitesse de traitement et de taille des mémoires à coût et à masse donnés, généralisation des méthodes numériques de traitement et de transport de l'information, tout cela est bien connu. L'un des effets de cette évolution est le remplacement de l'homme par le robot dans tous les processus répétitifs. Il ne s'agit pas ici des seuls processus purement informationnels, mais aussi des processus matériels comme l'assemblage d'automobiles ou le fonctionnement d'une unité de production chimique.

Dans les processus purement informationnels, l'opérateur humain est d'ores et déjà éliminé ; dans les processus matériels répétitifs, son élimination fait des progrès rapides, si rapides, d'ailleurs, que la répartition sociale du travail peine à s'y adapter. Il subsiste cependant deux catégories de tâches où le rôle de l'homme demeure prépondérant, les tâches d'installation et les tâches de maintenance. Une raffinerie de pétrole fonctionne sans intervention humaine et ce stade est presque atteint sur les chaînes d'assemblage des automobiles. Mais on ne dispose pas aujourd'hui de robots capables d'assembler, sans intervention humaine, des installations complexes de cette nature. Dans le domaine du logiciel, la capacité d'autoréparation commence à exister ; les logiciels sont aussi capables de diagnostiquer une panne matérielle et de mettre en œuvre une redondance prévue lors de la conception ; en revanche, l'opérateur humain demeure indispensable lorsqu'il s'agit de remédier à une défaillance matérielle, rupture d'une pièce, grippage, etc. Cette situation est-elle susceptible d'évoluer ? Peut-on anticiper l'apparition de robots qui posséderaient, en matière d'assemblage et de maintenance, les mêmes capacités que des opérateurs humains ? Il est évidemment hasardeux de le pronostiquer ; tout au plus, peut-on observer que le développement de robots adaptés à des tâches répétitives est tiré par une forte demande économique parce qu'il intervient directement dans les progrès de la productivité. La demande n'existe pas au même degré pour des tâches non répétitives d'assemblage et de maintenance. Les secteurs économiques qui l'expriment sont relativement restreints ; ce sont les domaines où il faut opérer en milieu extrême : grandes profondeurs pour l'exploitation offshore, ambiance radiative pour la technologie nucléaire. Encore le robot y est-il souvent en concurrence avec la télémanipulation. Il n'y a donc pas d'apparence que l'opérateur humain soit éliminé, à échéance prévisible, des tâches de construction de systèmes complexes et, par conséquent, les bases d'un transfert des technologies terriennes aux technologies spatiales feront défaut. L'opérateur humain, avec ses qualités tant vantées par les prôneurs des vols habités – adaptabilité, flexibilité, capacité d'analyse et de réaction, imagination – conservera sur le robot un avantage déterminant malgré des faiblesses non moins marquées : fatigabilité physique, fragilité psychique, faible disponibilité, exigences environnementales, à quoi s'ajoute la nécessité morale de préserver sa vie. Le sauvetage de la station MIR en octobre 1997 a permis une démonstration de ces capacités spécifiques ; il ne fait aucun doute qu'un engin purement automatique aurait été perdu sans remède ; il est vrai, cependant, que l'accident qui faillit désemparer la station était sans doute le résultat d'une erreur humaine.

Y a-t-il un domaine de l'entreprise spatiale où les spécificités de l'homme puissent se révéler indispensables ? Je ne compte pas à ce nombre les stations spatiales en orbite basse dont l'objectif est d'apprendre à vivre et à travailler dans l'espace ; il faut évidemment sortir de ce cercle vicieux. Le développement d'une activité scientifique sur la Lune ou sur Mars mérite en revanche réflexion. Science de la Lune, science sur la Lune et science à partir de la Lune constituent les trois volets de l'activité scientifique que l'on peut assigner à des activités lunaires : étudier cette planète, exploiter les conditions physiques qui y règnent et en particulier le vide extrême, observer avec des instruments astronomiques déployés sur sa surface... A supposer qu'une telle entreprise voie le jour durablement, elle conduira à faire fonctionner des installations de complexité croissante qui poseront des problèmes de construction et de maintenance. Quelle que soit la place des robots dans cette entreprise, il est possible que l'homme garde une marge de compétitivité. Ce qui est vrai de la Lune l'est aussi *a fortiori* de Mars, compte tenu des délais de transmission de l'information entre Mars et la Terre. Dans le cas de la Lune, éloignée de 380 000 km, l'aller-retour d'un signal s'effectue en 2,5 secondes ; c'est encore compatible avec un télétravail, c'est-à-dire avec une démarche dans laquelle un cerveau humain resté sur la Terre actionne un opérateur asservi sur la Lune et voit ce que fait cet opérateur. Un délai de 2,5 secondes entre l'ordre et la constatation de ses effets occasionne sans doute une gêne, mais c'est une gêne à laquelle on peut espérer s'adapter. Dans le cas de Mars, la distance moyenne à la Terre varie de 56 millions à 400 millions de kilomètres et la durée correspondante de l'aller-retour du signal de six minutes à quarante-quatre minutes, ce qui est clairement incompatible avec une télémanipulation. L'alternative du télétravail où le cerveau demeure humain et où la main est robotique est exclue et le choix s'impose plus nettement entre robot et opérateur humain. Il apparaît donc difficile, et en tout cas prématuré, de vouloir déterminer ce que seront les places respectives de l'astronaute et du robot dans le développement d'installations planétaires. Au-delà du court terme, il est impossible de conclure sans se livrer à des extrapolations hasardeuses de l'évolution technologique très au-delà de l'horizon de prévisibilité, ou sans transposer cette évolution d'un domaine dans lequel elle est rapide, celui des logiciels et des matériels informationnels, à un autre domaine où les voies de l'avenir sont moins nettement tracées, celui de l'autonomisation des activités matérielles.

Mais il est trop clair que cette approche rationnelle n'épuise pas les mécanismes en jeu dans ce domaine. Fondée sur la cohérence entre un objectif scientifique majeur, la connaissance approfondie du système solaire et les moyens techniques propres à le servir, elle laisse de côté les motivations humaines les plus puissantes, qu'elles soient ou non avouables.

Hegel a écrit que rien de grand ne se fait sans passion, à quoi on peut ajouter que rien de grand ne se fait sans courage physique. Le mal est que l'une et l'autre de ces vertus sont dangereusement sujettes à se dévoyer. Notre époque en offre les plus terrifiants exemples, et cela nous invite à mesurer comment, dans l'aventure spatiale, la passion peut se garder de la folie.

Mars direct

> O le pauvre amoureux des pays chimériques !
> Faut-il le mettre aux fers, le jeter à la mer,
> Ce matelot ivrogne, inventeur d'Amériques
> Dont le mirage rend le gouffre plus amer ?
>
> Baudelaire,
> *Le Voyage*

Le 20 juillet 1989, le président George Bush formula ce qui devait être connu sous le nom d'Initiative d'exploration spatiale (SEI, *Space Exploration Initiative*) dans l'esprit de la déclaration de Kennedy, vingt-sept ans plus tôt, et peut-être pour combler le vide laissé par la défunte SDI *(Strategic Defense Initiative)* du président Reagan. Cette nouvelle initiative n'était pas promise à un grand avenir. Le groupe de travail assemblé par la NASA pour mettre en œuvre le dessein présidentiel produisit en quatre-vingt-dix jours un rapport, connu précisément sous le nom de « Rapport des 90 jours », qui décrivait un énorme programme fondé sur une infrastructure orbitale lourde et supposait un délai de trente ans pour la construire ; il ne contenait pas d'estimation financière mais celles auxquelles il donna lieu concluaient à un coût total de 450 milliards de dollars. Par la suite, le Congrès des Etats-Unis s'employa à maintenir à zéro dollar le niveau des financements alloués à l'initiative.

Le projet élaboré par la NASA s'inscrivait directement dans la ligne des conceptions de von Braun : des vaisseaux interplanétaires gigantesques assemblés dans une station orbitale et lancés dans le système solaire. Il était condamné dès l'origine pour au moins trois raisons : l'énormité du coût global, la durée du projet qui le rendait vulnérable, à supposer qu'on ait pu l'engager, aux intermittences de la volonté politique, la faiblesse des résultats de chaque vol vers Mars. Pour un coût unitaire énorme, chacun des vols martiens ne fournissait qu'un séjour d'environ une semaine sur la planète.

Cependant, dans une intervention récente au *National Space Symposium,* Dan Goldin exprimait l'idée que « nous pourrions être sur la surface de Mars avant 2010, neuf ans plus tôt que lorsque nous avons dit que nous allions le faire, en 1989 » et il ajoutait une condition : « Que le prix soit inférieur au coût annuel de la station spatiale. » Que s'est-il passé entre-temps pour justifier cet optimisme ? La réponse est le concept *Mars direct* élaboré par une équipe d'ingénieurs de la société Martin Marietta, dont émerge la personnalité de Robert Zubrin.

Robert Zubrin a exposé sa conception dans un livre, *The Case for Mars*[35], qui est beaucoup plus que la description d'un projet et qui porte en sous-titre : *Le plan pour s'installer sur la planète rouge et pourquoi nous devons le faire.* Il ne s'agit plus, dans l'esprit de son auteur, d'un débarquement symbolique dans le style d'Apollo, de ce qu'il appelle une démonstration « drapeau et empreintes de pas » ; il envisage une présence durable puis permanente suivie d'une colonisation et ultérieurement d'une transformation de l'environnement martien qui rendrait la planète habitable, d'un « terraforming ».

L'analyse de cette démarche mérite qu'on s'y arrête tant en ce qui concerne sa conception technique que ses motivations.

La conception est admirablement résumée par le nom choisi, *Mars direct*. Elle n'utilise ni relais en orbite terrestre ni détour lunaire. Elle est entièrement orientée vers l'idée de permettre, à échéance aussi rapprochée que possible, à coût minimum et sans recourir à des technologies exotiques, le séjour de longue durée d'une équipe sur Mars, la durée étant légitimement considérée comme une condition indispensable pour l'accomplissement de tâches significatives.

La clé du concept est l'envoi, avant le vol des astronautes, d'un véhicule de retour robotique, ARV, qui, une fois posé sur la surface de Mars, élabore à partir de l'atmosphère martienne et d'une réserve d'hydrogène liquide amenée de la Terre les ergols nécessaires au voyage de retour. Il dispose pour cela de l'énergie fournie par un petit réacteur nucléaire ; le gaz carbonique de l'atmosphère martienne est combiné à l'hydrogène par une réaction de Sabatier pour produire du méthane et de l'oxygène. Les quatre astronautes ne s'envolent que lorsque le véhicule de retour est en place ; ils atterrissent à proximité et sont là pour dix-huit mois ; ils disposent, pour conduire des tâches d'exploration ou pour atteindre l'engin de retour, dans l'hypothèse où ils se seraient posés trop loin de lui, d'un véhicule doté d'une autonomie de 1 000 km.

Le voyage commence par un lancement direct du véhicule de retour par un lanceur Arès qui, quoique construit spécifiquement pour la mission martienne, utilise uniquement des technologies existantes. C'est un lanceur consommable, dont l'élément le plus avancé est le moteur principal emprunté à la Navette spatiale. Sa capacité est légèrement inférieure à celle du lanceur Saturn 5. Le voyage se termine par un freinage aérodynamique dans l'atmosphère de Mars. Les astronautes quittent la Terre quatorze mois plus tard, alors que le véhicule de retour est installé sur la surface de Mars, que son bon fonctionnement est vérifié, que la production des ergols de retour a commencé et que les véhicules robotiques ont pu identifier un site sûr pour l'atterrissage des astronautes. La procédure est la même, lancement direct par Arès et atterrissage après freinage aérodynamique. *Mars direct* ne fait usage d'aucune infrastructure en orbite terrestre et n'utilise à aucun moment la Navette spatiale.

Ce projet appelle trois catégories de réflexions concernant sa conception technique, sa faisabilité et les motivations qui le sous-tendent.

Il est clair que sa conception s'écarte radicalement de la démarche de la NASA qui trouve son origine dans le paradigme de von Braun et dont le dernier avatar est le « Rapport des 90 jours ». Il illustre plutôt la conception *« faster, better, cheaper »* de Dan Goldin, issu comme Zubrin de l'industrie, et il n'est pas surprenant qu'il ait été l'objet d'une attention favorable de la part de l'administrateur général de la NASA. Tout, dans ce projet, est conçu en fonction d'un objectif central, fournir aux astronautes les trois éléments indispensables à une exploration efficace : du temps, de la mobilité et une source d'énergie. Le temps de séjour est à l'évidence une ressource fondamentale pour explorer et pour expérimenter ; *Mars direct* fournit une durée de séjour d'un an et demi à la surface de la planète à un équipage doté des moyens de se déplacer et disposant, avec le réacteur nucléaire qui a servi à préparer les ergols du retour, d'une source d'énergie de 80 kW. Tout cela est accompli pour un coût évalué à 50 milliards de dollars, soit environ un dixième de l'estimation initiale de la NASA.

Il est intéressant de rechercher les origines d'une divergence aussi profonde. Robert Zubrin explique : « Ce qui se passait à la surface de Mars était un événement d'importance secondaire. [...] L'équipe du "Rapport des 90 jours" avait entrepris de distribuer dans des rôles cruciaux tous les développements technologiques existants, en projet ou souhaités par la NASA. Afin que chacun ait sa part dans ce jeu, ils conçurent l'architecture la plus complexe qu'ils aient pu imaginer – exactement le contraire de ce qu'il faut faire en ingénierie. »

Une seconde source de distorsion réside dans les relations entre l'agence spatiale et son environnement. Il s'agit d'obtenir des appuis politico-industriels aussi larges que possible et de procéder, pour cela, à une distribution et même à une définition artificielle des tâches. Il faut aussi démontrer que ce que l'on a fait jusque-là est utile pour la suite et ne conduit pas à une impasse. Lorsque toutes ces forces ont joué, on se retrouve avec une conception qui coule à pic sous le double poids de son coût et de la durée nécessaire pour la mettre en œuvre.

L'équipe qui a conçu *Mars direct* n'était pas encombrée de ces contraintes sociales. Le projet qu'elle a conçu est-il pour autant faisable, non au sens technique du mot – sa faisabilité technique semble avérée – mais au sens programmatique ? En d'autres termes, le projet, dans sa forme initiale ou dans une forme modifiée, a-t-il des chances d'être approuvé et mené à bien ? Il possède deux qualités essentielles. D'une part, son coût global, 50 milliards de dollars, est « raisonnable » si on le compare à d'autre projets civils et militaires au premier rang desquels celui de la station spatiale. D'autre part, sa durée de développement est courte : dix ans entre la décision et le premier envol ; à quoi s'ajoute que le coût marginal d'un débarquement supplémentaire est relativement faible : 2 milliards de dollars.

En regard de ces éléments positifs s'inscrivent deux éléments négatifs.

Le premier, qui n'est pas le plus important, est la nécessité de lancer un réacteur nucléaire et de le déposer à la surface de Mars. Il ne fait guère de doute que cet aspect du projet heurtera violemment la sensibilité écologiste et suscitera des réactions hostiles, quelles que soient les précautions prises pour démontrer son innocuité. On peut en juger par les manifestations qu'a suscitées le lancement, avec la sonde Cassini, d'un modeste générateur isotopique.

Mais, surtout, le projet est inévitablement risqué ; il met en danger des vies humaines et son auteur le reconnaît lorsqu'il écrit que la Terre a été explorée par des « hommes de fer dans des navires en bois et non par des hommes de bois dans des navires en fer ». Il n'y a certainement aucune difficulté particulière à trouver des « hommes de fer » parmi nos contemporains ; la race ne s'en est pas perdue. Ceux qui traversent l'Antarctique à pied, qui gravissent les sommets de l'Himalaya ou qui courent en solitaire autour du monde prennent sans nul doute des risques aussi grands que ceux qu'affronteraient les astronautes martiens, et parfois ils perdent. La question n'est pas là. Elle est de savoir si l'opinion publique et le pouvoir politique, dans une démocratie, sont prêts à s'engager dans une aventure qui aura, disons, une chance sur dix de déboucher sur un drame. Tout le développement des vols habités en Occident s'est construit autour d'un credo tacite : on ne perd pas de vies humaines dans l'espace. En témoigne le choc psychologique immense produit par l'accident de Challenger. On a bâti, en somme, une incohérence en exaltant, à juste titre, les astronautes à cause du risque volontairement accepté et en refusant qu'ils perdent leur vie dans l'entreprise. A l'Est, on a construit, plus proche de l'imagerie guerrière, la figure du héros mort pour la patrie soviétique aux commandes de son vaisseau spatial ; mais l'Union soviétique n'était certes pas une démocratie. Or l'exploration et la colonisation de notre Terre avec des vaisseaux en bois ont coûté beaucoup de vies humaines, à commencer par celle de Magellan et de la plupart de ses compagnons. Jusqu'au début de ce siècle, dans la colonne des nouvelles maritimes des journaux, on trouvait les rubriques « non arrivés » ou « perdus, sans nouvelles », seules traces de fortunes de mer que l'invention de la radio et de la vapeur ont rendu progressivement moins mystérieuses et moins fréquentes, et qui furent le prix à payer pour la « colonisation » de la Terre. L'exploration planétaire excède-t-elle les limites de ce qu'on peut prétendre faire avec une démarche qui refuse d'accepter, comme faisant partie du cours normal des choses, le sacrifice de vies humaines ?

Il reste, enfin, à s'interroger sur les motivations d'un tel projet. Naturellement, ce qui soutient la foi de ses concepteurs n'est pas nécessairement ce qui pourra déterminer les Etats-Unis à l'entreprendre. Les raisons du pouvoir politique comporteront certainement des composantes beaucoup plus terre à terre que celles de ses promoteurs. Néanmoins, la rationalisation que propose Zubrin est intéressante parce qu'elle constitue une ligne de pensée qui pourrait susciter un soutien populaire et qui, en tout cas, est conçue pour cela. Elle s'articule autour de deux mythes fondateurs de la société américaine : la frontière et la libre entreprise qui fournissent le pourquoi et le comment.

Le dynamisme de la société américaine est attribué, dans le droit fil de la pensée de Turner[36], à l'existence d'une frontière ouverte à l'Ouest et les prémices de son déclin à la fermeture de cette frontière. *Mars direct* est alors présenté comme la première étape de la reconstitution d'une nouvelle frontière, terme que J. F. Kennedy avait utilisé dès 1961 à l'endroit de l'aventure spatiale. Il s'agit donc d'une entreprise dont l'objectif fondamental est d'ordre sociétal et non pas d'ordre scientifique. Aussi, pour donner consistance à sa démonstration, Zubrin élabore-t-il les étapes ultérieures de la colonisation de Mars et de sa transformation par *terraforming* en une nouvelle planète habitable.

Quant à la méthode que préconise Zubrin pour répondre au « comment », elle est hautement originale par rapport à tous les projets gouvernementaux conduits jusqu'à ce jour. Elle cherche, en fait, à concilier l'intervention massive de l'Etat et du financement public avec le credo de la libre entreprise quelque peu mis à mal dans les grands projets de la NASA. Elle consiste à récompenser, par l'octroi de prix, les étapes de l'entreprise, par exemple en « allouant un prix de 20 milliards de dollars à la première organisation privée qui aurait déposé un équipage sur la Lune et l'aurait ramené sur la Terre ». Un parallèle est proposé avec les premières étapes de l'aviation ; Lindbergh a entrepris la traversée de l'Atlantique, fait-on observer, pour obtenir le prix promis à cet exploit ; on peut penser que ce ne fut pas sa seule motivation. Zubrin s'interroge naturellement sur le point de savoir si une telle démarche mettrait la NASA en position difficile et il conclut par la négative en prédisant qu'elle « produirait une injection de capitaux dans les meilleurs groupes des divers centres de la NASA, dans la mesure où les consortiums privés sous-contracteraient leurs services dans leurs domaines d'expertise ». Le moins que l'on puisse dire, cependant, est que cela révolutionnerait la relation entre le secteur public et le secteur privé, sujet important sur lequel nous reviendrons.

Le caractère le plus accusé de *Mars direct* est son américanocentrisme spontané et sans concession ; le monde extérieur n'y existe que de façon marginale, comme un décor passif, avec, à l'occasion, une note nostalgique sur l'adversaire disparu, l'Union soviétique ; image d'un monde qui, pareil à celui de Rome, n'existe que par et pour le centre de l'empire. Le sentiment d'irréalité, dont on ne peut se défendre à la lecture du livre de Zubrin, vient certainement de ce parallèle qu'il tente à toute force d'établir entre l'époque révolue des pionniers de l'ouest et celle, qu'il appelle de ses vœux, des pionniers de Mars. Pas un instant, il ne s'interroge sur les raisons qui font que la « frontière » est une mythologie spécifiquement américaine qui ne se retrouve pas dans les autres espaces où la société occidentale a dominé ou éradiqué les sociétés et les civilisations aborigènes : Amérique latine, Australie. Et naturellement, le fait que les terres promises de l'ouest n'étaient pas vides et qu'il a fallu en parquer les premiers occupants dans des réserves est ignoré. On ne s'interroge pas non plus sur la formidable disproportion entre les moyens nécessaires pour pousser vers l'ouest des familles de pionniers et le coût de la présence humaine sur Mars. Tout cela crée un contraste saisissant entre une conception technique solide et réaliste, accessible à court terme, et une projection onirique dans laquelle, par une sorte de retour vers le passé, les problèmes de l'humanité, et d'abord ceux de l'Amérique, se trouvent résolus, avatar parmi d'autres d'une rencontre entre la technique spatiale et la « part du rêve ».

La part du rêve

Si nous nous sommes longuement attardés sur *Mars direct,* c'est pour deux raisons. La première est que ce projet a inspiré très directement ce qui est aujourd'hui le scénario de référence de la NASA pour la conquête de Mars et par rapport auquel, un jour, l'Europe pourrait bien avoir à se déterminer. Mais la raison principale est que ce projet, remarquable par la créativité et la liberté de ses concepteurs, est aussi caractéristique d'une approche de l'homme dans l'espace qui cherche à fonder un rêve sur des bases rationnelles. « Le plan [...] et pourquoi nous devons le faire », dit le sous-titre : le premier volet, quels que soient les risques et les incertitudes qu'il comporte, est un schéma intelligemment construit, au moins dans ses premières étapes ; le second est un problème dont la solution est donnée « nous devons le faire » et dont la démonstration doit être découverte : trouvez pourquoi. Il est vrai que la « part du rêve » a toujours occupé une place importante dans les entreprises humaines, qu'elle en a toujours constitué un puissant ressort y compris pour celles qui sont animées par le désir de connaître, et que la puissance de ce ressort ne doit pas être négligée. Mais, différents en cela de la conquête des sommets himalayens ou de l'exploration des pôles, les vols spatiaux habités mobilisent des moyens dont l'ampleur transcende les capacités de financement privé. La mise en gage des bijoux d'Isabelle la Catholique aurait suffi, selon une version probablement controuvée de l'histoire, à financer le voyage de Christophe Colomb, mais aucune fortune privée ne pourrait supporter le poids de l'exploration de Mars. La nécessité de recourir à l'argent public entraîne la nécessité de faire partager le rêve, et c'est là une étape de la démarche où la démocratie se sépare – ou en tout cas devrait se séparer – de la dictature. Les grands projets des agences spatiales exigent une adhésion des citoyens, et la nature des moyens mis en œuvre pour obtenir cette adhésion pose à l'évidence un problème déontologique. Le bon exercice de la démocratie n'exige pas seulement que l'on n'use pas d'une autorité monarchique pour dire au corps social ce à quoi il doit et va rêver, il exige aussi que l'on soit scrupuleux quant aux moyens d'obtenir son adhésion. Sans doute, ce sont là des obstacles dont il est tentant de ne pas s'encombrer ;

l'interrogation que formule W.D. Kay[37] dans son ouvrage *Can Democracies Fly in Space ?* est au cœur du problème. Sauf à préférer à la pratique démocratique le despotisme éclairé – mais est-on jamais sûr qu'il le soit ? –, c'est un problème qu'on ne peut éluder.

De multiples intérêts sont présents dans les grands projets spatiaux, et le jeu de ces intérêts, qui ne coïncident pas nécessairement avec l'intérêt public, est au cœur du problème déontologique que pose le processus d'approbation. En regard du pouvoir politique, deux grandes catégories d'acteurs sont porteurs d'intérêts particuliers : les agences spatiales qui, bien qu'outils de la volonté publique, sont attachées à assurer leur propre pérennité, et les grandes firmes aérospatiales désireuses d'obtenir des subventions. Dans une certaine mesure, ces deux catégories d'acteurs ne sont pas sans présenter des analogies avec le complexe militaro-industriel sur lequel le président Eisenhower, dans son discours d'adieu, appelait la vigilance de ses concitoyens. L'une et l'autre motivations sont naturellement respectables ; on n'attend pas d'une structure publique qu'elle ait un comportement suicidaire, ni d'une industrie, même nationalisée, qu'elle soit indifférente au financement de ses activités. Ce sont les moyens mis au service de ces motivations qui peuvent, le cas échéant, être déontologiquement inacceptables.

Reste enfin, dans cette analyse de la part du rêve, à introduire la dimension du temps. Le sentiment de l'urgence imprègne les écrits et les discours des promoteurs des vols habités. « Mars attend aujourd'hui les enfants de la vieille frontière, écrit Robert Zubrin, mais Mars n'attendra pas éternellement. » Voire. La patience des cieux est infinie et si rien ne se passe, Mars sera encore là, inchangé, quand M. Zubrin et moi-même aurons, sans l'aide de la technique spatiale, quitté ce monde pour d'autres rivages. Est-ce l'évolution de l'humanité qui nous force à cette hâte ? Pour rapide qu'elle puisse être, elle ne se déroule pas à un rythme qui soit comparable à celui du progrès de la technique spatiale. Quels problèmes seraient résolus aujourd'hui par l'irruption de l'homme dans le système solaire qui ne pourraient l'être dans cinquante ans ? Est-ce le stade de développement atteint par la technique spatiale qui nous pousse dans cette voie ? C'est là enfin une question sérieuse.

Si on date sa naissance du premier vol orbital, la technique spatiale a aujourd'hui cinquante ans ; cette durée est faible à l'échelle de l'évolution des problèmes de l'humanité, mais elle est considérable pour l'évolution des technologies disponibles. A échéance de cinquante années, notre maîtrise de deux problèmes cruciaux aura certainement été transformée. Le premier est celui de la place respective de l'homme et du robot, et nous pouvons attendre cette transformation des effets de l'évolution technologique. Le second est celui de la propulsion dans le trajet Terre-espace, et accessoirement de la propulsion spatiale dans les trajets interplanétaires. Comme nous l'avons dit, la technique du transport de la Terre vers l'espace constitue un goulot d'étranglement de toute l'astronautique. Il n'y a pas lieu d'attendre que la disparition de cet obstacle résulte de la simple évolution des technologies génériques ; la propulsion est une technique spécifique exigeant un effort de développement spécifique qui sera difficile, coûteux et de longue durée. Les décennies qui viennent devraient sinon apporter une solution à ce problème, du moins nous permettre de savoir s'il existe une autre voie ou si nous sommes condamnés à nous accommoder indéfiniment des limitations de la propulsion chimique anaérobie et à payer, pour chaque kilogramme mis en orbite, au moins deux fois le prix de la même masse d'or.

Sur ce problème de l'urgence, en définitive, deux points de vue s'affrontent. Le premier s'exprime par un credo : tout ce qui est techniquement possible doit être fait sans retard. Ce credo s'appuie sur une vision de l'histoire, sur le fait que les voyages transatlantiques n'ont pas attendu de disposer de bâtiments sûrs et efficaces pour se développer. L'autre point de vue se fonde sur l'idée que le processus de développement et d'utilisation d'une technique nouvelle doit être maîtrisé dans le temps. La question est de savoir s'il est satisfaisant de déterminer notre comportement actuel à partir d'une tradition historique qui remonte à des époques où la notion d'évolution technique n'était pas perçue, où la relation entre la technologie et la connaissance scientifique n'était pas établie et où, par conséquent, attendre d'avoir de meilleurs outils techniques n'avait pas de sens, où la seule démarche concevable pour l'audace humaine était d'aller aux limites du possible avec les médiocres engins dont elle disposait.

Le sentiment d'urgence qui est au centre de cette démarche repose sur des bases extraordinairement fragiles. A une tradition construite sur ce principe : faire tout ce que l'on sait faire, on peut opposer une autre lecture de l'histoire. Elle consiste à distinguer les durées, qui se comptent en siècles, sur lesquelles se construit notre vision de l'évolution technique de l'horizon, plus proche de la décennie, sur lequel nous en extrapolons les conséquences. Elle consiste à constater que l'étendue croissante des possibles nous confronte à des choix ; bref, elle nous invite, sinon à maîtriser le processus même de l'évolution technique, du moins à tenter de maîtriser les usages que nous en faisons.

Dans la construction d'une stratégie spatiale à l'échelle de la planète, mettre l'homme à la place qui lui revient est un choix essentiel dans lequel la raison doit prévaloir sur le slogan et les vaticinations fumeuses. Au point où nous en sommes, il faut dépasser le stade des démonstrations et mesurer la qualité des projets à leur capacité de constituer une étape irréversible. Les projets comme Apollo, par nature sans lendemain, sont une gesticulation symbolique exécutée par une fraction de l'humanité à l'intention d'une autre. Toute logique d'affirmation de la suprématie conduit inexorablement à des projets qui ont le caractère d'une démonstration. Si l'on accorde quelque crédit à l'idée que l'espace peut être l'occasion de susciter une coopération globale, il faudrait aussi mesurer à cette aune les projets et les coopérations.

Malheureusement, beaucoup de forces interviennent puissamment pour privilégier le court terme et la gesticulation. Au premier rang se place la relation du pouvoir politique démocratique, toujours astreint à des échéances contraignantes, et de l'opinion publique, avide de héros et de symboles, tellement plus facile à leurrer qu'à éclairer, mais aussi prompte dans ses emballements que dans ses désaffections. A cela s'ajoutent la pression des agences spatiales, soucieuses de voir un grand projet éclairer leur avenir, et les appétits des industries aérospatiales.

Aussi n'est-il guère populaire de dire que les temps ne sont pas venus, qu'il faut aller pas à pas et attendre que l'évolution technique nous éclaire davantage les chemins de l'avenir.

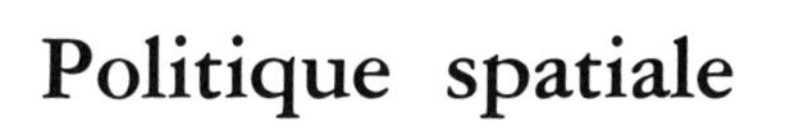

Politique spatiale

L'existence même d'une politique spatiale ne relève nullement d'une évidente nécessité. Dans la majeure partie du domaine technique, la puissance publique, sauf dans les pays d'économie dirigée, n'agit pas directement ; elle se borne à exercer un rôle régulateur, au titre de ses prérogatives régaliennes. Une question préalable se pose donc : pourquoi faut-il avoir une politique spatiale ? pourquoi, plutôt que laisser voguer librement la galère, l'Etat doit-il s'impliquer lui-même comme acteur ? Questions qui en appellent d'autres : quelles doivent être la nature, les modalités et la pérennité de cette intervention ?

On peut avancer deux sortes de justifications rationnelles à cette démarche que l'on observe dans un grand nombre de pays développés :

– dans l'exercice de ses attributions fondamentales, l'Etat a besoin de disposer de la technique spatiale et il ne peut se reposer sur le jeu des forces naturelles de la société, et notamment des forces du marché, pour s'en assurer la disposition. L'étendue et la nature des services qu'il lui incombe de fournir ne font certes pas l'objet d'un consensus absolu, mais elles ne se réduisent jamais à rien ; dans tous les cas, même dans les pays où domine une idéologie ultralibérale, la défense, la sécurité des biens et des personnes et l'enrichissement des connaissances fondamentales relèvent du rôle dévolu à la puissance publique et doivent recevoir des financements publics. C'est dans ce rôle que l'Etat devient un utilisateur, parfois unique, de certaines techniques, ce qui l'amène à exercer, vis-à-vis de l'industrie, un rôle parallèle à celui du marché ;

– la seconde justification, déterminante à l'origine, est que la technique spatiale est perçue comme porteuse d'enjeux majeurs, mais à des échéances trop lointaines pour mobiliser les forces du marché dont l'horizon temporel est bridé par la contrainte du retour financier sur investissement ; il s'agit alors de porter une action de développement conçue pour préserver les intérêts nationaux jusqu'au moment où le marché commercial ou gouvernemental pourra prendre le relais. C'est ce qu'on a parfois appelé, par une analogie discutable avec le domaine de l'art, le *mécénat étatique,* un mécénat dans lequel l'industrie aurait pris la place des artistes.

Ces deux éléments se conjuguent pour justifier l'existence d'une politique spatiale. La question est alors de savoir comment cette politique s'élabore et s'exprime.

Une démarche idéale devrait conduire des objectifs généraux aux priorités sectorielles – c'est-à-dire au choix d'une stratégie – pour aboutir aux projets. Mais ce schéma ne correspond pas en général à ce que l'on observe ; le pouvoir politique ne s'astreint pas toujours à formuler ses intentions en termes d'objectifs. Lorsqu'il le fait, il n'est pas évident que ce qui est dit les recouvre exactement, que ce sont les objectifs affichés qui déterminent les projets en aval et que ne prévaut pas quelque mécanisme inverse de rationalisation *a posteriori*. Le temps nécessaire pour conduire un grand projet spatial, souvent supérieur à dix ans, fait que la décision d'entreprendre tel ou tel projet est un élément constitutif de la politique spatiale et souvent, d'ailleurs, sa seule expression.

La démarche des Etats-Unis est sinon parfaitement ordonnée, du moins la plus transparente quant à ses objectifs et à sa stratégie. Dans le cas de l'Europe, en revanche, il est difficile d'identifier les sources et l'expression d'une volonté politique. On est donc réduit à appréhender une politique par son expression ultime, les projets spatiaux, et à tenter de dégager une cohérence, un dessein, d'un ensemble de décisions ponctuelles obtenues à l'issue de négociations et de marchandages laborieux entre Européens, dans le cadre des institutions qu'ils ont créées à cette fin. Or, surprise, on y parvient assez bien et la politique spatiale européenne, dans les faits, se compare favorablement en termes d'efficacité, sinon de moyens, à la politique spatiale américaine.

L'élaboration d'une politique spatiale peut également se décrire par un schéma idéal dans lequel une intelligence politique construirait, à partir des informations qui convergent vers elle, « une solution calculée à un problème stratégique [1] ». La rationalité naïve d'un tel schéma est fort éloignée d'une réalité qui confronte, dans un jeu complexe, des acteurs et des intérêts divers. Dans la mesure où la politique spatiale n'est rien d'autre que la succession des décisions politiques qui concernent l'espace, la façon, ordonnée ou chaotique, dont se prennent ces décisions, ses effets sur leur pertinence et leur efficacité, revêtent une importance majeure. Ce que sont les mécanismes de dévoiement et ce que seraient les démarches susceptibles de conforter la cohérence et la continuité de l'effort public sont donc des objets de réflexion essentiels.

Chapitre VIII

LES ACTEURS DE LA POLITIQUE SPATIALE EUROPÉENNE

Aucune des nations de l'Union européenne ne saurait raisonnablement, à supposer qu'elle le veuille, construire une capacité spatiale autonome. C'est une situation de fait dont l'industrie spatiale, en se structurant progressivement à l'échelle de l'Europe, a pris acte. Ce n'est pas une situation qui soit facilement et universellement acceptée.

On pourra objecter l'exemple d'Israël qui s'est doté d'une capacité d'observation militaire dans sa région. Mais il s'agit là d'un effort ponctuel visant un objectif très spécifique : l'observation optique à résolution métrique des pays voisins. Cela témoigne de l'acuité des enjeux de dépendance stratégique qui s'attachent à la maîtrise de certains moyens spatiaux et de l'habileté avec laquelle Israël a su développer des moyens limités et très spécifiques – un lanceur léger directement dérivé d'un engin balistique et un minisatellite – pour y répondre ; mais cela ne signifie pas qu'Israël pourrait se doter d'une capacité spatiale complète et compétitive, analogue à celle dont dispose l'Europe.

Dans la formation de celle-ci, les ambitions et les particularismes nationaux, la diversité des attitudes à l'égard de la souveraineté nationale, les convergences et les divergences en matière de politique étrangère jouent un rôle très important. Vouloir l'ignorer et considérer que l'Europe peut se comporter comme un Etat unique serait faire preuve du plus total irréalisme ; davantage, ce serait ignorer que la volonté d'autonomie stratégique trouve sa source dans l'identité nationale. Ainsi, une double donnée de fait s'impose à tous les acteurs : la dialectique Nation, Europe est au cœur du problème, alors qu'une ambition à la mesure des enjeux que nous avons identifiés ne peut se concevoir qu'à l'échelle européenne.

Une politique spatiale est le produit d'un jeu de pouvoir complexe entre des acteurs nombreux : structures politiques, agences gouvernementales, entités industrielles, utilisateurs. Rien ne serait plus éloigné de la réalité que de l'imaginer définie dans les arcanes du pouvoir politique et descendant, vérité révélée, vers les outils d'exécution, agences spatiales et industrie. Elle résulte, en fait, d'un dialogue plus ou moins constructif entre le pouvoir politique et les structures de mise en œuvre qui exercent un rôle de proposition. Ce dialogue n'est pas suffisant, mais il est indispensable. Ce n'est qu'au niveau de la mise en œuvre qu'existe la connaissance approfondie de la réalité technique nécessaire à l'élaboration de toute conception politique saine et dont on ne saurait s'abstraire sans risquer des errements fâcheux. Pour une part essentielle, il s'établit entre le pouvoir politique et les agences spatiales qu'il a créées. Le débat ne se circonscrit cependant pas à ces deux interlocuteurs ; il existe, entre le pouvoir et les industries, des relations directes, qui prennent une importance croissante au fur et à mesure que l'industrie évolue vers la maturité et que, son autonomie s'accroissant, elle peut se libérer de la tutelle des agences gouvernementales.

Le niveau politique lui-même n'est pas monolithique ; le législatif et l'exécutif ont – ou devraient avoir – chacun leur rôle. Enfin, l'opinion publique est un élément de contexte auquel l'un et l'autre sont soucieux de se référer ; la légitimité de sa prise en compte aussi bien que sa facilité à se dévoyer et sa versatilité sont des données fondamentales.

L'acteur politique

La construction d'un pouvoir politique et d'une capacité spatiale européens a suivi des chemins parallèles. Leur rencontre est récente et clairement inachevée.

Lorsque les pouvoirs nationaux ont éprouvé, au début des années 1960, la nécessité d'une entité spatiale spécifique dont la NASA leur offrait le modèle, ils l'ont fait sans référence à l'acte fondateur de l'Europe, le traité de Rome, entré en vigueur le 1er janvier 1958. Le jeu des circonstances fit que l'on créa, de façon quasi simultanée, deux structures distinctes, l'ELDO *(European Launcher Development Organisation)* pour les lanceurs et l'ESRO *(European Space Research Organisation)* pour les satellites, avant de les fusionner, en 1975, pour constituer l'ESA *(European Space Agency)*. Le dessein d'échapper à une situation de dépendance était clairement présent aux différentes étapes de cette démarche.

L'ELDO exprimait la volonté de se doter d'un accès autonome à l'espace qui devait aboutir, à travers des péripéties fâcheusement mouvementées, au succès que l'on sait. L'ESRO qui devait, dans l'esprit de ses pères fondateurs, fournir à la communauté scientifique européenne le moyen d'une indépendance culturelle servit de cadre, sous l'impulsion de certains de ses Etats-membres au premier rang desquels la France, à la conquête des applications de l'espace.

Cependant, le centre politique de l'Europe et l'agent d'exécution du programme spatial sont demeurés longtemps coupés l'un de l'autre. Cela tient d'abord à des causes formelles : les compétences de la Commission européenne n'ont été élargies que récemment au domaine de la politique technique et les Etats-membres de l'ESA n'étaient pas tous membres de l'Union européenne. Cela tient aussi à la création progressive des institutions de l'Europe politique susceptibles d'intervenir dans ce domaine : Conseil et Parlement européens. Les attitudes sur la question des relations entre l'ESA et l'Union européenne reflètent aussi des divergences politiques profondes sur l'objectif général de la construction européenne. S'opposer à toute intervention de la Commission européenne dans le fonctionnement de l'Agence spatiale est une façon de s'opposer à toute démarche allant vers une Europe intégrée, dérive selon les uns, aboutissement pour les autres.

On peut s'interroger sur les effets qu'a produits cette coupure sur le développement des institutions spatiales de l'Europe. Il n'est pas du tout évident qu'ils aient été négatifs. D'une certaine façon, ces institutions se sont trouvées protégées de l'impact direct des divergences politiques et des incidents qui ont marqué la construction des structures communautaires. Pendant la période qui s'étend de la création de l'ELDO et de l'ESRO, en 1962, à celle de l'ESA, en 1975, les ministres de l'Espace s'étaient dotés d'une assemblée informelle, la Conférence spatiale européenne, qui se réunissait pour résoudre au niveau politique les problèmes et les crises. C'est dans ce cadre qu'est née l'ESA et sa naissance en a marqué la disparition. On lui substitua une disposition permettant au Conseil de l'ESA de se réunir au niveau des ministres, ce qui n'est pas tout à fait équivalent. Le Conseil par nature est limité au champ de la convention. La Conférence spatiale européenne, par son caractère informel, possédait une plus grande souplesse et comme elle donnait aux ministres chargés de l'Espace la possibilité de se rencontrer et d'exister collectivement par eux-mêmes sans que leur champ d'intervention soit trop précisément limité, elle a pu engendrer une dynamique créative. L'absence de statut formel lui imposait cependant d'évidentes limitations. Elle ne pouvait servir de lien organique entre la construction politique et l'Europe spatiale. Tant que les enjeux de dépendance ne s'imposaient pas dans le court terme, l'absence de ces liens présentait peut-être plus d'avantages que d'inconvénients ; il en va autrement, aujourd'hui, où certains domaines demandent des actions immédiates. La maîtrise mondiale des moyens de navigation par satellites en est l'exemple achevé ; elle appelle à l'évidence une cohérence entre l'expression d'une volonté politique et le comportement non seulement de l'Agence spatiale, mais des administrations de l'aviation civile. Ce n'est qu'un exemple d'un phénomène général, la proximité des enjeux dans les différents domaines, qui exige que se constituent des liens étroits entre le pouvoir politique européen, dans l'état où il se trouve, et l'acteur central qu'est l'Agence européenne.

Les agences spatiales

Chaque chose, selon sa puissance d'être, s'efforce de persévérer dans son être.

SPINOZA,
L'Ethique

L'image forte de la NASA et, à un moindre degré, de l'ESA et du CNES tend à accréditer dans le public l'idée qu'en matière d'espace tout procède de l'action des agences. C'est une conception parfaitement erronée, ou en tout cas parfaitement caduque, même si elle est encore parfois présente au sein même de ces agences. Mais il reste que l'existence d'agences de développement est une spécificité forte et c'est par elles qu'on doit commencer la description du dispositif qui élabore et met en œuvre la politique spatiale européenne.

La dialectique national-européen se manifeste, à cet étage, par la dualité qui s'est instaurée entre l'Agence européenne et l'Agence française, le CNES. On pourrait s'attendre à ce que le phénomène soit plus général… il n'en est rien. Cela tient à deux facteurs. Le premier est que la

France est le seul pays à s'être doté dès l'origine d'une agence forte grâce à une décision politique du général de Gaulle ; le second est que la France, deuxième par la dimension économique des pays de l'Union européenne, est aussi celui qui, de loin, a consacré l'effort le plus important au développement de sa capacité spatiale.

Ces deux aspects d'une même ambition nationale ne se retrouvent chez aucun de nos partenaires européens, les uns, comme la Belgique, parce que leur dimension économique leur interdit une ambition nationale significative, les autres, comme le Royaume-Uni, parce qu'ils n'ont pas cette ambition spatiale. Il existe cependant des agences nationales, par exemple en Suède, au Royaume-Uni et en Italie, mais aucune n'a atteint l'importance du CNES et ne pose au même degré un problème de dualisme. Dès l'origine, la démarche française n'exprime pas une intention d'indépendance nationale ; elle traduit une ambition nationale qui ne peut s'exprimer pleinement qu'au niveau européen. Il n'y a donc aucune incohérence entre le fait d'avoir, de façon quasi simultanée, créé une agence spatiale nationale et contribué très fortement à la création des structures européennes. En cela, la France s'installait dans le rôle de leader de l'espace européen qu'elle n'a cessé depuis d'exercer. Que le premier président du CNES, le professeur Pierre Auger, soit devenu, à la création de l'ESRO, son premier directeur général, symbolise parfaitement ce qui fut une constante de la politique spatiale française.

L'Agence spatiale européenne, pièce centrale du dispositif européen, est le produit d'une négociation qui s'est

Page 205 : *budgets spatiaux pour l'année 1996, rapportés au produit domestique brut, de cinq pays de l'Union européenne, des Etats-Unis et du Japon. Le budget militaire, qui est supérieur au budget civil pour les Etats-Unis, est faible dans les pays européens à l'exception de la France; il est absent au Japon. (Document Euroconsult,* Government Space Programs, *1996.)*

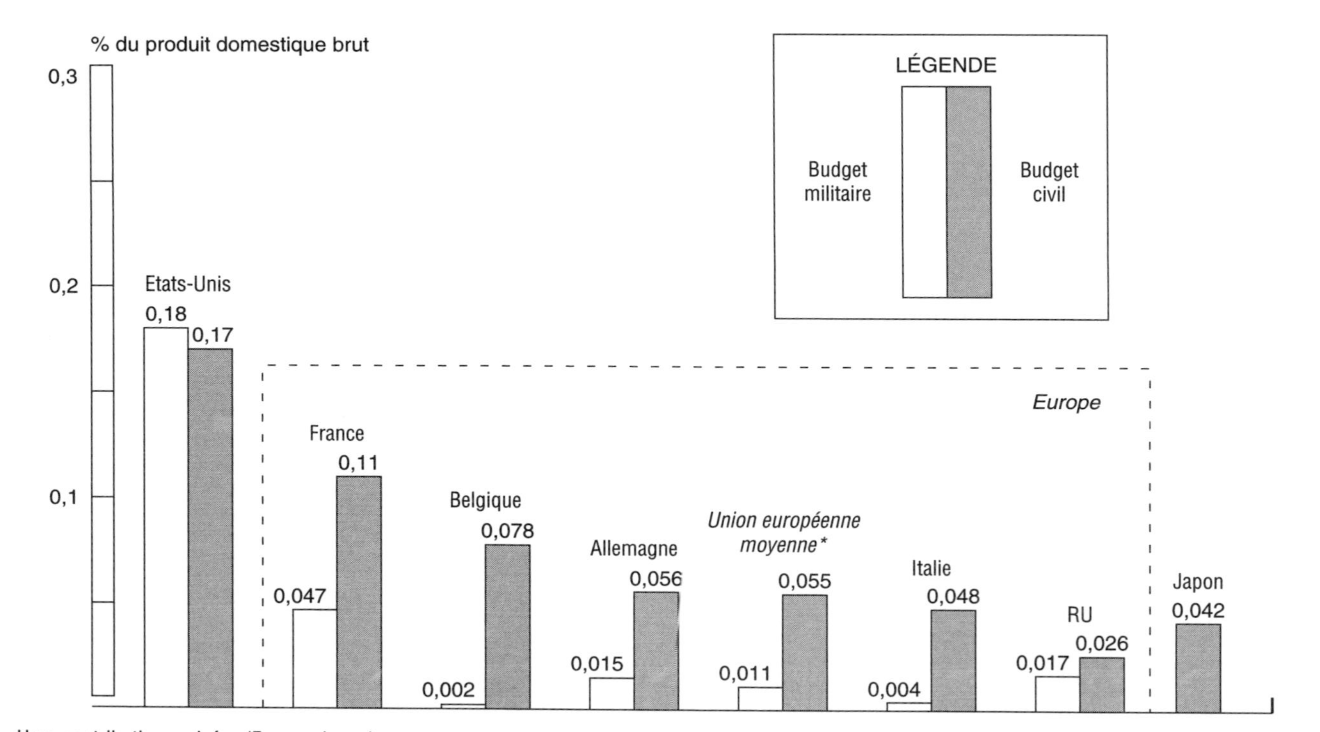

Hors contributions privées (France, Japon)
*France, Italie, RU, Allemagne, Belgique, Pays-Bas, Espagne

poursuivie de 1971 à 1975, mais en réalité elle est issue d'un passé plus lointain, de la fusion de l'ESRO et de l'ELDO ; c'est sur l'expérience accumulée par ces deux organisations que fut élaborée la convention intergouvernementale qui régit l'ESA. Ainsi, les premiers efforts pour créer le cadre juridique dans lequel s'est développée la coopération spatiale européenne remontent à plus de trente ans. Le degré d'ancienneté des principes sur lesquels l'Agence repose n'est pas indifférent car le degré de maturité de l'industrie spatiale et le degré d'avancement de la construction européenne évoluent rapidement et sont susceptibles d'engendrer une désadaptation.

La convention de l'ESA est largement inspirée par la volonté de préserver les intérêts individuels des Etats-membres. On a donc élaboré, davantage qu'une structure européenne intégrée, une structure multi-étatique. L'intention de créer une « NASA européenne » s'inscrivait alors dans un contexte politique profondément différent de celui qui prévalait pour une administration fédérale directement issue du pouvoir politique central. La disparité des Etats-membres accentuait encore ces différences.

Deux dispositions marquent ce caractère multi-étatique. La première, le principe « un Etat, une voix », s'applique à tous les processus de décision et signifie que c'est la souveraineté nationale qui s'exprime et qu'elle ne se mesure pas en unités de PNB.

La seconde, la notion de « juste retour industriel », a la même source. L'expérience des premières années de l'ESRO avait permis de reconnaître que l'absence de toute contrainte conduit à financer l'industrie des pays les plus développés par les contributions des moins développés, ce qui tend à accentuer les écarts. Au sein d'un même ensemble national, en revanche, des compensations s'établissent par le biais d'autres domaines d'activité de sorte que, par exemple, les disparités dans la participation des cinquante Etats américains au programme fédéral ne créent pas une frustration accumulée. L'ESA n'étant pas en mesure de mettre en œuvre des mécanismes compensatoires, il a fallu, pour ne pas créer une situation de crise, proportionner le volume des contrats industriels au montant des contributions.

La convention intergouvernementale assignait à l'ESA quatre objectifs :

« – élaborer et mettre en œuvre une politique spatiale à long terme ;

– élaborer et mettre en œuvre des activités et des programmes dans le domaine spatial ;

– intégrer les programmes nationaux progressivement et aussi complètement que possible dans le programme spatial européen ;

– élaborer et mettre en œuvre une politique industrielle. »

Seule la mise en œuvre d'un programme européen a été réalisée, mais avec un succès dont il faut bien mesurer l'ampleur. En termes de rapport coût/efficacité, le programme de l'ESA supporte très avantageusement la comparaison avec celui de la NASA. On peut juger que c'est l'essentiel. Procède-t-il pour autant d'une « politique spatiale européenne à long terme » que l'Agence aurait fait adopter à ses Etats-membres ? Certainement pas. Il faudrait pour cela que l'Agence ait les moyens d'infléchir les options de politique générale qui ont une incidence sur la politique spatiale de ses membres, ce qui serait beaucoup attendre d'une organisation spécialisée qui opère dans un domaine étroit. Aussi, les choix programmatiques majeurs de l'ESA sont-ils davantage le résultat de compromis entre des tendances divergentes des Etats-membres que celui d'une politique globalement concertée et arrêtée. Ce n'est pas nécessairement une faiblesse. Les compromis – souvent concrétisés par un *package-deal,* c'est-à-dire par un ensemble de programmes décidés simultanément – sont si longs et si difficiles à obtenir que, lorsqu'ils sont atteints, chacun est soucieux de ne pas les remettre en cause. Il en résulte une stabilité programmatique dans les phases de mise en œuvre très supérieure à celle dont jouit le programme de la NASA, sujet chaque année aux humeurs changeantes du Congrès. La forme juridique des décisions programmatiques accroît d'ailleurs cette stabilité : elle engage les participants pour toute la durée d'un programme sauf dépassement excédant 20 % du coût à achèvement initialement prévu ; elle élimine ainsi les inconvénients de l'annualité budgétaire, pratique totalement inadaptée à la conduite de projets par nature pluriannuels et insécables.

Par ailleurs, le débat long et approfondi qui précède chaque compromis programmatique est propre à minimiser le risque d'erreurs stratégiques majeures auxquelles pourrait conduire une approche moins laborieuse. Rien ne se décide qui n'ait été longuement confronté à des contre-arguments et c'est là une source de sécurité. Il est tout à fait clair, par exemple, que si la France avait pu décider seule, elle aurait engagé l'Europe dans la construction de l'avion spatial Hermès ; les mécanismes de décision européens ont permis, à cette occasion, que le pire soit évité. Les acteurs individuels, confrontés aux interminables débats et hésitations des conseils et des comités de l'Agence spatiale européenne, peuvent certes s'irriter de la lenteur des processus de décision, et les observateurs s'en gausser, mais ces défauts superficiels ne doivent pas en dissimuler les vertus cachées : sécurité et stabilité.

Le cours des choses conduit-il à une convergence croissante sur une politique spatiale européenne commune à tous les Etats-membres ? Une telle évolution ne peut être que lente, mais trois éléments au moins concourent à la produire : la perception de plus en plus claire et commune des enjeux, les progrès de la construction européenne qui rapprochent les Etats-membres, la fin de la guerre froide qui atténue, notamment dans le couple franco-allemand, les effets des options atlantistes.

Dire que l'avenir de l'ESA est tout tracé serait cependant une vue exagérément optimiste d'une situation complexe. L'Agence est confrontée à deux catégories de problèmes : ceux qu'elle n'a pas su ou pu résoudre dans le passé et ceux qui résultent de la transformation du contexte dans lequel elle opère. Les questions d'adaptation de sa structure interne n'ont rien de très spécifique et une direction efficace doit être en mesure de les régler.

Parmi les problèmes hérités du passé, celui qu'exprime la convention : « élaborer et mettre en œuvre une politique industrielle » n'est pas le plus important. L'Agence, en effet, ne peut être investie de la responsabilité d'organiser souverainement l'industrie spatiale européenne. L'Europe ne vit pas en économie administrée et la mise en œuvre d'une politique industrielle doit évidemment s'interpréter dans un sens beaucoup plus restrictif : elle se limite à décider comment l'Agence doit organiser sa relation avec l'industrie et, plus généralement, comment elle doit agir, ce qu'elle peut faire, pour aider l'industrie européenne et accroître sa compétitivité. Pour le reste, la structuration de l'industrie est un processus dont la responsabilité réside dans l'industrie elle-même, en interaction avec le pouvoir politique. Observons cependant qu'il est *a priori* difficile de concilier deux nécessités, laisser les structures industrielles s'adapter au marché et pratiquer un « juste retour » qui leur impose des contraintes artificielles.

« Intégrer les programmes nationaux progressivement et aussi complètement que possible dans le programme spatial européen » est le second problème, hérité des origines, sur lequel peu de progrès ont été faits. Cet objectif d'intégration apparaît en divers endroits de la convention intergouvernementale, avec des disparités et des ambiguïtés du texte qui dissimulent sous un voile pudique une profonde divergence de vue des négociateurs. Pour certains, et notamment pour les petits pays, il ne fait aucun doute que l'objectif était l'atrophie rapide des programmes nationaux et, par voie de conséquence, la disparition des agences nationales. Cela traduisait le fait que la totalité de leur ambition spatiale était investie dans l'Agence européenne au sein de laquelle les règles de décision leur donnaient d'ailleurs un poids considérable en regard de leur niveau de participation. D'autres pays, et singulièrement la France, considéraient l'Agence comme le prolongement indispensable d'une ambition qui, excédant leur capacité nationale, ne pouvait s'exprimer pleinement qu'au niveau de l'Europe. Les mécanismes de décision jouant à leur détriment dans les mêmes proportions qu'ils jouaient au bénéfice des petits pays, ils ne souhaitaient pas se priver du moyen d'influence que constitue un programme national.

Très peu de progrès ont été faits, en apparence du moins, en direction d'une intégration des structures nationales, et singulièrement du CNES, dans la structure européenne. Le problème comporte deux aspects : intégration des programmes et intégration des structures.

Le premier n'est pas le plus important. L'examen des niveaux de financement des programmes nationaux et du programme européen montre que ce sont les plus forts contributeurs au programme européen qui ont les financements nationaux les plus importants. L'existence d'un fort programme national traduit donc autant le degré d'engagement des pays dans l'entreprise spatiale que leur désir de conserver une latitude d'action. Ce qui importe, alors, est de savoir si cette activité nationale duplique celle de l'Agence européenne. Tel n'est en général pas le cas malgré quelques exceptions malheureuses comme le pro-

Pages 211 et 212 : *budgets spatiaux des Etats-membres de l'ESA en 1997, exprimés en pourcentage du produit intérieur brut et en millions d'écus ; on a fait apparaître la part qui est dépensée dans le cadre de programmes nationaux et la contribution au budget de l'ESA. (Document Eurospace.)*

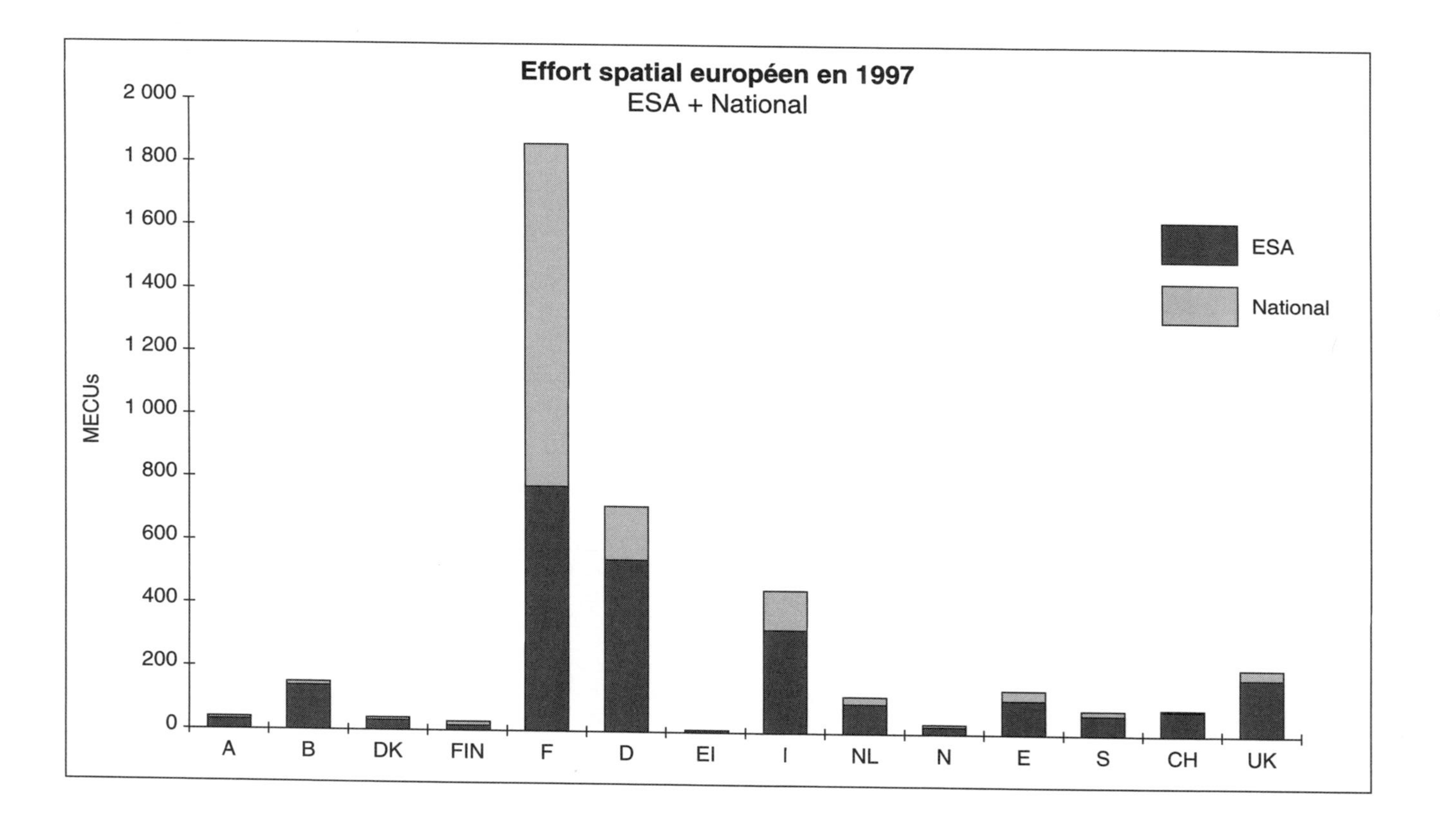
Effort spatial européen en 1997
ESA + National
ESA
National
MECUs
2 000
1 800
1 600
1 400
1 200
1 000
800
600
400
200
0
A
B
DK
FIN
F
D
EI
I
NL
N
E
S
CH
UK

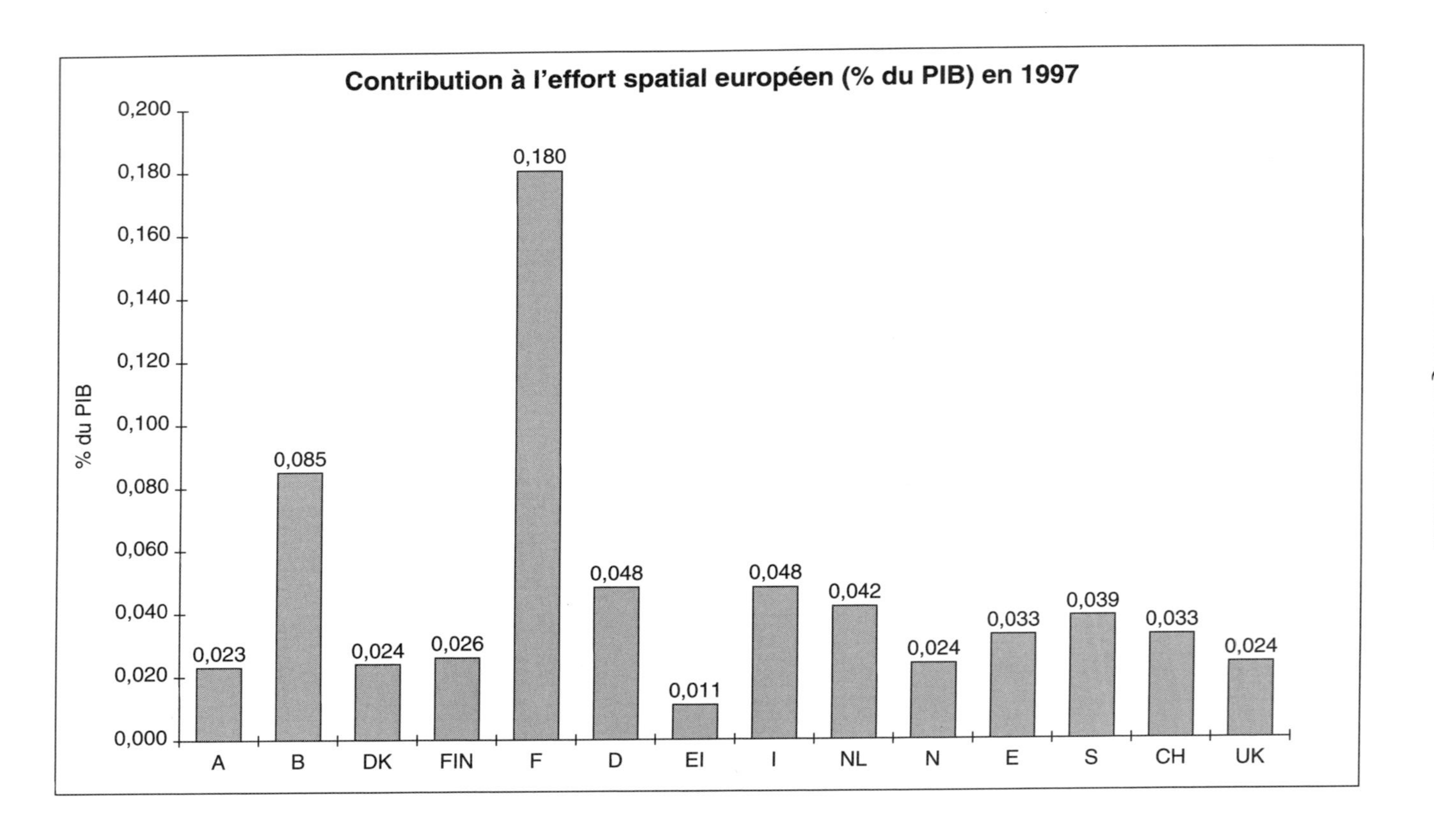

Contribution à l'effort spatial européen (% du PIB) en 1997
% du PIB
0,200
0,180
0,160
0,140
0,120
0,100
0,080
0,060
0,040
0,020
0,000
0,023
0,085
0,024
0,026
0,180
0,048
0,011
0,048
0,042
0,024
0,033
0,039
0,033
0,024
A
B
DK
FIN
F
D
EI
I
NL
N
E
S
CH
UK

gramme franco-allemand de télévision directe TDF/TF1. En fait, l'initiative nationale tend, souvent, à remédier aux lacunes des programmes sur lesquels s'est établi un consensus européen. L'observation de la Terre en offre d'excellents exemples. Le satellite météorologique géostationnaire Météosat, né d'une initiative française, a été aisément européanisé. En revanche, lorsque les partenaires européens, et particulièrement l'Allemagne, ont refusé, on ne sait trop pourquoi, l'européanisation du satellite de télédétection SPOT, il a pu s'inscrire dans le cadre national et s'appuyer sur des collaborations bilatérales avec la Belgique et la Suède. Plus tard, lorsque l'ESA a pu engager son propre projet d'observation de la Terre, elle a choisi avec ERS la voie de l'observation radar, ce qui complète harmonieusement l'effort européen. Au total, lorsqu'on examine l'ensemble de ce qui se fait en Europe dans ce domaine de l'observation de la Terre, sans s'attacher à distinguer ce qui est proprement national, multilatéral ou européen, l'équilibre global est plutôt satisfaisant. Ainsi, le bon sens des uns et des autres permet le plus souvent d'éviter les duplications entre programmes nationaux et programmes européens, de sorte qu'en première approximation leurs effets s'ajoutent pour le bénéfice de l'Europe.

Il n'en va pas de même des installations terriennes, où la rivalité inévitable de l'Agence européenne avec les institutions nationales conduit à une surenchère aboutissant à un surinvestissement et à des sureffectifs nuisibles à la bonne utilisation du financement public. Certes, il ne serait pas souhaitable que l'expertise technique publique soit concentrée en un seul lieu. La NASA, qui n'en a pas usé ainsi, doit gérer elle aussi des rivalités entre ses centres techniques, mais ces rivalités, lorsqu'elles sont convenablement contrôlées, sont source de dialogue et d'émulation. Le problème européen est que, pour gérer la rivalité entre les centres techniques de l'ESA, au premier rang desquels l'ESTEC à Nordwijck, et les centres nationaux, comme le Centre spatial toulousain, il n'existe pas d'arbitre investi du pouvoir de trancher. Pire, cette rivalité des structures de mise en œuvre s'alimente souvent, dans les débats qu'elle suscite au Conseil de l'ESA, de rivalités nationales désuètes, comme si l'importance des installations terriennes qu'il détient sur son sol était, pour un Etat-membre, le meilleur moyen d'affirmer sa présence dans l'espace. Subsiste là, héritée du passé, une sérieuse faiblesse de l'Europe spatiale.

L'évolution du contexte dans lequel opère l'ESA et qui gouverne son avenir se caractérise par la maturité croissante de l'industrie spatiale et des structures utilisatrices, et par les progrès de la construction politique.

Le premier aspect pose avec acuité un problème qui n'existait guère il y a vingt ans, celui du rôle des Etats et des agences d'une part, de l'industrie d'autre part. L'idée, souvent présente à l'origine, selon laquelle l'Agence avait vocation à exprimer, dans sa globalité, l'ambition spatiale, n'est évidemment plus tenable. La capacité spatiale s'exprime d'abord par l'existence d'une industrie spatiale compétitive. Nous avions coutume de dire, dans les tout débuts du CNES : « Le CNES aura complètement réussi lorsqu'il sera devenu inutile. » Le caractère lointain de la menace aidait beaucoup à cet exercice de lucidité. Le temps est-il venu ? pas encore, mais le CNES et l'ESA ne sont plus les seuls acteurs, et ils doivent s'acheminer vers une situation où ils ne seront plus les acteurs dominants. Une telle évolution, psychologiquement difficile, est indispensable : la seule voie par laquelle les agences spatiales peuvent protéger leur existence est de demeurer utiles.

Cela exige de redéfinir leur relation à l'industrie spatiale. Lorsque celle-ci était exclusivement alimentée par de l'argent public et que son objectif unique était de développer une capacité technique, le problème était relativement simple. Ce stade est dépassé : la relation au marché gouverne aujourd'hui l'avenir de l'industrie spatiale. Or l'industrie ne peut servir deux maîtres et s'adapter à des exigences contradictoires. Il appartient donc aux agences spatiales, pour demeurer utiles, de conformer leurs politiques à l'évolution industrielle et de servir les besoins nés de la compétition internationale.

Comment peut-on faire évoluer la relation de l'ESA avec l'industrie spatiale pour concilier ce qui semble *a priori* inconciliable : la nécessité de laisser les structures industrielles s'adapter au marché et la pratique du « juste retour », qui, tout en imposant des contraintes artificielles, assure depuis les origines la cohésion de l'Agence et de ses Etats-membres. Il faudra bien, cependant, échapper à cette incohérence : alors que l'industrie spatiale se structure à l'échelle de l'Europe pour affronter la concurrence mondiale, il serait absurde que les pratiques de l'Agence contribuent à pérenniser sa fragmentation en éléments nationaux.

L'apparition d'utilisateurs opérationnels pose également un problème nouveau aux agences de développement. Lorsqu'il s'agit d'utilisations commerciales, la relation entre les utilisateurs et l'industrie s'établit directement. Les agences ne peuvent y jouer qu'un rôle accessoire. Mais l'émergence de systèmes opérationnels fournissant des services publics traduit le fait que le rôle des Etats, en même temps qu'il se restreint, se diversifie. Il est alors naturel qu'on cherche à valoriser le patrimoine accumulé dans les centres techniques des Agences, investissement matériel, expertise humaine, capacité de dialogue avec l'industrie. Cela conduit, dans le meilleur des cas, à un partage des tâches et des responsabilités dont la relation entre l'ESA et Eumetsat offre un excellent exemple. Eumetsat, agence intergouvernementale qui gère et finance les programmes des satellites météorologiques opérationnels – les Météosat de première et de seconde génération – s'appuie sur l'ESA pour les faire construire par l'industrie. Mais c'est elle-même qui les exploite et qui a défini ses besoins. Cela ne s'est pas fait sans difficulté et sans heurts... l'habitude de décider des besoins et de ce qui est bon pour les utilisateurs de l'espace – attitude évidemment insupportable pour les intéressés – n'a pas été perdue sans effort par les équipes de l'Agence spatiale. Une *capitis diminutio* n'est jamais facile à accepter, mais celle-là est une conséquence inéluctable du succès. Par rapport à cette transformation du contexte, les agences spatiales ont le choix entre s'adapter ou disparaître, sauf à devenir de ces structures reliques que seules des considérations sociales préservent de la disparition ; s'adapter, c'est être utiles aux acteurs qui sont en prise directe sur les enjeux de l'espace : l'industrie et les utilisateurs. Venant d'une situation de quasi monopole, cette évolution faite de replis et de recentrages constitue une épreuve, aussi parle-t-on volontiers de crise des agences spatiales, même si cette crise, sans remettre en cause leur existence même, exprime seulement la nécessité qui s'impose, à ces bras exécutifs des Etats, de se borner au champ d'intervention de l'Etat.

La tentation existe cependant pour elles de chercher une aventure nouvelle, dans laquelle elles joueraient un rôle central et d'utiliser l'autorité que leur donne leur expertise technique pour inciter le pouvoir politique à s'y engager, au besoin en le leurrant. L'homme dans l'espace offre à cet égard des séductions incomparables. On peut comprendre que la NASA cultive la nostalgie des jours dorés d'Apollo et ce d'autant que son domaine d'intervention, qui n'a cessé de se réduire, est beaucoup plus restreint que celui des agences européennes. Mais céder à cette tentation serait, pour ces dernières, faire prévaloir une tactique

Page 217 : *part des exportations dans les ventes de l'industrie spatiale en 1994. Le pourcentage de ventes à l'exportation de l'industrie européenne excède, par un facteur de 2 à 3, celui de l'industrie américaine. (Document Euroconsult, 1996.)*

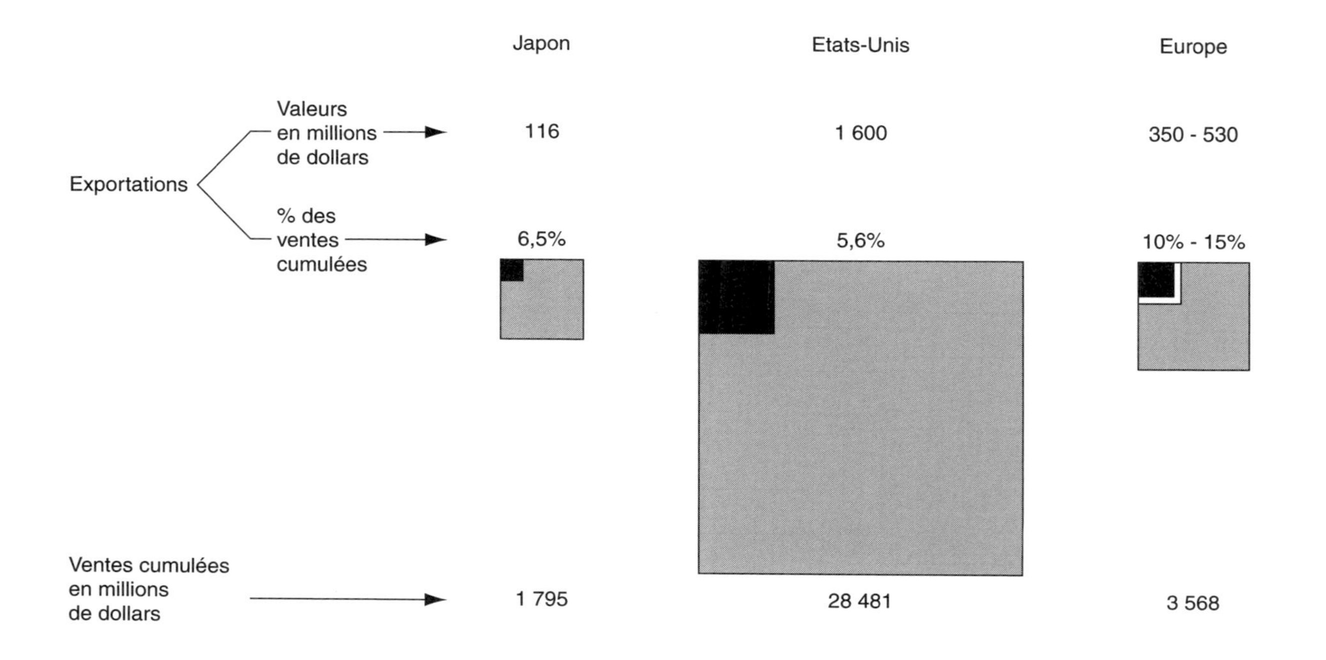
Japon
Etats-Unis
Europe
Exportations
Valeurs en millions de dollars
116
1 600
350 - 530
% des ventes cumulées
6,5%
5,6%
10% - 15%
Ventes cumulées en millions de dollars
1 795
28 481
3 568

gouvernée par des intérêts catégoriels sur une stratégie conçue pour défendre l'intérêt collectif ; ce n'est pas là le rôle des structures publiques.

L'industrie spatiale européenne

> L'Europe devra choisir : ou bien elle se mettra au rythme du progrès scientifique et industriel associé aux activités spatiales, avec l'effort financier que celles-ci réclament, ou bien elle devra se résigner à rétrograder peu à peu, dans un secteur limité d'abord, puis dans un domaine plus important jusqu'au moment où, pour des secteurs entiers de l'économie, toute possibilité de compétition mondiale aurait disparu.
>
> Jean DELORME,
> président d'Eurospace, 1961

Avant d'examiner les spécificités de l'industrie spatiale européenne, il convient de bien mesurer la place de cet acteur dans le développement spatial, place capitale pour la raison, simple et déterminante, que l'industrie est le détenteur unique de l'ensemble des savoir-faire qui constituent la capacité spatiale. Les centres techniques des agences spatiales et certains laboratoires de recherche développent et possèdent des savoir-faire spatiaux, mais aucun pays occidental doté d'une agence spatiale n'a choisi de donner à cette agence une capacité et une responsabilité de production, d'en faire un arsenal. De sorte que le rôle et la capacité des centres techniques dont sont dotés, par exemple, le CNES avec le CST et l'ESA avec l'ESTEC doivent s'adapter à l'industrie et non l'inverse. Quels que soient les moyens, l'expertise et les savoir-faire de l'ESTEC et du CST, ils ne peuvent posséder, dans le système économique qui est le nôtre, la gamme complète des capacités requises, allant de la conception à la construction et à la mise en œuvre en passant par le dialogue avec les utilisateurs et les financiers. Seule l'industrie peut concrétiser la capacité spatiale. Les forces et les faiblesses de son industrie spatiale expriment en définitive l'état de l'Europe.

On rencontre souvent, dans la littérature spécialisée, le terme d'« industrie aérospatiale ». J'en éviterai l'usage. Il trouve son origine dans le fait que le développement de l'industrie spatiale s'est greffé pour une large part, mais pas exclusivement, sur l'industrie aéronautique, et qu'il existe une indéniable parenté technique entre les lanceurs et les avions. Cependant, l'aéronautique et l'espace ne relèvent nullement de la même logique économique, et la technique spatiale est présente aujourd'hui dans de nombreux secteurs de l'activité industrielle qui n'ont aucune relation avec le transport aérien, de sorte qu'il n'est plus du tout justifié de la considérer comme une simple branche d'une industrie aérospatiale.

L'industrie européenne possède des caractères communs à toutes les industries spatiales. L'intervention de l'Etat lui demeure indispensable et la situe entre l'Etat et le marché. Cette intervention revêt une forme et une importance différentes selon que l'on considère le transport spatial ou l'industrie des satellites.

L'évolution du transport spatial vers une économie de marché s'amorce à peine et ne pourra s'accomplir que lentement. Aucune initiative privée n'a encore donné naissance à un lanceur capable d'affronter la compétition avec les lanceurs financés sur fonds publics. A supposer que cela advienne, à la suite des initiatives prises par les grandes compagnies américaines – Lockheed Martin, Boeing –, encore faudra-t-il établir les conditions d'une concurrence régulière, ce qui sera loin d'être aisé. L'offre actuelle se fait à des prix qui ne contiennent pas l'amortissement des capitaux investis dans le développement, pratique évidemment interdite à des investisseurs privés. Notons au passage que cette subvention dont bénéficie le transport spatial a considérablement facilité l'émergence des applications commerciales. S'il avait fallu que les promoteurs de systèmes commerciaux paient les lancements à leur coût net, le développement des applications de l'espace aurait été considérablement ralenti.

Pour créer les conditions d'une compétition commerciale, il faudra que les Etats qui proposent des services de lancements, soit directement comme la Chine, soit par l'intermédiaire de sociétés d'économie mixte, comme l'Europe, renoncent à cet apport de financement public. Cela implique une négociation internationale qui est, comme nous le verrons, inscrite en filigrane dans la dernière expression de la politique spatiale américaine, mais qui sera extrêmement difficile tant que les lanceurs apparaîtront aussi et surtout comme un outil d'autonomie stratégique sur lequel un monopole national, fût-il américain, serait inacceptable. En tout état de cause, avant même qu'une négociation de cette nature s'engage, il faudra que les efforts pour créer une offre privée compétitive aient abouti, à moins qu'une mutation technique dans le transport spatial – si improbable qu'elle paraisse aujourd'hui – ne vienne bouleverser les données du problème.

Dans le domaine des satellites, au contraire, l'industrie opère en situation de concurrence normale sur le marché mondial. Le rôle de l'Etat n'a pas pour autant disparu. Les contraintes qui s'imposent aux satellites opérationnels – durée de développement aussi réduite que possible, minimisation des risques techniques – conduisent les constructeurs à un certain conservatisme dans un domaine où, nous l'avons vu, l'évolution technologique est extrêmement rapide. Les programmes financés sur fonds publics, notamment ceux des agences spatiales, conservent donc un rôle important, en assurant la prise de risque inséparable de l'innovation. L'impossibilité de réparer en orbite confère une importance particulière à l'acceptation et à la maîtrise de ce risque.

Ces facteurs sont communs à l'industrie spatiale mondiale. L'industrie européenne possède des caractères spécifiques qu'éclaire une comparaison avec l'industrie spatiale américaine.

Une comparaison quantitative globale fait d'abord ressortir une évidente supériorité de l'industrie américaine : les ventes totales en 1994 sont dans le rapport de 1 à 8, soit 28,5 milliards contre 3,5 milliards de dollars. Le Japon vient au troisième rang avec 2 milliards de dollars. Une analyse par catégorie tempère cependant ce constat. La part du commercial est beaucoup plus importante dans l'industrie européenne (34 %) que dans l'industrie américaine (7 %), ce qui ramène à 1,7 le rapport des parts de marché américain et européen. L'industrie japonaise, quant à elle, consacre 42 % de son activité au marché, soit 0,84 milliard de dollars. En outre, la part des exportations est beaucoup plus forte dans l'activité de l'industrie européenne ; elle représente 10 à 15 % du total des ventes, alors que le chiffre correspondant est, pour les Etats-Unis, de 5,6 % et, pour le Japon, de 6,5 %. Cela dénote une compétitivité de l'industrie européenne, mais constitue également un élément de vulnérabilité.

Une deuxième différence réside dans l'importance des ventes militaires qui représentent 47 % du total aux Etats-Unis et seulement 9 % en Europe. Encore ces 9 % sont-ils concentrés dans deux pays, la France et le Royaume-Uni. Ainsi l'industrie américaine s'appuie sur un marché gouvernemental et un marché intérieur beaucoup plus importants que ceux dont bénéficie l'industrie européenne, sans que cela lui ait permis de conserver une supériorité décisive à l'exportation.

A ces différences quantitatives se juxtaposent des différences d'ordre qualitatif. Dans le domaine des satellites, l'industrie européenne n'a pas achevé sa structuration à

Ventes 1995 consolidées de l'Industrie spatiale européenne

Total = 3,56 milliards d'ECUS

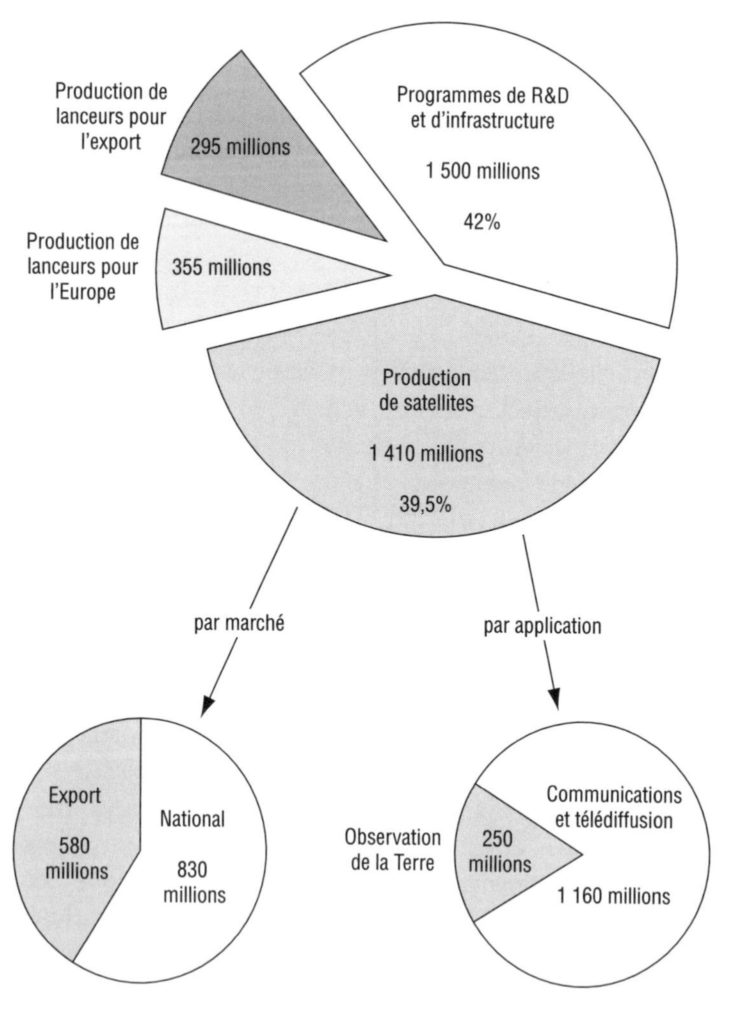

Ventes de l'Industrie spatiale européenne en 1995. Le marché des lancements, malgré le succès d'Ariane, est très inférieur au marché des satellites. (Document Euroconsult, Space Business in Europe, *1996.)*

l'échelle de l'Europe. L'intervention étatique, indispensable à la constitution du potentiel industriel européen, a freiné la structuration transnationale. Les rivalités nationales ont conduit à maintenir une fragmentation du potentiel industriel. La maîtrise d'œuvre des projets, considérée comme la tâche noble par excellence, a focalisé ces rivalités, conduisant à une multiplication des capacités de maîtrise d'œuvre tout à fait excessive. Par ailleurs, pour répondre à la contrainte de juste retour, l'ESRO puis l'ESA se sont appuyées sur la constitution de consortiums transeuropéens capables d'assurer une distribution des tâches entre leurs membres. Mais ces consortiums étaient des structures *ad hoc* fragiles, constituées pour s'adapter à une contrainte artificielle et nullement adaptées à répondre aux exigences du marché. La transition est difficile parce que, quelles que soient les exigences des représentants de l'Etat, elle sont moins brutales que celles du marché ; elle est cependant indispensable.

La situation est différente dans le domaine du transport spatial. L'effort nécessaire pour créer une capacité de lancement a découragé les tentations fractionnelles, du moins jusqu'à ce jour. Mais les conditions dans lesquelles s'est créée la capacité européenne laissent subsister plusieurs problèmes difficiles dont le premier est celui d'Arianespace.

Il n'existe pas, à proprement parler, de maître d'œuvre industriel du projet Ariane. Le CNES a joué ce rôle pour le compte de l'ESA en s'appuyant sur un architecte industriel, l'Aérospatiale, et sur des contractants principaux. Lorsque le lanceur est devenu opérationnel, on a créé, pour le mettre en œuvre, une société qui rassemble, dans son tour de table, les industriels responsables des tâches de production et le CNES. La conquête par la société Arianespace d'une position dominante sur le marché des lancements commerciaux repose autant sur la qualité du service qu'elle fournit aux utilisateurs et des installations dont elle dispose en Guyane que sur les qualités du lanceur Ariane 4. La France joue dans Arianespace un rôle particulier, grâce à l'engagement initial majeur qu'elle a pris dans le financement du développement et au rôle de maître d'œuvre, délégué au CNES par l'ESA. Malgré cela, et bien que, faute d'un cadre juridique européen, on ait créé une société de droit français, Arianespace est considérée par ses actionnaires comme une véritable structure européenne. Cependant, cette structure, qui a près de vingt ans d'âge, devra évoluer dans les années qui viennent. Elle était parfaitement adaptée pendant la longue période au cours de laquelle ont coexisté un grand programme de développement intégralement financé par la puissance publique et une activité d'exploitation commerciale confiée à cette structure *ad hoc*. Elle devra s'adapter à l'évolution de ce contexte.

D'une part, au-delà du développement des versions successives d'Ariane – Ariane 2, 3 et 4 – puis d'un nouveau lanceur Ariane 5, il semble probable que l'effort de développement européen marquera sinon une pause du moins un ralentissement. Certes, des améliorations d'Ariane 5 seront nécessaires pour augmenter sa puissance ou pour l'adapter au lancement de constellations, mais cet effort ne devrait pas atteindre le niveau requis pour son développement. Par ailleurs, la tendance des Etats sera sans aucun doute de demander à l'industrie de participer au financement, comme cela s'est déjà manifesté lorsque des financements complémentaires ont été requis après l'échec du premier vol de qualification. Tout cela conduit à souhaiter la création d'une structure industrielle plus globale et plus compacte qui embrasse l'ensemble des tâches et soit davantage capable de se substituer à la puissance publique. Il est encore difficile de discerner à quoi conduira le mouvement amorcé dans ce sens, mais il est clair que de sa maîtrise et de son aboutissement dépendra pour une bonne part la position de l'Europe dans les décennies à venir. Il semble en particulier essentiel que cette structure industrielle, quelle qu'elle soit, soit ressentie comme véritablement européenne par tous les partenaires. La France en effet, par un paradoxe dont l'Europe est coutumière, doit se faire pardonner le rôle prépondérant qu'elle a joué dans la création d'un accès à l'espace pour éviter que se concrétisent des tendances centrifuges. Elle ne saurait ni porter seule l'avenir de ce secteur ni maintenir indéfiniment une hégémonie, qui ne serait plus en rapport avec son engagement financier.

On observe aux Etats-Unis, en même temps qu'un regroupement de l'industrie des satellites autour de grands pôles, une tendance à la concentration verticale, chacun de ces pôles développant sa propre capacité de lancement. Faut-il aller dans cette direction en Europe ? Cela aurait des inconvénients évidents en regard d'avantages douteux. Le fait qu'Arianespace ne soit liée à aucun constructeur de satellites lui donne, à l'égard de ses clients, un cachet d'impartialité marqué. Mieux vaut donc considérer que le marché des satellites et celui des lanceurs relèvent de structures distinctes.

On peut résumer ainsi les problèmes que pose l'avenir de l'Industrie spatiale européenne :

– le stade où la puissance publique construit l'industrie est largement révolu et les agences de développement doivent évoluer d'un comportement de donneur d'ordre à un comportement de partenaires dont la tâche prioritaire est d'accroître la compétitivité industrielle ;

– l'industrie des satellites doit se concentrer davantage ; il y a place en Europe pour un maître d'œuvre transnational, peut-être pour deux, certainement pas pour plus. Elle doit aussi développer une meilleure vision stratégique, qu'une tutelle excessive de l'Etat a trop souvent atrophiée. Son avenir réside dans sa capacité de s'imposer sur le marché, non dans son habileté à exploiter les sources de financement public.

Chapitre IX

LA POLITIQUE SPATIALE AMÉRICAINE

> Il faut oser regarder les Américains en face, ils finissent par s'y faire.
>
> CHARLES DE GAULLE
> cité par Alain Peyrefitte,
> *C'était de Gaulle*

Comprendre la démarche américaine présente à l'évidence un intérêt central pour la formulation d'une politique spatiale européenne, et cela pour au moins deux raisons. Une ambition spatiale de l'Europe ne peut que heurter les tendances hégémoniques américaines ; en revanche certains secteurs comme la recherche fondamentale ou la gestion de la planète imposent une coopération à l'échelle mondiale. Gérer cette dialectique de la coopération et de la compétition est l'un des impératifs qui s'imposent à l'Europe, si elle veut exister par elle-même.

« Y a-t-il une stratégie spatiale des Etats-Unis ? » Dans la bouche d'un Européen, une telle question friserait l'impertinence, mais c'est John Logsdon, directeur de l'Institut de politique spatiale de l'Université George Washington, qui en fait le titre d'un éditorial publié dans *Space News,* en 1997 [2]. Il s'y interroge sur l'origine du leadership spatial des Etats-Unis, ignorant soigneusement dans sa réflexion les brèches que constituent la position dominante d'Ariane et l'échec de Landsat. Est-il le résultat, se demande-t-il, d'une stratégie nationale cohérente ou celui d'une série de décisions disjointes et d'actions disparates venant du secteur public comme du secteur privé ? Logsdon incline pour la seconde hypothèse, compte tenu de l'aversion du système politique américain pour les mécanismes de décision centralisés, et conclut que l'hégémonie spatiale des Etats-Unis est davantage le résultat de la force du système américain que celui de quelque grand dessein. Cette réflexion a été stimulée par un échange de vues avec l'analyste français Xavier Pasco, auteur d'une remarquable étude sur la politique spatiale américaine[3]. Pasco, selon Logsdon, discerne dans les multiples décisions prises par de nombreux acteurs l'influence d'une stratégie américaine guidée par l'objectif global d'être une superpuissance efficace dans le nouveau contexte international. Ainsi, même s'il n'y a pas de stratégie spatiale en soi, chaque décision individuelle serait influencée par un dessein stratégique et, de la sorte, l'ordre émergerait du chaos. « Peu d'entre nous qui travaillons dans l'espace pensent en termes aussi larges que Pasco. Et peut-être le devrions-nous, ajoute Logsdon. Certainement, la plupart des décideurs, dans le secteur public et dans le secteur privé, considèrent que le leadership spatial et le leadership mondial des Etats-Unis sont choses désirables et conforment leurs choix à cette fin. » L'analyse se termine par une série de questions laissées sans réponse : « Y a-t-il une stratégie nationale pour l'emploi de la suprématie spatiale américaine en faveur des intérêts américains ? [...] Quelle différence le maintien d'une hégémonie spatiale créerait-elle pour la position globale des Etats-Unis dans le monde ? » Peu importe, au fond, qu'il y ait une stratégie spatiale américaine conçue et mise en œuvre explicitement, ou qu'une démarche d'ensemble dans ce domaine soit l'effet d'un objectif d'hégémonie globale si communément accepté qu'il n'est plus perçu et fait partie de l'inconscient collectif américain. Ce qui importe est de savoir comprendre et prévoir les réactions du partenaire américain aux initiatives et aux ambitions européennes.

La tâche n'est pas aisée parce que les acteurs de la politique spatiale américaine sont multiples. Dans l'attitude de chacun d'eux, des impératifs tactiques qui lui sont propres se superposent aux tendances générales et brouillent la démarche. Autre aspect du système américain qui éclaire l'interrogation de Logsdon sur l'existence d'une stratégie spatiale, il n'y a pas d'acteur central. Il est vrai qu'en retour, pour les Etats-Unis, les arcanes du système européen sont sans doute encore plus malaisées à pénétrer.

Les Etats-Unis et la coopération internationale

> En prenant la direction de futures entreprises internationales visant à élargir et à rendre plus fréquent le travail en commun dans le domaine civil et militaire, les Etats-Unis peuvent renforcer leur position dans les domaines de la politique étrangère, de l'économie et de la sécurité nationale, tout en faisant progresser leurs objectifs programmatiques dans l'espace. [...] Façonner un agenda international commun [...] devient le moyen privilégié pour les Etats-Unis de peser sur les futures orientations spatiales à travers le monde.
>
> *A Post Cold War Assessment of US Space Policy, a Task Group Report*

La coopération internationale est partie intégrante, depuis les origines, du programme spatial américain ; elle est inscrite dans le *National Aeronautics and Space Act*[4] de 1958 qui pourvoit à ce que « les activités spatiales des Etats-Unis soient conduites de façon à ce qu'elles contribuent matériellement à [...] la coopération des Etats-Unis avec d'autres nations ou groupes de nations » ; elle l'est aussi dans la loi créant la NASA, laquelle l'a pratiquée avec une grande générosité. Le CNES a pu ainsi former ses premières équipes d'ingénieurs au *Goddart Space Flight Center* et bénéficier de lancements gratuits pour deux de ses premiers satellites. Cette ouverture intelligente sur le monde ne doit pas cependant nous conduire à en prendre une vision candide, pas plus que la NASA ne devrait s'étonner de voir ses protégés, venus à l'âge adulte, saisis du désir de tuer le père. Arnold Frutkin, qui fut l'artisan de la politique internationale de la NASA depuis les origines et pendant plus de quinze ans, a fait preuve à cet égard de beaucoup de lucidité et de réalisme, du moins dans ses écrits[5] : « Toute analyse des éléments internationaux de notre expérience spatiale nous indique que nous devons, au départ, reconnaître et accepter une dualité fondamentale dans la motivation nationale. Nous recherchons de nouveaux niveaux d'entreprises communes, particulièrement avec l'Union soviétique, pourtant, simultanément, nous entrons en compétition pour la prééminence et la préservation de la sécurité nationale. Il y a en somme, dans le tableau, des éléments de coopération et de compétition. » Publiées il y a plus de trente ans, ces lignes, sauf à remplacer Union soviétique par Russie, n'ont pas pris une ride.

Si, pour l'essentiel, les relations spatiales entre l'Europe et les Etats-Unis se sont établies par l'intermédiaire de la NASA, ce rôle d'acteur principal qu'exerce l'agence gouvernementale ne doit pas conduire à considérer que les programmes coopératifs avec la NASA expriment en totalité la relation de l'Europe et des Etats-Unis. Ce sera de moins en moins le cas, une raison parmi d'autres étant que le rôle dévolu aux agences spatiales civiles en Europe, singulièrement au CNES et à l'ESA, est plus large que celui qui est imparti à l'agence civile américaine.

Une synthèse officielle

Dans un document intitulé *National Space Policy*[6], publié en septembre 1996, le *National Science and Technology*

Council (NSTC) de la Maison-Blanche procède à une remise à jour de la politique spatiale américaine. Il s'agit d'un document essentiel, propre à éclairer l'avenir des relations avec les Etats-Unis.

Son intérêt réside moins dans les aspects programmatiques que dans les précisions qu'il apporte sur les objectifs généraux de l'activité spatiale américaine, sur le partage des rôles entre les agences gouvernementales impliquées et sur les relations de ces agences avec le secteur commercial.

Sans procéder à une analyse exhaustive, nous relèverons certains traits. L'introduction, après avoir indiqué que « l'accès à l'espace et son usage jouent un rôle central dans la préservation de la paix et la protection de la sécurité des Etats-Unis, comme de leurs intérêts civils et commerciaux », précise comme objectifs généraux « le renforcement de la compétitivité économique et des capacités scientifiques des Etats-Unis, la promotion de la coopération internationale pour appuyer les politiques domestique, de sécurité nationale et étrangère des Etats-Unis ».

Aux termes de ce préambule, l'espace apparaît ainsi clairement comme un élément constitutif de la puissance américaine. Cela implique la volonté d'y maintenir, dans tous les secteurs, une position dominante.

Une innovation essentielle concerne le transport spatial où les rôles respectifs de la NASA et du secrétariat à la Défense sont très nettement distingués. La NASA est chargée de préparer « la prochaine génération de lanceurs réutilisables ». Le DoD devient « l'agence principale pour l'amélioration et l'évolution de la flotte actuelle de lanceurs consommables, y compris les développements technologiques appropriés ». Une telle disposition traduit la volonté de reconstruire une position dominante dans le transport spatial en conjuguant les objectifs militaires et commerciaux ; prise au début des années 1980, elle aurait évité aux Etats-Unis les douloureuses péripéties qui ont résulté de la politique « tout Navette » de la NASA.

Les aspects les plus intéressants du document du NSTC sont ceux qui concernent l'espace commercial – objet d'une section distincte – et les relations des agences gouvernementales avec le secteur privé. « L'objectif fondamental de la politique de l'espace commercial est de soutenir et de renforcer la compétitivité économique américaine dans les activités spatiales, tout en protégeant les intérêts des Etats-Unis dans les domaines de la sécurité nationale et de la politique étrangère. » La NASA est invitée à « travailler avec le secteur privé » pour développer des démonstrateurs de lanceurs réutilisables, à mettre en œuvre, pour réduire les coûts, « des pratiques innovantes d'acquisition », à « promouvoir des partenariats entre gouvernement, industrie et monde académique », à établir un programme de démonstration fondé sur l'achat de données de télédétection au secteur privé américain, à privatiser, avant 2005, son système de communications, et à acquérir, sauf exception, ses satellites auprès des fournisseurs privés.

Par ailleurs, pour les lancements commerciaux, il s'agit d'établir une transition d'une politique de quotas, qui préserve une part du marché pour chacun des lanceurs commerciaux disponibles, à une compétition commerciale ouverte. Il est vraisemblable que cette démarche ne sera pas mise en œuvre avant que les Etats-Unis aient rétabli, comme ils tentent de le faire, leur compétitivité dans ce domaine. Les lancements gouvernementaux continueront d'ailleurs à être réservés aux lanceurs américains.

Cette expression de la politique spatiale américaine, la plus complète dont nous puissions disposer, correspond à un effort de synthèse qui n'avait pas été entrepris depuis 1989. Sous son aspect cohérent et monolithique se dissimulent des fragilités et des disparités dont les origines sont lointaines. Pour bien les discerner, il convient de les rattacher à leur source historique.

Les vols habités et le paradigme Eisenhower

Le grand schisme, toujours présent dans le programme spatial américain, remonte à la présidence d'Eisenhower. La vision qu'Eisenhower avait de l'espace était empreinte de mesure et de modération. Dans le contexte de la guerre froide, marqué par le souvenir de Pearl Harbour et convaincu par son expérience militaire de la puissance de la reconnaissance aérienne pour prévenir une attaque surprise, il voyait dans l'espace le moyen de contourner la principale faiblesse des avions et de tous les engins atmosphériques : le fait qu'en pénétrant dans l'espace aérien, ils violent la souveraineté nationale. Il était donc déterminé à établir par la pratique le principe de la liberté du survol par des engins spatiaux. Il choisit de le faire avec un satellite civil – un satellite scientifique inscrit dans le cadre de l'Année géophysique internationale – moins susceptible qu'un satellite militaire, par sa nature et par son appartenance à une entreprise de coopération scientifique à l'échelle mondiale, de susciter des réactions hostiles de l'Union soviétique. Les satellites militaires de reconnaissance suivraient. Les vols habités ne tenaient aucune place significative dans la vision d'Eisenhower, les satellites automatiques permettant d'accomplir, à coût bien moindre, tout ce qu'il estimait utile en termes de recherche scientifique et de sécurité nationale. Aussi bien le seul programme habité qu'il autorisa fut le développement de la capsule monoplace Mercury, et dans son ultime message au Congrès, il recommanda de n'entreprendre de vols habités que dans la mesure où l'on aurait pu en établir une justification rationnelle.

Cette conception s'opposait diamétralement à l'image de l'exploration spatiale développée dans l'opinion publique américaine par un certain nombre de promoteurs médiatiques, au premier rang desquels Werhner von

Braun. La conception de von Braun allait triompher, du moins en apparence, pour des raisons largement circonstancielles. Ce triomphe occulte la divergence entre les deux visions de la politique spatiale américaine qui ont précédé la décision historique de Kennedy. L'affrontement fut cependant sévère, comme le rappelle Howard McCurdy[7], allant jusqu'à l'attaque personnelle contre von Braun, qualifié « d'homme qui a perdu la guerre pour Hitler » et accusé d'entraîner les Etats-Unis vers un destin similaire dans la guerre froide. D'un côté existait un groupe de scientifiques et d'ingénieurs qui voulaient conduire des recherches dans l'espace, d'où émerge la personnalité de George Killian, qui fut plus tard président du MIT et qui dirigeait le comité scientifique consultatif d'Eisenhower ; leurs vues sont exprimées dans un rapport[8] de ce comité qui établit un bilan des activités susceptibles d'être entreprises avec des satellites et des sondes spatiales. En face, les promoteurs de l'exploration spatiale avaient su ajouter, à la dimension onirique de leur vision, un argument de circonstance propre à exploiter les craintes latentes de l'opinion publique : la menace que représentait la maîtrise par l'Union soviétique d'armes spatiales. Aujourd'hui, alors que le potentiel de telles armes a été reconnu pour ce qu'il était, c'est-à-dire nul, on a peine à imaginer l'impact de déclarations, relayées par les médias, commises, par exemple, par le général Bonskey : « Celui qui contrôle la Lune contrôle la Terre », ou par von Braun lui-même : « Quiconque conquiert cette position ultime obtient le contrôle, le contrôle total, de la Terre, que ce soit pour la tyrannie ou pour le service de la liberté. » Peu importait que ces assertions soient totalement indémontrées, et d'ailleurs bien évidemment indémontrables, leur impact dans une ambiance où dominait la crainte d'une agression atomique était considérable. Il serait intéressant de savoir si ceux qui les avançaient étaient eux-mêmes convaincus de la véracité de leurs dires, savoir malheureusement aussi inaccessible que celui-ci : von Braun était-il convaincu de l'efficacité militaire des V2 ?

Mais les circonstances allaient déterminer la victoire des tenants des vols humains et d'un grand *« crash program»*. Deux événements se révélèrent décisifs.

Il y eut d'abord le lancement par les Soviétiques du premier satellite et la commotion qui en résulta pour l'opinion publique américaine. En second lieu, lors d'une élection présidentielle extrêmement disputée et gagnée par une marge extraordinairement mince, Kennedy avait fait, de la nécessité pour les Etats-Unis d'être les premiers dans la course à l'espace, un de ses thèmes de campagne. Dès le début de 1961, il engageait une croissance massive de l'effort spatial américain puis lançait le projet Apollo, en quintuplant le budget de la NASA et en plaçant les vols habités au cœur du projet de l'agence spatiale américaine. Il le fit contre l'avis de son conseiller scientifique Jerome Wiesner et les termes, rapportés par John Logsdon[9], qu'il utilisa pour lui signifier sa décision nous éclairent sur ses motivations profondes qui n'ont rien de spécifiquement spatial : « C'est votre faute. Si vous aviez une première scientifique sur cette Terre qui soit plus utile – comme disons, dessaler l'océan – ou quelque chose d'au moins aussi spectaculaire et aussi convaincant que l'espace, alors nous le ferions. »

Dans cet épisode dramatique, le paradigme Eisenhower perdit toute visibilité, sans disparaître pour autant. Les deux conceptions de l'espace continuèrent à coexister, l'éclat médiatique de l'une éclipsant l'autre.

La conception utilitaire a d'abord investi le programme militaire à la faveur du clivage institutionnel entre civil et militaire, dont l'origine remonte précisément à la présidence d'Eisenhower. Lorsque le niveau de financement de l'espace militaire américain dépassa, en 1973, celui de l'espace civil, cela marquait, en quelque sorte, un retour en force des tenants des véhicules automatiques. Dans le même temps la culture utilitaire, pour n'être pas dominante à la NASA, n'en était pas absente. Dans la rivalité traditionnelle entre les différents centres de la NASA, elle était exprimée par le *Jet Propulsion Laboratory* (JPL) en Californie, spécialiste des sondes lointaines et des projets planétaires et par le *Goddart Space Flight Center* dans la banlieue de Washington. En revanche, le *Marshall Space Flight Center* à Huntsville, où opéra l'équipe von Braun, et le *Johnson Space Center* à Houston soutenaient la prééminence des vols humains. Ainsi, au sein même de la NASA et dans les milieux proches de l'espace, une dualité s'est perpétuée, source d'affrontements qui resurgirent à l'occasion de chaque nouvelle étape des programmes habités.

Que peut-on attendre de l'avenir ?

L'équilibre précaire de l'agence civile américaine repose sur cette coexistence entre le paradigme von Braun et le paradigme Eisenhower, entre les vols habités et les programmes robotiques. Sans nul doute, la disparition de la composante vols habités produirait une commotion majeure et l'importance de la NASA s'en trouverait fortement affaiblie, d'autant que cette agence est exclue de nombreux secteurs importants du vol robotique. Or le maintien d'un programme américain de vols habités tient à deux facteurs, et à deux seulement : le programme de Station spatiale internationale, et le fait que, jusqu'à ce jour, aucun président des Etats-Unis n'a voulu prendre la responsabilité politique d'être celui qui a mis fin aux vols spatiaux. C'est là une situation extraordinairement fragile par rapport à tout ce qu'on a connu dans le passé, qui comporte le risque d'une crise majeure du programme civil américain. La politique spatiale de Kennedy, fondée sur un avatar du paradigme de von Braun, fut pour un temps solidement ancrée dans le contexte politique de la guerre froide, ce qui lui permit de résister aux attaques qu'elle connut dès 1963 ; Apollo, dont les objectifs politiques étaient au demeurant radicalement différents de ceux que prônaient les tenants de l'exploration spatiale, fut cependant écourté par Nixon.

La décision de construire la Navette spatiale n'a été obtenue que moyennant la promesse, non tenue et non tenable, que ce nouveau lanceur assurerait la supériorité du transport spatial américain. Le projet de station spatiale n'est sorti d'un long purgatoire, entamé en 1984 sous la présidence de Reagan, qu'à la condition de devenir l'outil d'une coopération à la fois symbolique et substantielle avec la Russie nouvelle. Il est donc fondé sur une conjoncture fragile. Les efforts de la NASA pour retrouver un objectif à long terme aux vols humains ont été, à ce jour, aussi divers qu'infructueux. La recherche de la vie sur Mars et les effets d'annonce auxquels elle a donné lieu n'ont pas suscité mieux, à ce jour, qu'une querelle d'experts. Il est d'ailleurs curieux d'observer les efforts investis pour pousser l'exploration de Mars au premier plan et pour faire oublier le retour sur la Lune alors que, pour observer l'Univers, Mars avec son atmosphère absorbante et poussiéreuse n'offre pas un avantage déterminant sur la surface terrestre. C'est que le retour sur la Lune aurait un parfum de déjà vu, alors qu'on espère du vol vers Mars qu'il puisse enflammer l'imagination populaire.

On a cherché aussi a découvrir, alors que la crainte du conflit atomique n'est plus aussi pesante qu'elle le fut, de quelles menaces nouvelles la technique spatiale pourrait bien protéger l'humanité. On a intronisé, dans ce rôle, le danger que ferait courir à la Terre une collision avec un astéroïde ou une comète. Renouvelée du Trissotin de Molière :

> Nous l'avons en dormant, Madame, échappé belle :
> Un monde près de nous a passé tout du long,
> Est chu tout au travers de notre tourbillon ;
> Et s'il eût en chemin rencontré notre terre,
> Elle eut été brisée en morceaux comme verre.

Cette terrifiante perspective n'a pas vraiment ému, à ce jour, le couple que forment le pouvoir politique et l'opinion publique.

En définitive, une vue rétrospective des décisions politiques concernant le vol humain depuis les origines montre que, malgré la foi de ses partisans, elles ont toujours été prises pour des raisons circonstancielles : les vols spatiaux apparaissent comme l'accessoire d'une politique, non comme une fin en soi.

Y a-t-il une chance pour que cette situation se retourne ?

J'emprunte à John Logsdon une réflexion qu'il développe dans un texte récent intitulé « Pourquoi la Station spatiale a-t-elle survécu[10] ? » Il y déclare que : « La Station spatiale sera le premier véritable test de la conviction [...] que l'activité humaine en orbite terrestre et au-delà peut apporter des résultats tangibles et considérables [...], bien qu'aujourd'hui, les preuves que ces résultats sont substantiels ne survivraient pas à une analyse coût-bénéfice [...]. Sans la Station, les raisons que les gouvernements peuvent avoir pour continuer à envoyer des hommes dans l'espace s'effondrent, puisqu'il n'y a aucune volonté politique actuelle de reprendre l'exploration lointaine. » De fait, les propos tenus par l'administrateur général de la NASA lors de sa tournée européenne de 1997 rappellent la doctrine Eisenhower : « La conquête de Mars ne sera possible que sur une base internationale et si son coût est dix fois inférieur aux premières estimations. Avant de s'y lancer, nous devons nous assurer avec nos partenaires que quatre critères sont remplis : Est-ce intéressant sur un plan scientifique ? La sûreté des équipages est-elle assurée ? Est-ce financièrement acceptable ? Est-ce rentable du point de vue technologique et économique ? Les recherches menées à bord de la Station spatiale internationale pourront aider à répondre à ces questions[11]. » Cela rejoint la conclusion de John Logsdon : « Un échec de la Station spatiale à démontrer que les personnels en orbite autour de la Terre peuvent produire des résultats de valeur découragerait certainement toute activité humaine future. Tous ceux s'intéressant au développement des capacités spatiales devraient espérer le succès. » Le malheur est que la volonté d'espérer n'a guère d'effets sur l'issue de l'aventure.

Ainsi, de l'avis même d'un de ses analystes les plus qualifiés, l'effort spatial porte en lui une faille présente depuis ses origines, une incertitude porteuse d'un risque de crise majeure. La politique spatiale européenne doit donc se montrer particulièrement prudente à l'égard de la NASA, s'agissant des vols habités. Où en serait aujourd'hui l'espace européen si on s'en était remis à une coopération avec les Etats-Unis sur le programme de la Navette pour assurer l'accès de l'Europe à l'espace ? C'était pourtant l'option que prônaient certains, à une époque où l'échec de la Navette leur semblait un scénario inconcevable.

Les acteurs de la politique spatiale américaine

L'existence de centres de pouvoirs politiques indépendants est sans doute ce qui caractérise le plus fortement le système politique américain par rapport à la France, marquée par la primauté de l'exécutif, et à l'Europe, où le pouvoir politique revêt des formes encore diffuses. S'agissant de l'espace, le jeu de pouvoir essentiel s'établit entre la Maison-Blanche et le Congrès, avec une tendance marquée de ce dernier à renforcer sa tutelle sur l'Agence spatiale civile, et à exercer à l'occasion, grâce au vote du budget, un véritable micro-management des programmes de l'Agence. Le Congrès est lui-même travaillé par les lobbies industriels, en particulier ceux des fiefs électoraux, et l'Agence spatiale à son tour essaie de s'assurer leur appui ou d'éviter leur hostilité. Les prises de décision programmatiques sont très éloignées de celles qui nous sont familières en Europe.

Tout cela confère à l'ensemble du programme fédéral civil un degré relativement élevé d'instabilité. Le principal facteur en est l'annualité budgétaire. Les décisions peuvent être très rapides, mais leur remise en cause l'est tout autant, à la différence du système européen où elles sont laborieuses et les remises en cause exceptionnelles. Cette disparité des comportements est source de quelques difficultés dans la conduite des programmes coopératifs avec les Etats-Unis. Elle est accentuée par le fait que les accords de coopération sont établis par la NASA « sous réserve de la disponibilité des fonds », c'est-à-dire sous réserve que le Congrès vote les financements annuels nécessaires. La NASA a toujours été fidèle à ses engagements, mais il faut aussi qu'on lui donne les moyens de les tenir. Cela n'a pas toujours été le cas. Les Etats-Unis ont, par exemple, remis en cause le projet ISPM *(International Solar Polar Mission)* rebaptisé Ulysse, laissant l'ESA conduire pratiquement seule un projet diminué. Du côté européen, en revanche, les accords de coopération sont toujours conclus de façon inconditionnelle et il n'existe pas d'exemple où l'ESA – ou un pays européen dans le cadre d'une coopération bilatérale – n'ait pas respecté ses engagements. L'annualité budgétaire appliquée à des projets qui, par nature, sont pluriannuels, constitue une faiblesse dont l'Europe a su se garder. Mais, du côté américain, comme cette pratique est un outil de pouvoir essentiel pour le Congrès, il y a peu de chance qu'elle disparaisse.

Le programme militaire américain est beaucoup moins sujet aux intermittences de la volonté politique que le programme civil. L'identification des objectifs et la cohérence

Page 241 : *budgets spatiaux gouvernementaux civils et militaires des Etats-Unis, de l'Europe, du Japon, de la Russie (CIS) et de la Chine en 1996. Les chiffres concernant la Russie et la Chine sont des estimations qui doivent être prises avec précaution. (Document Euroconsult, 1997.)*

Dépenses publiques dans le domaine spatial, militaire et civil, aux Etats-Unis, en Europe, au Japon et en Chine, en 1996

(en millions de dollars, taux de change janvier 1996)

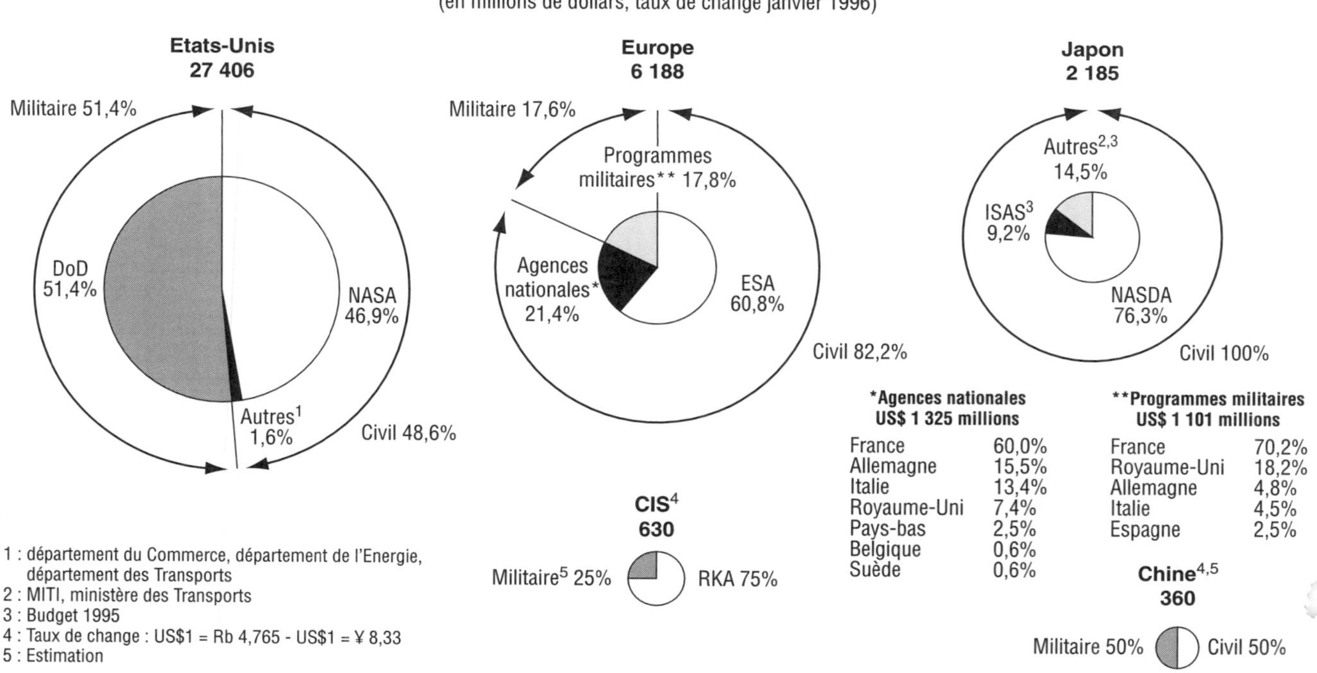

1 : département du Commerce, département de l'Energie, département des Transports
2 : MITI, ministère des Transports
3 : Budget 1995
4 : Taux de change : US$1 = Rb 4,765 - US$1 = ¥ 8,33
5 : Estimation

entre ces objectifs et les projets sont beaucoup plus aisées à assurer que dans le programme civil. Cela tient aussi à ce que les erreurs stratégiques majeures lui ont été épargnées, peut-être contre le gré de ses responsables, par la volonté de la NASA, suivie en cela par l'exécutif, de s'assurer le monopole des vols habités. Toutes les tentatives, nombreuses, des responsables des forces armées pour développer une activité de cette nature ont été bloquées par le pouvoir politique, de sorte que le programme militaire constitue une parfaite illustration et, d'une certaine manière, un triomphe du paradigme Eisenhower. Il reste à voir comment les changements intervenus dans le contexte international vont l'affecter. Mais, pour la puissance dominante, la disparition de la menace soviétique ne va pas changer substantiellement le besoin de surveillance et d'une capacité d'intervention globale. Il est vraisemblable qu'ayant atteint la saturation des besoins correspondants le financement militaire continuera au niveau où il se trouve et sans être affecté par les sources de fragilité propres au programme civil.

Economie mixte et commercialisation

Le terme commercialisation revêt, dans le langage de la politique spatiale, au moins deux acceptions radicalement différentes. Lorsque les Etats-Unis envisagent de commercialiser la Navette spatiale, il ne s'agit évidemment pas, et pour cause, d'en assurer une exploitation commercialement rentable ; il s'agit simplement de confier la mise en œuvre de cette exploitation à un opérateur privé sous contrat de l'administration fédérale, avec l'espoir que cette structure permettra d'atteindre un meilleur rapport coût-efficacité. *A contrario,* lorsque le document sur la politique spatiale nationale parle d'espace commercial, il se réfère à des secteurs où l'activité spatiale est devenue commercialement rentable. L'une des lignes directrices de la politique américaine est de commercialiser, au premier sens que nous avons défini, tout ce qui peut l'être avec l'espoir que cela engendre des gains de productivité ; ce n'est en définitive rien d'autre qu'une organisation un peu différente des activités financées par des fonds fédéraux.

Plus intéressantes sont les dispositions qui concernent la relation entre les activités commerciales, au sens second du terme, et les activités fédérales. La politique spatiale dispose que les agences gouvernementales utiliseront dans toute la mesure du possible les services commerciaux disponibles et qu'elles éviteront toute activité de nature à les décourager. Elle stipule d'autre part que les Etats-Unis s'abstiendront, dans la poursuite de leurs objectifs commerciaux, de recourir à des subventions fédérales directes. Il existe donc, en apparence du moins, une ligne de séparation nette entre le secteur commercial et le secteur public, excluant les pratiques d'économie mixte.

Cela nous amène à réfléchir sur le concept d'économie mixte. De nouveau, deux acceptions sont envisageables. On peut d'abord considérer qu'il s'agit d'une pratique structurelle consistant, par exemple, à introduire une participation de l'Etat dans le capital d'une société privée et à faire siéger dans son conseil d'administration des représentants de l'Etat au côté de représentants du secteur privé. Une telle pratique est commune en Europe, et singulièrement en France ; elle n'est pas acceptée aux Etats-Unis. Mais on peut aussi considérer qu'au-delà des *modus operandi* l'essence de l'économie mixte consiste à combiner, pour une même activité, un financement sur fonds privés et un financement sur fonds publics. Dans cette acception large, et bien qu'elle proscrive certaines pratiques comme la subvention directe, la *National Space Policy* prescrit des pratiques d'économie mixte à la mode américaine. Les apparences « cosmétiques » sont certes différentes et contournent les tabous propres à la culture et au système sociopolitique américains, mais l'essence de la démarche est la même : un apport de fonds publics au développement du secteur commercial. C'est naturellement le programme militaire dont les activités sont plus proches de celles du secteur commercial qui est la source principale, mais non exclusive, de ce soutien. Citons-en quelques exemples.

L'*US Navy* et une firme privée ont négocié la construction d'un satellite de cartographie des zones côtières. NEMO *(Navy Earth Map Observer)* serait exploité par la *Navy* pour ses besoins d'imagerie satellitaire et la compagnie vendrait les produits disponibles aux utilisateurs commerciaux. De même l'*Air Force* financerait des améliorations d'un satellite imageur d'*Orbital Science Corp.* pour qu'il réponde à certains besoins militaires[12].

De façon plus générale, la *National Space Policy* prévoit « le transfert, en temps opportun au secteur privé de la technologie développée par le gouvernement ». Il n'y a là rien d'exorbitant, rien qui ne procède d'une reconnaissance de la nécessité d'une symbiose entre l'action publique et le dynamisme privé et qui ne témoigne d'une profonde sensibilité des Etats-Unis à la dépendance stratégique engendrée par la maîtrise de l'espace. On doit reconnaître, cependant, que l'on est bien loin des dogmes ultralibéraux et qu'ils apparaissent, dans la démarche américaine, comme un article d'exportation.

Page 245 : *distribution du budget de la NASA (aéronautique exclue) pour l'année fiscale 1996. On notera l'importance de la part de ce budget allouée aux vols habités. (Document Euroconsult,* World Space Market Survey, *1996.)*

Répartition du budget spatial de la NASA pour l'année fiscale 1996

Total = 12 975 millions de dollars hors aéronautique

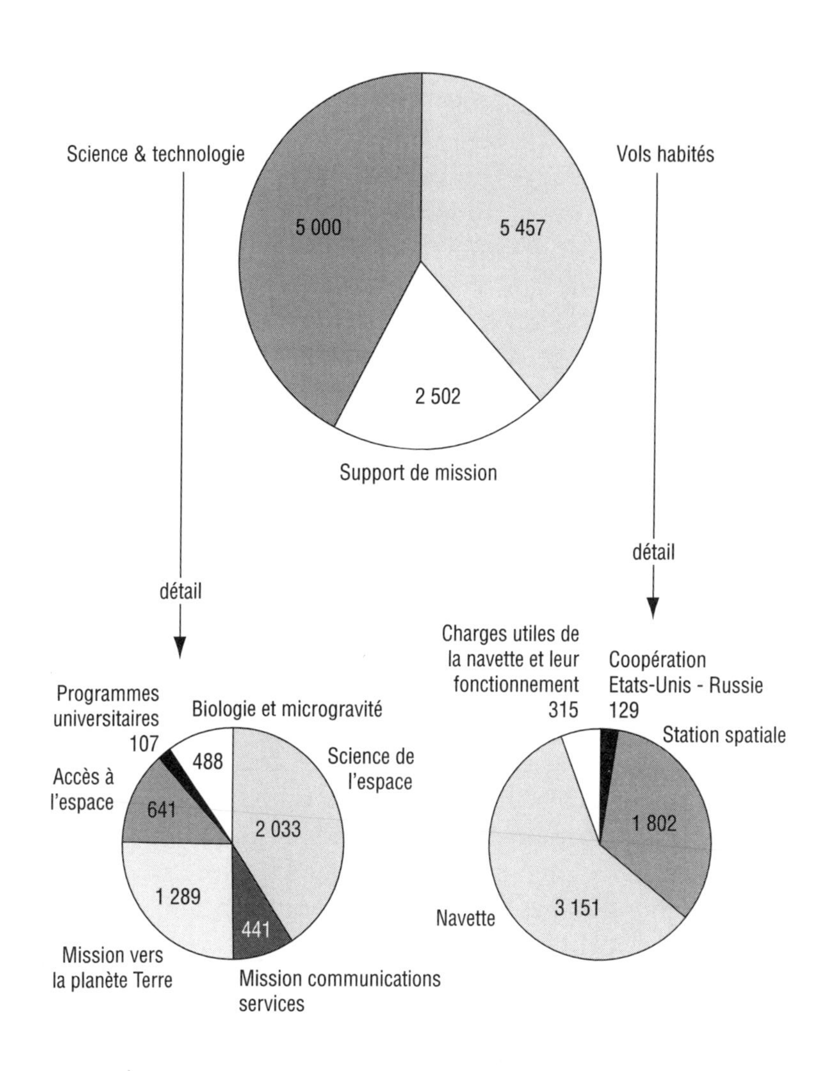

Forces et faiblesses de la politique spatiale des Etats-Unis

Il existe un paradoxe américain, né du contraste entre la puissance de l'effort spatial financé par l'Etat fédéral et les positions dominantes que l'Europe s'est acquises dans des domaines majeurs : lancements commerciaux, marché des images. Que l'Europe ait bien géré ses intérêts est une chose, mais, compte tenu de la disproportion des ressources investies, ces avantages n'auraient pu être acquis si le système américain n'avait pas des faiblesses. Au-delà des facteurs circonstanciels qui ont permis les percées d'Ariane et de SPOT, on doit s'interroger sur leur nature profonde et se demander si, dans l'avenir, elles seront corrigées.

Une première faiblesse réside dans le fait que les Etats-Unis ne disposent pas de mécanismes institutionnels permettant d'assurer une transition de responsabilité progressive et harmonieuse du secteur public vers le secteur privé. Cette carence est manifeste dans les deux exemples que je viens d'évoquer. Le programme spatial a posé un problème inhabituel pour lequel il n'existait pas de pratique éprouvée. Une grande administration civile, la NASA, construite sur un modèle qui n'aurait pas été déplacé en Union soviétique, dotée de puissants moyens techniques, a engendré des produits et des techniques pour lesquels il existait un marché. Dans le cas des satellites de télécommunications, la NASA a été dessaisie avant que ne se pose un véritable problème de transfert ; de plus, le marché était porteur et la prise en charge par le secteur privé s'est faite sans difficulté. Dans le cas de la télédétection, en revanche, le transfert a été tenté beaucoup plus tard et la viabilité commerciale n'était pas assurée, d'où l'échec de la privatisation de Landsat. Dans le cas des lanceurs, la NASA a fait de la relation au marché un élément de sa politique de transport spatial, ce qui a conduit au désastre. Tout indique, dans les intentions exprimées par la *National Space Policy,* que ces leçons ont été comprises.

Une seconde faiblesse est la disparité des objectifs : faille interne à la politique spatiale civile, disparité entre le programme civil et le programme militaire. Cependant, notre goût pour les démarches centralisées et monolithiques ne doit pas nous aveugler sur les désavantages de cette configuration éclatée : elle n'est peut-être pas la plus efficace lorsque les choix stratégiques sont bons, mais elle est moins vulnérable à des erreurs dans ces choix.

Une troisième faiblesse est l'instabilité qu'engendre le jeu de pouvoir entre l'exécutif et le Congrès, qui se traduit par un nombre élevé de projets entrepris puis interrompus. A quoi il faut ajouter l'incapacité – qui n'est pas propre aux Etats-Unis – du pouvoir politique à se mobiliser sur une vision ou sur un dessein à long terme.

En regard de ces faiblesses chroniques existent des éléments de force : la conscience largement présente que la maîtrise de l'espace est un outil d'hégémonie, la puissance d'une industrie rassemblée, l'ampleur des moyens dont dispose l'Etat.

Ce serait une erreur fatale pour l'Europe de compter sur le renouvellement des erreurs stratégiques du passé pour maintenir ses positions actuelles, et une erreur non moins fatale de méconnaître, dans sa relation avec les Etats-Unis, l'importance que, dans leur maniement de la dialectique coopération-compétition, ils accordent au second terme.

Chapitre X

OBJECTIFS ET STRATÉGIES POUR L'EUROPE

Une réflexion sur l'avenir de la politique spatiale européenne s'inscrit nécessairement dans une certaine idée de l'Europe. Si la construction européenne n'évoluait pas, comme elle n'a cessé de le faire vers un degré croissant d'intégration, il serait inutile d'espérer que l'Europe soit capable d'imposer sa présence dans le domaine spatial. Et, comme aucun pays de l'ensemble européen ne possède les moyens d'y parvenir seul, la part de l'Europe dans la conduite d'une politique spatiale mondiale deviendrait négligeable.

Les enjeux ne sont plus en effet ce qu'ils étaient il y a trente ans ; ce sont des enjeux à court terme qui appellent des réactions collectives rapides caractère qui s'accentuera au fil des années. Cela ne signifie pas que les ambitions nationales doivent s'effacer, mais qu'un changement d'optique doit s'accomplir. L'Europe était considérée comme le moyen de concrétiser une ambition nationale. A des degrés et sous des formes diverses, cette attitude était celle de tous les Etats-membres de l'ESA. Comme nous l'avons vu, la structure même de l'ESA, son mode de financement, la pratique du juste retour reflètent fortement son caractère d'organisation multi-étatique. Il faut qu'à terme un renversement de perspective se produise et que l'ambition européenne devienne le moteur au service duquel se placeront les ambitions nationales. La Californie et le Texas ont certes des ambitions spatiales et savent, à l'occasion, le faire savoir au pouvoir fédéral, mais ils n'ont pas d'ambition nationale au sens européen du terme ; leur ambition s'exprime totalement dans le cadre de la politique spatiale américaine sur laquelle leurs représentants savent naturellement peser. C'est à l'évidence vers cela qu'il faut tendre.

Une telle évolution est difficile et elle se heurte à beaucoup d'obstacles de nature très diverse. Seule l'industrie s'engage spontanément dans cette voie et tend à prendre de l'avance sur la construction européenne. Etant directement en prise sur le marché, elle perçoit plus directement la nécessité de la dimension européenne. Disposant de plus d'autonomie par rapport au pouvoir politique, elle peut plus rapidement y répondre.

Les agences spatiales ne peuvent guère être en avance sur la construction politique, mais elles peuvent être des moteurs ou des freins. Dans le cas de la relation CNES-ESA, qui est exemplaire de ce problème, le conservatisme propre aux structures publiques s'arc-boute sur des facteurs de conflit présents depuis les origines. En caricaturant quelque peu, on pourrait dire que l'ESA tend collectivement à considérer que rien de ce qui est national n'est européen et à se comporter comme un n plus et unième Etat-membre qui, à lui seul, détiendrait la légitimité européenne. Le CNES, *a contrario,* considère que, sans lui, l'ESA ne serait pas ce qu'elle est, et résiste à tout ce qui comporterait une menace de disparition ou d'amoindrissement de son rôle.

Le niveau politique, reflet des dissensions et des incertitudes concernant l'avenir de la construction européenne, est également affecté, dans le comportement de ses représentants, par des enjeux de pouvoir nettement plus subalternes. Les hommes politiques, et surtout les hauts fonctionnaires qui les représentent, marquent une tendance, d'autant plus accusée que leur stature est plus modeste, à préserver les niches écologiques qu'ils ont découvertes et occupées, et par là même à percevoir le changement comme une menace.

Enfin, les disparités entre Etats-membres dans la perception des enjeux, dans le degré d'engagement, et naturellement dans la dimension économique, créent autant de freins à une démarche intégrée.

Il n'existe ni recette miracle ni baguette magique pour surmonter ces difficultés. Ni les structures, ni les mentalités, ni les comportements ne peuvent connaître de changement abrupt. On peut cependant essayer de dégager une démarche qui permettrait de progresser.

Objectifs

Il faut d'emblée rechercher un consensus sur les objectifs de la politique spatiale. Tout le reste en dépend.

Expression d'une volonté, une politique spatiale devrait idéalement s'exprimer globalement par des objectifs formulés par le pouvoir politique.

Or, à aucun moment, il faut en convenir, l'effort spatial de l'Europe ne s'est organisé sur la base d'une conception commune et globale de ses objectifs. Chaque étape de la construction a donné lieu à des compromis. Le *« package deal »* qui accompagnait la création de l'ESA, en 1975, comportait pour l'essentiel un élément « allemand », le Spacelab, un élément « français », le lanceur Ariane, et un élément « britannique », un satellite de télécommunications maritimes. Le choix, au début des années 1970, de Spacelab par l'Allemagne et d'Ariane par la France ne traduisait ni une option technique ni même une option de politique spatiale. C'était un choix de politique générale qui reflétait la tendance atlantiste de l'Allemagne et la tendance de la France à privilégier une conception gaullienne de l'autonomie nationale.

Lorsqu'on cherche à dégager des éléments de cohérence du comportement de l'ensemble des pays européens, depuis les origines de l'effort spatial européen jusqu'à l'époque actuelle, on discerne aisément des convergences fragmentaires, par exemple le sentiment que la communauté scientifique doit disposer des moyens d'une certaine autonomie, que l'Europe ne peut se tenir complètement à l'écart d'une aventure technique majeure. Mais ces convergences sont combattues par des tendances antagonistes. La divergence d'attitude à l'égard des options atlantiques qui a pesé lourdement sur tout le domaine du transport spatial n'est pas la seule ligne de clivage. La dépendance à l'égard des Etats-Unis est ressentie de façon complètement différente chez les Britanniques, que protège un fort complexe d'Athènes, et dans les nations continentales. L'importance et la proximité croissantes des enjeux, comme le rôle que la puissance publique doit jouer dans leur maîtrise, sont appréciées de façons très diverses. Les pays de l'Europe du Nord et surtout le Royaume-Uni inclinent à considérer que l'Etat n'a plus à intervenir dès que le label « commercial » peut être apposé sur un secteur, attitude très différente, nous l'avons vu, de celle des Etats-Unis. D'autres, à l'inverse, comme la France, sont encore très sensibles aux séductions et aux fantasmes de l'économie administrée. Au total, le seul principe unificateur réside dans une volonté, inégalement mais universellement présente, de faire les choses ensemble, qu'il y ait ou non accord sur les objectifs et les méthodes. Encore faut-il reconnaître que cette volonté d'agir ensemble ne procède pas des mêmes motivations chez tous. A cet égard, l'espace est le reflet fidèle des forces et des faiblesses de toute la construction européenne.

Cependant, en trente ans, le contexte international s'est profondément transformé. La fin de la guerre froide tend à atténuer le clivage politique de l'atlantisme entre les deux protagonistes majeurs, la France et l'Allemagne. La construction de l'Union européenne a considérablement progressé, et la compétence de ses institutions s'étend – sauf à invoquer on ne sait quelle exception – au domaine de la technique spatiale. Enfin, et surtout, les enjeux, jadis lointains et indistincts, se sont précisés et rapprochés ; ils sont devenus présents et palpables. Il est donc logique et réaliste de reprendre la recherche d'un principe unificateur pour dépasser définitivement le stade actuel.

Le seul objectif qui semble susceptible de créer une convergence croissante est le refus d'un degré incontrôlé de dépendance stratégique, en d'autres termes, d'un degré de dominance spatiale des Etats-Unis tel qu'il réduirait l'autonomie stratégique dans des proportions inacceptables.

La signification d'un tel choix sur la relation entre l'Europe et les Etats-Unis doit être clairement perçue. Il ne s'agit bien entendu aucunement d'instaurer une relation d'hostilité, mais il faut se prémunir contre les dérives de la démarche américaine qui vise explicitement à assurer une dominance américaine dans tous les domaines des techniques de l'information. L'hégémonie spatiale est ainsi un outil au service d'un objectif général. C'est un outil essentiel parce qu'il occupe un domaine où les Etats-Unis ont une tradition de leadership et qu'il possède, outre une forte puissance symbolique, une aptitude à créer des projets à échelle planétaire par lesquels se manifeste fortement la présence de la puissance dominante. Il n'est donc nullement surprenant qu'il fasse l'objet de leur part d'une attention privilégiée.

Une Europe spatiale fondée sur un tel objectif va rencontrer sur son chemin des obstacles suscités par l'opposition des Etats-Unis, et toute action de l'Europe visant à s'assurer une marge d'autonomie sera combattue par le partenaire américain. C'est le contexte dont devra inéluctablement s'accommoder un tel choix. Le passé en a offert les prémices lorsque la France et l'Allemagne ont décidé de construire ensemble le premier satellite de communication européen Symphonie. Plus récemment, l'offre française de constituer, à partir d'Hélios, une capacité d'observation militaire européenne a immédiatement suscité des contre-propositions américaines. Cependant, il faut être attentif, dans un domaine qui fut jadis occupé, avec les inconvénients que l'on sait, par des monopoles d'Etat, aux risques que comporterait la constitution de monopoles de fait à l'échelle du monde. Cette situation est déjà atteinte dans le domaine de la navigation avec GPS. Elle est en voie de l'être dans le domaine des constellations de satellites de télécommunications. La remarquable initiative d'Alcatel avec le projet Skybridge y est la seule faille dans un monopole américain. Sommes-nous vraiment prêts à accepter une situation où tout ce qui relie les hommes les uns aux autres à la surface de la planète dépendrait d'un unique centre de pouvoir politique ? A travers les techniques informationnelles, et à travers le cas exemplaire de l'espace, c'est au fond toute la question du choix entre un monde multipolaire et un mode unipolaire construit sur le modèle de l'Empire romain qui se pose. Le choix d'un objectif unificateur pour la politique spatiale européenne qui serait d'axer cette politique sur le refus de la dépendance stratégique est, en définitive, un choix en faveur d'une conception multipolaire du monde.

Stratégies

Une stratégie exige le choix de priorités cohérentes avec les moyens, financiers et humains, dont on dispose pour atteindre les objectifs que l'on s'est fixés ; ce qu'on choisit de ne pas faire est aussi important, doit être aussi clairement explicité, que ce qu'on choisit de faire.

Dans la recherche d'une stratégie spatiale pour l'Europe on peut, dans un premier temps, s'abstraire des divergences nationales qui constituent autant d'obstacles et rechercher ce qui, dans un monde idéal, serait un choix optimal pour l'ensemble européen.

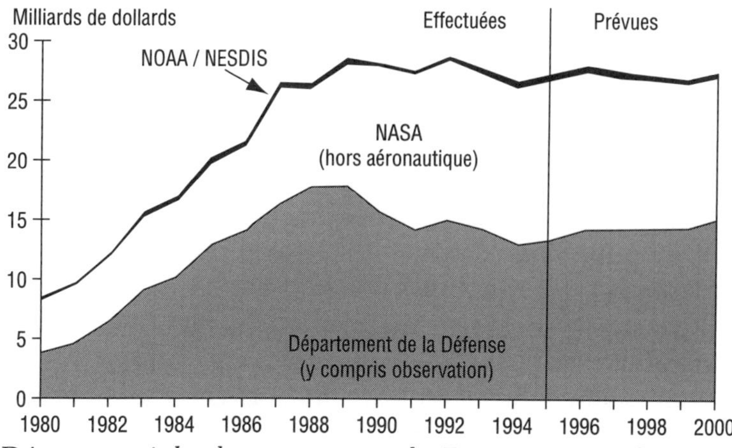

Dépenses spatiales du gouvernement des Etats-Unis pour la période 1980-2001. Le niveau de ces dépenses est sensiblement stable en dollars courants depuis 1987. (Base de données ECOSPACE d'Euroconsult.)

Ce qu'il s'agit d'optimiser, c'est l'usage des ressources dont dispose la puissance publique pour influer sur le cours des choses. Il faut donc faire une hypothèse sur l'évolution de ces ressources. L'observation de ce qui se passe dans le monde montre que deux tendances globales prévalent : un plafonnement ou une diminution du volume des activités financées par l'argent public et une croissance du marché. Une hypothèse conservatrice, mais réaliste, consiste à fonder une démarche stratégique sur l'extrapolation de ces deux tendances.

Il existe cependant des lignes de pensée différentes et des plaidoyers très convaincants pour un doublement des dépenses spatiales de l'Europe. Si de tels plaidoyers aboutissaient, cela aurait pour effet de relâcher les contraintes qui s'imposent à la politique spatiale et de faciliter les choix stratégiques. Mais le réalisme commande de prendre en compte les contraintes telles qu'elles s'observent aujourd'hui.

Il est vrai que, si l'on amenait les dépenses spatiales de tous les pays de l'Union européenne au pourcentage du PNB où se trouve aujourd'hui la France, l'objectif de doublement serait largement atteint. Mais les disparités entre pays de l'Union européenne dans ce domaine ne traduisent pas, pour l'essentiel, des différences dans la disponibilité de ressources ; elles traduisent des degrés d'adhésion divers à la nécessité d'un effort spatial. Une évolution vers moins de disparité ne peut donc être que l'effet, et non la source, d'un progrès vers une stratégie commune. A supposer que cet objectif du doublement soit atteint, cela n'amènerait pas les ressources en argent public dont disposerait l'Europe au niveau de celles des Etats-Unis, ni en pourcentage du PNB ni même en valeur absolue. Les choix stratégiques européens demeureraient donc plus contraints.

La difficulté intrinsèque à laquelle est confrontée toute stratégie spatiale est la nécessité de s'adapter à deux horizons temporels très différents : un horizon à court terme, où les forces du marché jouent un rôle prépondérant mais non exclusif, et un horizon à moyen et long terme, le seul qui existait à l'origine, et où la puissance publique demeure le moteur principal. Cependant, ces deux dimensions temporelles de la politique spatiale ne sont pas indépendantes. L'une et l'autre se fondent sur l'acteur industriel qui ne saurait prospérer s'il ne domine pas sa relation au marché. Il serait tout à fait inutile d'investir dans le long terme si la démarche à court terme devait conduire à un effondrement de l'industrie spatiale. *A contrario,* une attention exclusive au court terme comporte le risque d'être dépassé par l'occurrence de mutations techniques. Cela conduit à privilégier les choix qui visent à renforcer la compétitivité industrielle dans le court terme et à préparer l'industrie aux évolutions à moyen et long terme. Il faut ensuite examiner comment les transformations structurelles et les modes de coopération peuvent être conçus pour s'harmoniser avec l'objectif global de préservation de l'autonomie stratégique.

Choix programmatiques

Dans la stratégie ainsi esquissée, la pertinence des choix programmatiques s'apprécie en fonction de trois éléments : leur cohérence avec les besoins de l'industrie spatiale, leur pertinence à l'endroit de tel ou tel aspect de la dépendance stratégique, et naturellement leurs qualités intrinsèques : réalisme technique et solidité des évaluations financières.

La puissance publique dispose de deux modes d'intervention : les programmes de développement généralement financés par les agences spatiales et les programmes opérationnels gouvernementaux, généralement financés par les structures utilisatrices. L'ensemble de ces programmes

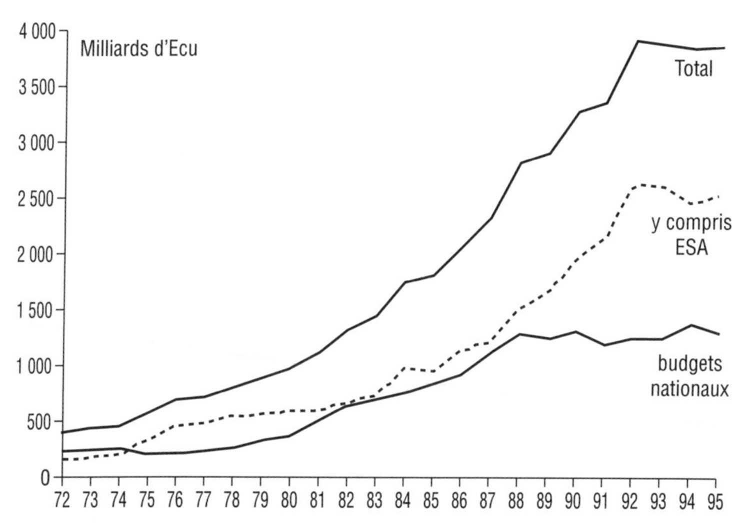

Dépenses spatiales civiles des gouvernements européens, en écus courants, pour la période 1972-1995 ; la croissance régulière de ces dépenses s'est interrompue en 1992. (Base de données ECOSPACE d'Euroconsult.)

matérialise l'action publique, et leur cohérence est un aspect de la politique spatiale. Cette évidence s'imposerait avec plus de force si le volume des programmes opérationnels militaires était proportionnellement aussi important en Europe qu'il l'est aux Etats-Unis mais, quoi qu'il en soit, elle demeure un aspect du problème des choix programmatiques qu'on ne saurait ignorer.

Disposons d'abord de la question de l'homme dans l'espace. Il résulte, de tout ce que j'ai déjà dit sur ce sujet, qu'il n'existe aucune relation identifiable entre la capacité de l'industrie à affronter le marché et sa participation aux projets de vols habités. Quel que soit le confort immédiat que les financements correspondants puissent procurer à certaines firmes, ils ne sont pas susceptibles de renforcer leur compétitivité. Ils ne sont pas non plus de nature à les préparer au moyen et au long terme. Ils ne correspondent pas à l'émergence prévisible d'un marché et il en sera ainsi, en tout cas, tant qu'une mutation technique, hautement improbable, ne sera pas intervenue pour abaisser par un ordre de grandeur le coût du transport spatial. Enfin, ils s'inscrivent dans une coopération internationale entièrement dominée par les Etats-Unis, dans laquelle l'Europe est en position de satellite au sens politique du terme.

Est-il souhaitable, est-il viable de rechercher dans ce domaine une autonomie européenne, c'est-à-dire de programmer le développement en Europe d'un lanceur qualifié pour les vols humains et d'un véhicule orbital. Un tel lanceur serait nécessairement dérivé d'Ariane 5 qui, dans sa version actuelle, ne possède pas cette qualification. Il faudrait en augmenter les redondances, pour accroître la sécurité au-delà de l'optimum retenu pour les vols commerciaux ; il faudrait aussi compléter les équipements du champ de tir de façon à disposer des moyens de repêcher les astronautes en cas d'échec au lancement. Au-delà du coût d'investissement, cette démarche aurait l'inconvénient significatif d'augmenter le coût unitaire d'un lanceur dont l'objectif principal est la compétitivité commerciale, sauf à prévoir la production en parallèle de deux versions différentes, l'une pour les vols commerciaux, l'autre pour les vols humains, ce qui serait encore pire. On alourdirait aussi inévitablement le coût de fonctionnement du centre de Guyane.

Quant au véhicule orbital, il est vraisemblable qu'on ne renouvellerait pas la folle aventure d'Hermès et que l'on choisirait une solution plus proche de celle qui fut mise en œuvre par l'Union soviétique. Le développement d'une capsule récupérable moderne est techniquement à la portée de l'Europe et ne serait peut-être pas d'un coût disproportionné aux moyens que l'Europe consacre à l'espace. Au total, la faisabilité d'un programme visant à mettre un Européen dans l'espace avec un lanceur européen lancé de Guyane est plausible. Reste la question des objectifs d'un tel programme et des bénéfices qu'on pourrait en attendre. Il est vraisemblable qu'on ne se donnerait pas pour but de rééditer simplement, avec plus de trente ans de retard, le vol des capsules Gemini. Il faudrait donc que cette capsule européenne puisse aller quelque part, et ce quelque part ne pourrait être que la Station spatiale. Cela comporte une conséquence inéluctable, qui est que ce véhicule ne pourrait être réalisé que dans le cadre d'une coopération entre l'Europe et les Etats-Unis. Il est impensable, techniquement et politiquement, que le développement de ce qui serait une composante d'un système développé sous leadership américain se fasse en dehors d'un cadre coopératif ; c'est d'ailleurs bien cette voie qu'explore l'ESA. En tout état de cause, l'aboutissement du projet ne conférerait donc à l'Europe qu'une apparence d'autonomie. Et, d'ailleurs, autonomie pour quoi faire ? Aucune dépendance stratégique, aucun enjeu économique identifiable ne s'attache à la maîtrise des vols humains en orbite terrestre ; la recherche d'une autonomie dans ce domaine relève du pur symbole. Au contraire, le développement des vols humains pour l'exploration planétaire, si l'évolution technique le permet un jour, ne pourra se faire que dans le cadre d'une coopération mondiale. Cette dimension coopérative est d'ailleurs le seul aspect positif du projet de Station spatiale internationale. Ce n'est donc pas en termes d'autonomie qu'il faut penser ce domaine, mais en termes de stratégie dans le cadre d'une coopération internationale. Reste à répondre à l'argument, souvent avancé : Comment l'Europe pourrait-elle rester à l'écart de ce domaine, alors que toutes les grandes nations s'y engagent ? Intéressant problème dont les moutons de Panurge détiennent une réponse. Reste, enfin, la part du symbolique dans la décision politique, la question du prestige, ou de ses apparences, sur laquelle toutes les opinions ont cours. Comment mesurer ses effets, comment en apprécier la constance ? Il n'y a pas de réponse logique à cette question ; tout au plus peut-on constater que, sur ce point, la sensibilité politique et la simple raison souvent divergent.

Le transport spatial

Le maintien d'une capacité indépendante d'accès à l'espace pose deux problèmes spécifiques.

En premier lieu, un lanceur ne peut exister que s'il est utilisé avec une fréquence suffisante. Faute de quoi, le coût s'accroît parce que les moyens de production sont mal utilisés, et la fiabilité diminue parce que les équipes de mise en œuvre sont insuffisamment entraînées. La fiabilité d'un lanceur n'est pas, ou pas seulement, une qualité intrinsèque de l'engin ; comme la sécurité du transport aérien, elle tient à un environnement humain qui n'est performant que s'il est continuellement sollicité.

Au début de l'année 1973, alors que le CNES s'efforçait d'obtenir l'approbation du gouvernement pour le programme Ariane, il voyait ses analyses de compétitivité – largement confirmées par la suite – se heurter à l'incrédulité de ses interlocuteurs politiques. Mais ces mêmes interlocuteurs, traumatisés par les conditions extrêmement dures que les Etats-Unis avaient mises à la fourniture de lanceurs pour les satellites de télécommunications Symphonie, inventèrent, pour se convaincre eux-mêmes de la nécessité de construire Ariane, une notion hâtivement empruntée au vocabulaire du nucléaire, celle de « lanceur de dissuasion ». Un lanceur de dissuasion est un lanceur que l'on ne lance pas, mais que l'on garde en réserve pour dissuader le partenaire-adversaire de faire un usage excessif de son monopole. La vérité oblige à dire que le CNES, pour des raisons tactiques évidentes, n'a pas dénoncé cette conception à l'époque, mais il faut savoir qu'elle est absurde. Dans la mesure où seuls les lancements commerciaux peuvent fournir un plan de charge suffisant à un lanceur lourd, cela signifie que sa compétitivité commerciale est un impératif absolu.

En second lieu se pose le problème de la pérennité des savoir-faire industriels qui ont autorisé la conception et le développement du lanceur. Le niveau de savoir-faire qui a permis la réussite des versions successives d'Ariane n'est pas acquis une fois pour toutes. Il a été constitué au sein de groupes humains qui l'ont accumulé progressivement. Ce processus n'est nullement irréversible. Les groupes évoluent à travers les départs et les recrutements ; ils sont aussi sujets à se disperser faute de tâches. Or cette expertise, longue à construire et qui peut se détruire très rapidement, n'est pas seulement nécessaire à de nouveaux développements, elle est indispensable à l'exploitation des engins en service opérationnel. Si elle venait à disparaître, disparaîtrait avec elle la capacité d'intervenir sur ces engins lorsqu'ils sont sujets à des anomalies de fonctionnement. Toute l'histoire des lanceurs, y compris celle d'Ariane, montre qu'ils créent continuellement, pendant la phase d'exploitation, des difficultés de cette nature. La disponibilité d'une équipe de développement susceptible d'être mobilisée à la demande est donc indispensable. Ce problème n'est pas propre à la technique des lanceurs, mais il s'y exprime avec une force particulière parce que les techniques en cause, en particulier la propulsion, sont très spécifiques. Après l'accident de Challenger, quand il fallut remettre en service leurs lanceurs conventionnels, il en résulta une série d'échecs sans précédent, clairement liés au manque de compétence des équipes de production et de mise en œuvre. Plus durablement, l'absence, pendant les années qui ont suivi la mise en service de la Navette, d'un effort de développement sur les moteurs conventionnels a conduit à la situation actuelle où cette expertise a été largement perdue et où l'on voit l'industrie américaine tenter d'exploiter, pour rattraper son retard, les savoir-faire accumulés et devenus disponibles en Russie.

Tout cela trace des orientations pour l'activité européenne dans ce domaine. Il s'en dégage un impératif absolu, la continuité de l'effort, et deux lignes d'action :

– accroître, par des développements complémentaires, la compétitivité commerciale d'Ariane 5 ;

– financer un effort de développement suffisant pour préserver, et si possible accroître, le niveau d'expertise atteint dans ce domaine.

Ces deux démarches se combinent aisément et forment l'axe principal de ce que pourrait être l'effort européen. La conception détaillée de cet effort pose naturellement de nombreuses questions qu'il est vain d'aborder ici parce qu'elles relèvent plus de la tactique que de la stratégie et qu'elles sont soumises au jeu des circonstances et aux négociations entre partenaires. Tout au plus peut-on en énumérer quelques-unes : Faut-il développer, pour compléter la panoplie européenne, un lanceur léger dans lequel la place de la France pourrait être moins dominante que dans Ariane ? Faut-il accueillir des lanceurs étrangers sur le centre de lancement de Guyane et, ce faisant, rendre l'avenir de ce centre moins exclusivement dépendant d'Ariane ? Faut-il coopérer avec des pays non européens, la Russie, l'Ukraine, le Brésil ? Quelles que soient les réponses à ces interrogations, elles peuvent s'inscrire dans une politique dont l'objectif général est défini : préserver et accroître la compétitivité de l'Europe.

Il subsiste cependant une question d'importance stratégique : Faut-il faire une place à une recherche sur la propulsion orientée vers le long terme ? La question mérite débat, et je n'ai nulle intention de la trancher ici. J'observerai seulement que c'est ce qui fut fait en France et en Allemagne, au début des années 1960, avec la propulsion cryogénique et que, sans un effort poursuivi patiemment pendant plus de dix ans, Ariane n'eût pas été possible.

Systèmes satellitaires

Le choix stratégique est naturellement beaucoup plus ouvert dans le domaine des systèmes satellitaires qu'il ne l'est dans le transport spatial, et les acteurs sont plus nombreux. Trois catégories d'enjeux appellent chacune une démarche adaptée à sa spécificité : la recherche fondamentale, la connaissance et la gestion de la planète, les télécommunications et la navigation.

Le programme scientifique « obligatoire » de l'ESA a vocation à être la partie centrale de l'effort européen. Mais son avenir pose un certain nombre de questions au premier rang desquelles son niveau de financement. Dans la mesure où il s'agit d'un programme obligatoire, c'est-à-dire d'un programme financé par tous les Etats-membres au prorata de leur PNB, la détermination de son niveau de financement exige à intervalles réguliers une décision unanime. Ce mécanisme protège le programme contre des variations brutales, mais il donne un avantage à ceux qui freinent sur ceux qui voudraient aller de l'avant. On l'a vu lors du Conseil ministériel de Toulouse, en octobre 1995, lorsque le Royaume-Uni a imposé une réduction progressive du niveau des dépenses scientifiques. Il ne fait guère de doute que, si cette évolution se poursuivait, elle remettrait en cause la position que l'Europe s'est acquise.

A supposer que ce problème soit résolu, le développement de l'activité scientifique de l'Europe pose deux questions stratégiques importantes, celle de la place de la coopération internationale et celle de la coexistence de programmes scientifiques nationaux avec le programme européen.

La connaissance de la planète et l'observation de la Terre ont été pratiquement exclues du programme scientifique obligatoire sur lequel astronomes et planétologues se sont assuré un monopole de fait. Ce qui existe est quelque peu disparate, mais n'en est pas moins considérable et témoigne d'une maîtrise des technologies fondamentales par l'Europe, lui assure une autonomie en matière d'observation météorologique, le premier rang mondial sur le marché des images de télédétection et une recherche active. La France partage en outre, avec deux partenaires européens, une capacité d'observation militaire dont seules disposaient jusque-là les superpuissances. Ce bilan résulte néanmoins d'initiatives diverses dont on a peine à dégager une ligne d'action cohérente, et encore moins une volonté européenne. Les origines de cette difficulté sont claires. Autant la recherche sur l'Univers forme un secteur homogène, autant ce qui touche à la planète Terre se fragmente en secteurs de natures variées : recherche et applications, services public et activités commerciales, militaire et civil, d'où une multiplication des acteurs et des problèmes structurels incomparablement plus complexes que ce que l'on rencontre ailleurs. Là, comme ailleurs, l'unification se fait au niveau de l'industrie ; ERS,

SPOT, Hélios, reposent en effet sur la maîtrise des mêmes savoir-faire.

La politique spatiale européenne dans ce domaine devra s'inspirer d'une réflexion sur la nature complexe des activités qui en relèvent. La gestion des ressources de la planète est un premier objectif général qui appelle à la fois un progrès de la connaissance scientifique et un développement de l'observation opérationnelle. L'activité météorologique, organisée autour de la prévision du temps, fournit un modèle à partir duquel on peut extrapoler avec le souci de maîtriser au mieux la symbiose science-applications. Il faut pour cela que la recherche sur la planète Terre au sein de l'ESA soit institutionnalisée mieux qu'elle ne l'est aujourd'hui où elle consiste en une succession de projets optionnels décidés au coup par coup. L'importance du domaine mérite qu'on lui donne une meilleure base de permanence. Cela pourrait se faire par un statut inspiré du programme scientifique obligatoire ; on en conserverait l'aspect le plus positif – l'existence d'un niveau de financement fixé à moyen terme dans lequel viennent s'inscrire des projets – et on remplacerait l'obligation de financement par un mécanisme optionnel qui permette au dynamisme des uns de s'exprimer, même si les autres ne suivent pas.

Si l'ESA se dote d'un tel programme, il engendrera le besoin de prolongements opérationnels qui pourront constituer la contribution de l'Europe à la surveillance globale de la planète. Il ne fait guère de doute que ces activités de service public sont promises à se développer dans les décennies qui viennent, parce que les citoyens exigeront d'être mieux protégés contre les caprices de l'environnement et parce que cet environnement sera de plus en plus perturbé par l'activité de l'homme. Il faut que l'Europe tienne sa place dans ce domaine et qu'elle ait les moyens d'être l'un des acteurs majeurs d'une coopération internationale construite sur le modèle éprouvé du service météorologique mondial. Un élargissement de la relation établie entre l'ESA et Eumetsat dans le domaine de la météorologie pourrait fournir l'outil institutionnel dans lequel s'inscrirait l'activité de l'Europe.

A côté de ce vaste secteur qui relève de l'action publique, le caractère commercial de la télédétection à haute définition impose une approche différente et beaucoup plus pragmatique. La capacité européenne s'est construite sur deux piliers, l'observation optique avec SPOT et l'observation radar avec ERS. SPOT est, pour l'essentiel, un programme national français, bien que la coopération avec la Suède et la Belgique à laquelle il donne lieu ne soit en aucune façon négligeable. La commercialisation a été efficacement mise en œuvre par l'entité de droit privé SPOT Image. Cependant, cette démarche a montré ses limites ; le marché accessible aux images n'est pas susceptible d'amortir l'investissement financier dans le segment spatial. Dès lors, que peut-on envisager ? Chercher à progresser dans la direction de la rentabilité commerciale en gardant à l'esprit que l'intérêt du programme n'est pas seulement d'ordre commercial mais aussi d'ordre stratégique ; se souvenir que la relation avec le marché impose un impératif absolu de continuité. Bref, ne pas renouveler l'expérience désastreuse que les Etats-Unis ont conduite avec Landsat en cherchant à imposer prématurément un caractère purement commercial à un programme non commercialement rentable ; le résultat est connu d'avance : mise en cause de la continuité du service et perte du marché.

Dans quelle direction faut-il aller pour tenter d'accéder à la rentabilité ? En premier lieu, il faut supprimer la limitation imposée à la résolution spatiale des satellites civils. Cette limitation pouvait avoir un sens à l'époque où existait une séparation étanche entre les programmes d'observation civil et militaire des Etats-Unis et où n'existait pas en Europe de programme militaire. Elle n'en a plus aujourd'hui et barre l'accès du marché de la cartographie à très grande échelle, de l'urbanisme, des travaux civils, etc. Il faut ensuite examiner toutes les voies qui permettraient une réduction du coût du segment spatial, ce qui passe certainement par une réduction de la masse des satellites. Dans cette démarche, la priorité doit être donnée à la continuité du service, ce qui signifie qu'il faut construire sur les structures existantes. Reste la question du rôle de l'Agence spatiale européenne ; ses satellites radar de type ERS rencontrent eux aussi une demande solvable, sur laquelle l'Europe n'a cependant pas acquis une place aussi solide que sur le marché des images optiques. Les Canadiens avec Radarsat l'y ont précédée. Le clivage institutionnel qui sépare d'un côté la structure européenne et les images radar, de l'autre les structures françaises et les images optiques, n'est sans doute pas un élément de force. C'est un aspect négatif du dualisme qui marque toute la construction européenne. C'est néanmoins une situation de fait avec laquelle il faut vivre. L'accès à la rentabilité commerciale fournira peut-être une clé de ce problème en transférant à des structures de droit privé l'essentiel de ces activités.

Reste la dimension militaire fondée exclusivement, en l'état actuel des choses, sur l'initiative française avec le programme Hélios. Elle est fortement articulée avec le programme SPOT, tant au niveau de l'industrie qu'à celui de l'Agence spatiale française qui assure la direction de projets ; elle est en revanche tout à fait déconnectée de l'ESA que sa convention écarte de tout programme militaire. Toute démarche d'européanisation de ce domaine se heurtera à deux types d'obstacle, l'absence d'un cadre européen adapté pour le recevoir, les contre-propositions américaines visant à préserver un monopole de fait ou encore, dans la version politiquement correcte, à éviter la prolifération. La banalisation de l'observation civile à résolution métrique, surtout si elle se révèle commercialement rentable, contribuera puissamment à transformer les données du problème, mais, en définitive, le progrès de la politique spatiale européenne dans ce secteur dépend, plus encore qu'ailleurs, des progrès de la construction européenne.

Dans le vaste domaine de télécommunications spatiales, les forces du marché sont devenues dominantes. Le succès de l'Europe ne peut y être autre que celui de son industrie. Cela implique que le rôle de la puissance publique comme planificateur d'un effort de développement et comme donneur d'ordre s'efface complètement devant celui d'une puissance publique au service de l'industrie et attentive à ses besoins. C'est une profonde mutation, particulièrement difficile à accomplir pour les agences spatiales dont la culture d'entreprise s'est construite sur la certitude, sans doute longtemps justifiée, de savoir ce qui est bon pour l'industrie.

Cette transformation de l'action de la puissance publique ne signifie pas son effacement. Elle signifie qu'il est indispensable de développer une capacité d'écoute. Pour savoir ce dont a réellement besoin une industrie confrontée à la concurrence internationale, le plus simple et le plus efficace est encore de le lui demander. Cela implique que l'industrie spatiale européenne, de son côté, s'organise pour exprimer collectivement ses besoins, pour dire ce qui la rassemble plutôt que ce qui, par le jeu de la concurrence, exaspère ses rivalités. D'où l'importance d'une entité comme Eurospace, qui fournit à l'industrie spatiale européenne un lieu de rencontre et une capacité d'exprimer ses convergences.

Dans ce contexte nouveau, la puissance publique dispose de plusieurs modes d'action dont l'importance est capitale. En premier lieu, c'est elle qui, dans les enceintes internationales, négocie les règles du jeu : normes, règles juridiques, partage des positions orbitales et du spectre électromagnétique. Ces règles ne sont pas neutres et une présence européenne forte dans les débats est indispensable à la protection des intérêts de l'industrie européenne.

Un second mode d'action de la puissance publique concerne les développements technologiques en amont des systèmes opérationnels. Les contraintes de coût et de délai qui s'imposent aux satellites opérationnels tendent à écarter l'usage des technologies nouvelles génératrices de risques. Pour compenser les tendances à la stagnation qu'engendre ce mécanisme, il est important d'injecter en amont des financements technologiques. Ce n'est pas une tâche facile parce que les technologies qui convergent dans la conception d'un satellite sont extrêmement diverses ; dans la plupart des cas, il s'agit de qualifier pour un usage spatial des technologies terriennes. Le choix des éléments critiques est délicat ; là aussi, il ne s'agit pas de privilégier telle ou telle technologie dans laquelle un laboratoire public s'est acquis une expertise, mais d'identifier ce dont l'industrie a un besoin prioritaire, et le plus simple est encore qu'elle exprime ses choix et qu'elle les argumente. C'est ce qu'elle a su faire récemment dans le cadre d'Eurospace. Le rapport[13] qu'elle a soumis à l'ESA et à l'Union européenne identifie dix actions prioritaires de développement technologique requises pour épauler ses efforts. Le plus remarquable dans cette démarche n'est pas que l'industrie ait su identifier ses besoins, c'est qu'un groupe de cinquante-huit industriels, que divisent inévitablement des rivalités et des intérêts particuliers, ait su parvenir à un consensus qui ne consiste pas en l'addition des demandes de chacun, mais qui est le résultat d'un choix sélectif, c'est-à-dire d'une stratégie. Ce faisant, ils ont considérablement facilité l'action des organismes qui détiennent les finances publiques.

Il reste à déterminer si cet effort de développement en amont doit aller jusqu'à la conception et la mise en orbite de satellites expérimentaux ou banc d'essai. Il n'y a pas de réponse simple à cette question parce qu'il n'existe pas de modèle standard pour un tel projet. Il n'y a aucune commune mesure entre un satellite de télécommunications expérimental comme Stentor et un microsatellite mis en orbite comme passager supplémentaire d'un vol commercial pour tester en orbite un élément technologique spécifique. Là encore, la demande industrielle, et non la recherche d'une activité artificielle pour des équipes publiques, devrait être la pierre de touche des décideurs. Ce rôle d'innovation technologique est puissamment tenu, dans le programme américain, par les projets militaires qui ne sont pas astreints à la même prudence technologique que les projets commerciaux. La théorie naïve selon laquelle, dès l'instant où existe une activité commerciale, l'industrie peut être laissée à elle-même placerait donc l'industrie européenne dans une position d'infériorité dramatique devant cette alliance du privé et du public caractéristique de la démarche américaine.

La coopération internationale

Le choix d'un objectif prioritaire d'autonomie stratégique inscrit la coopération internationale dans un contexte spécifique. Il est clair que les diverses composantes de cette coopération doivent être conçues, sinon de façon à servir systématiquement cet objectif, du moins de telle sorte qu'elles n'aillent pas à son encontre.

Une distinction s'impose dès l'abord entre la coopération avec les Etats-Unis et avec les autres partenaires, parce que ces derniers ne sont pas susceptibles de mettre l'Europe en situation de dépendance. C'est à l'évidence la coopération entre l'Europe et les Etats-Unis qui doit se conformer à l'objectif européen. Doit-elle pour autant être inexistante ? Certainement pas ; rien ne serait plus erroné que de conclure, partant de ce que j'ai dit des tendances profondes des Etats-Unis à l'hégémonie et au monopole, à la nécessité de réduire les liens qui se sont établis avec eux. Ces tendances sont celles de toute puissance dominante ; elles sont la contrepartie de l'excellence américaine et nous devons les considérer avec compréhension et modestie. Car il n'est nullement probable qu'une quelconque nation européenne, placée dans la même situation, se comporterait avec plus de retenue. Il faut au contraire développer systématiquement la coopération avec les Etats-Unis, dans la ligne d'une longue tradition, ne serait-ce que parce que c'est le meilleur moyen de ne pas laisser ce pays s'enfermer dans un isolement dont s'alimentent ses dérives. Simplement, il convient de faire en la matière des choix qui soient conformes aux intérêts de l'Europe, laissant au partenaire américain le soin de préserver les siens, ce que, sans nul doute, il saura faire.

La coopération avec la NASA constitue la pièce maîtresse des liens coopératifs établis au niveau de la puissance publique entre l'Europe et les Etats-Unis. Par nature, elle est limitée au domaine de compétence de la NASA : vols habités, lanceurs récupérables, recherche scientifique et connaissance de la planète Terre.

De nouveau, les vols habités constituent un domaine à part. On s'est interrogé sur le point de savoir si les Etats-Unis, en s'efforçant par tous les moyens d'obtenir une contribution importante de l'Europe à la Station spatiale internationale, avaient l'intention cachée de limiter son autonomie en limitant ses disponibilités financières. Il est clair que cette démarche répondait d'abord aux intérêts immédiats de la NASA, pour qui l'abandon du projet aurait ouvert une crise majeure. Elle est conforme à l'idée, couramment admise, qu'un projet coopératif, outre qu'il est moins coûteux, est mieux protégé contre les fluctuations de la volonté politique. Mais ce serait prêter au partenaire américain une singulière naïveté que d'imaginer qu'il n'a pas réalisé qu'en agissant de la sorte il limitait la liberté de l'Europe en grevant ses ressources. Il est clair, en outre, que le choix des éléments techniques qui concrétisent la participation européenne est médiocre. La démarche canadienne aurait pu, en la matière, nous servir de modèle. Elle s'inscrit dans le prolongement de la coopération que le Canada a su établir sur la Navette spatiale en fournissant le bras manipulateur qui permet d'extraire les charges utiles de la soute ou de saisir les satellites sur lesquels les astronautes doivent intervenir. Ce n'est pas seulement – beaucoup plus que le Spacelab[14], qui formait la contribution européenne – un élément de haute technologie ; c'est surtout une composante indispensable du système de transport spatial et la coopération crée un lien de dépendance mutuelle. Le Canada s'est ainsi assuré la maîtrise d'une technologie qu'il a adaptée pour fournir à la Station spatiale une contribution qui possède les mêmes vertus.

Quels sont les domaines où une coopération entre l'Europe et les Etats-Unis pourrait être globalement fructueuse, et singulièrement pour l'Europe ? Ce sont naturellement les domaines qui ne s'inscrivent pas spécifiquement dans une stratégie de « *space dominance* » du côté américain et qui, du côté européen, ne relèvent pas directement d'une stratégie de contrôle de la dépendance stratégique. Le champ est vaste. Au premier rang se place la connaissance de l'Univers qui a déjà donné lieu, avec des résultats de premier ordre, à des coopérations équilibrées, comme l'observatoire solaire SOHO, et qui peut aisément en engendrer de nouvelles. Il en va de même de la connaissance de la planète Terre, où des projets comme Topex-Poseidon et sa suite préopérationnelle Jason sont des exemples particulièrement satisfaisants. Rien n'exclut que l'Europe puisse utiliser son système de transport spatial dans des projets coopératifs. Elle l'a fait dans le passé avec Topex-Poseidon mis en orbite par un lanceur Ariane 4, et les performances d'Ariane 5 permettront de l'envisager pour des projets planétaires. Enfin, la coopération instituée dans le domaine de la météorologie fournit un modèle qui peut être extrapolé à tous les secteurs où se développe une observation opérationnelle de la planète. Il existe donc un vaste champ ouvert à une coopération harmonieuse prolongeant celle qui s'est développée depuis les origines. Deux domaines s'en démarquent, celui des vols habités et celui par lequel s'exprime une volonté d'hégémonie. Quant à ce dernier, le partenaire se chargera d'en marquer les limites en refusant les coopérations susceptibles de le mettre en situation de dépendance mutuelle ou d'affaiblir son avance dans les domaines qu'il juge critiques[15]. On peut compter sur la vigilance des lobbies industriels et sur leur relation avec le Congrès pour que rien ne lui échappe à cet égard.

La dimension internationale de la politique spatiale ne se réduit pas à la coopération avec les Etats-Unis même si elle en forme la partie la plus importante. La coopération avec le Japon, l'Inde, la Chine, le Brésil, avec le Canada qui est membre associé de l'ESA, peut s'inscrire dans la recherche d'un bénéfice mutuel pour les entités publiques, industrielles ou académiques concernées, sans que l'espace impose des précautions très spécifiques. La seule exception concerne les technologies duales qui pourraient être réutilisées à des fins militaires. Le « régime de contrôle des technologies balistiques », MTCR *(Missile Technology Control Regime),* introduit à cet égard des limitations mutuellement acceptées par les vingt-huit pays adhérents.

Il existe cependant un cas particulier qui est celui de la Russie, héritière de l'immense effort de développement de l'Union soviétique. L'Europe a laissé, jusqu'à une date très récente, s'établir une relation quasi exclusive entre la Russie et les Etats-Unis. Les accords Gore-Tchernomyrdine lui ont donné un cadre politique dans lequel est venu s'inscrire non seulement le projet de Station spatiale internationale, mais aussi une association entre Lockheed Martin, constructeur de l'Atlas, et Khrunichev Energia, constructeur du Proton. Cette association peut offrir des lancements commerciaux utilisant l'un ou l'autre de ces deux lanceurs, l'un depuis Cap Canaveral, l'autre depuis Baïkonour. Laisser se poursuivre ce tête-à-tête exclusif n'est sans doute pas dans l'intérêt de l'Europe, mais ce qu'elle a fait à ce jour, vols d'astronautes français sur MIR, transfert de technologie, coopération scientifique, commercialisation du petit lanceur Rockot par l'Allemagne, n'a pas atteint un niveau significatif. Bien qu'il soit difficile de prédire ce que sera l'avenir de la capacité spatiale russe, il est prudent de considérer qu'elle demeurera importante et d'agir en conséquence.

Aussi faut-il saluer la création, en 1996, avec Starsem, d'une entité industrielle associant, pour la commercialisation du lanceur moyen Soyouz, le russe TsSKB avec l'Aérospatiale et Arianespace. L'objectif visé est de disposer, avec Ariane 5 et Soyouz, d'une gamme qui couvre tous les besoins commerciaux, depuis les géostationnaires les plus massifs jusqu'aux satellites des constellations. Si l'entreprise prospère, elle créera entre la Russie et l'Europe, au niveau industriel, une relation à bénéfices mutuels qui a fait défaut jusqu'à ce jour.

Chapitre XI

STRUCTURES EUROPÉENNES

Les structures européennes portent, je l'ai dit, la marque d'une époque profondément différente de l'époque actuelle. Il faut donc, si on veut leur éviter leur fossilisation, les adapter à leur environnement présent. S'adapter ou disparaître, c'est la loi de la nature et c'est aussi celle qui s'impose aux organisations humaines. Les structures publiques, plus protégées que d'autres, ont tendance à l'ignorer jusqu'au jour où les faits, qui sont têtus, les confrontent à la crise.

En quoi le contexte actuel diffère-t-il de celui qui prévalait aux origines ?

D'abord en cela que s'il subsiste des conflits locaux ou régionaux, il n'y a plus d'affrontement planétaire et qu'avec lui a disparu un élément d'ordre dans les relations internationales : on s'unit plus aisément contre quelque chose que pour quelque chose, et la disparition de la menace identifiée aux desseins de l'« empire du mal » affaiblit une certaine forme de cohésion du camp occidental.

La question de la cohérence entre l'Europe politique et les structures spatiales ne se posait guère à l'origine ; elle se pose aujourd'hui avec acuité dès lors que l'Union européenne existe et que l'activité spatiale comporte des enjeux politiques. Mais la définition des relations entre l'Union européenne et l'Agence spatiale européenne n'a guère progressé au-delà de quelques dialogues sectoriels organisés sur une base *ad hoc*. Sauf à vouloir construire une structure politique de l'Europe spatiale distincte de l'Union européenne, il faudra bien que cette carence soit palliée.

Cette nécessité ira s'accusant du fait de l'évolution de la technique spatiale vers la maturité, une évolution qui se traduit par un renversement dans les importances respectives des enjeux à court et long terme. Le court terme confronte le pouvoir politique à des enjeux immédiats et répartis dans des secteurs très divers du champ socio-économique. L'articulation de l'Agence spatiale avec un secteur spécialisé des pouvoirs politiques nationaux, pratique établie dès l'origine pour les agences nationales, ne reflète plus la diversité des enjeux actuels et ne répond sans doute pas aux besoins futurs. Quelle que soit la façon dont s'organiseront dans l'avenir les relations entre l'ESA et l'Union européenne, il faudra prendre en compte cette diversité.

Compte tenu de tout cela, comment peuvent évoluer les structures spatiales de l'Europe ? Dans le passé, la NASA a servi implicitement de modèle à la création des structures européennes ; l'analyse de sa situation actuelle est donc un préalable utile à l'examen de la situation européenne. Or les temps sont durs pour l'agence spatiale américaine. Semblable en cela à l'ESA, elle n'a jamais eu de responsabilité dans le secteur de l'espace militaire. Mais, ce dualisme des structures publiques voulu dès l'origine par l'exécutif américain n'a pas la même signification aux Etats-Unis qu'en Europe, où sa portée est atténuée par l'absence, jusqu'à une époque très récente, de tout programme militaire significatif.

Dans le secteur civil qui lui est imparti, la NASA s'est construite sur deux domaines distincts, la recherche et les vols habités. Le secteur des applications lui a été fermé au fur et à mesure que les applications de l'espace émergeaient.

La politique qui fait de l'espace un des outils d'un objectif général *« d'information dominance»* est ainsi confiée, dans ses aspects essentiels, à une relation entre le secteur privé et le département de la Défense. Que reste-t-il à la NASA ? Les programmes de recherche sur la Terre et sur l'Univers, les vols habités et le développement, en partenariat avec l'industrie, des futurs lanceurs récupérables. Ce domaine restreint est-il stable ? Oui sans doute, pour sa partie recherche, non pour les deux autres éléments. La reconquête, avec de nouveaux lanceurs consommables, du marché des lancements commerciaux perdu par la NASA avec le programme de Navette est confiée aux militaires. L'avenir des lanceurs récupérables et surtout leur viabilité commerciale, sans laquelle il ne peut y avoir de partenariat stable avec l'industrie, demeurent extrêmement douteux. A supposer que ces engins ne voient jamais le jour, leur utilité sera subordonnée à l'existence d'un programme de vols habités. Deux scénarios de l'avenir sont donc envisageables. Ou bien la NASA réussit à mobiliser l'opinion publique et, par son intermédiaire, le pouvoir politique, pour un programme de vols habités vers la Lune ou Mars et à développer pour cela des moyens de transport spatial plus convaincants que ceux dont elle dispose aujourd'hui. Dans cette hypothèse, elle peut encore espérer un avenir à la dimension de son passé. Ou bien les vols habités débouchent, avec la Station spatiale internationale, sur une impasse, et dans ce cas la NASA deviendra, au mieux, une agence de développement comme les autres. La dimension politique de l'espace se traitera ailleurs, dans une relation entre le programme spatial militaire et l'industrie.

Le premier scénario est la concrétisation d'un rêve que la NASA poursuit depuis les origines, mais qui ne s'est jamais réalisé. Il n'y a jamais eu convergence entre une volonté politique et une ambition spatiale de cette nature. Celle dont témoigne Apollo en a les apparences, mais les apparences seulement ; elle est en fait d'une tout autre nature, inséparable du contexte d'affrontement planétaire. La Navette s'est construite plus tard sur un malentendu et sur des préoccupations électorales circonstancielles. La Station spatiale internationale a été sauvée de l'annulation, après un interminable purgatoire, par une convergence politique fragile. Mais jamais, depuis les origines, le rêve d'exploration planétaire de von Braun n'a rencontré la volonté politique. Le seul espoir qu'il le fasse un jour réside dans une mobilisation, combien incertaine, de l'opinion publique. Ainsi s'interprètent les efforts désespérés, et même quelque peu pathétiques, des responsables de la NASA pour mobiliser les médias autour d'événements artificiellement gonflés : « découverte » de traces de vie dans des météorites martiens, d'eau sur la Lune. Ainsi s'explique aussi le souci d'associer, au projet de station spatiale, des partenaires susceptibles de lui donner une respectabilité planétaire et de le protéger contre les défaillances éventuelles du partenaire russe. Dans cette bataille, la NASA joue son avenir, flamboyant ou obscur.

Avenir de l'ESA

Du fait que l'ESA fut conçue sur le modèle de la NASA, faut-il conclure qu'elle est promise à une destinée parallèle ? Certainement pas, à condition naturellement qu'elle sache se démarquer de son modèle. Son champ d'action est incomparablement plus large que celui de la NASA parce qu'elle n'a pas, ou pas encore, en face d'elle, une structure militaire à qui est confiée la tâche de développer la compétitivité de l'industrie. Le processus de peau de chagrin auquel est soumise la NASA ne l'affecte pas avec la même acuité et ne l'oblige nullement à rechercher un salut incertain dans une vaste entreprise planétaire. L'importance des tâches immédiates qui lui incombent devrait la préserver des tentations de cette fuite en avant. Il reste que son action future appelle une profonde transformation de sa culture d'entreprise.

Aussi paradoxale que puisse paraître cette affirmation, la NASA puis l'ESA ont été construites initialement sur le modèle soviétique, la première pour faire pièce à ce qui apparut comme une démonstration de la supériorité de l'Union soviétique, la seconde pour imiter les Etats-Unis. Les traces de cette origine, le rôle exclusif de planificateur et de donneur d'ordre qu'elle confère à la puissance publique, ne sont pas totalement effacées. Les mêmes observations s'appliquent d'ailleurs à l'Agence française.

Dans quelles directions faut-il aller pour permettre aux agences spatiales de continuer à servir efficacement l'ambition spatiale de l'Europe ?

En premier lieu, transformer la relation des agences à l'industrie. Quel que soit le terme que l'on utilisera pour exprimer cette nouvelle relation – celui de partenariat en vaut un autre – il est indispensable qu'il traduise le fait que le succès ne se mesure pas au volume des programmes financés sur fonds publics, mais à l'appui que l'existence de ces programmes, leur conception, apporte à l'industrie dans ses efforts pour maîtriser le marché. Ce n'est pas une évolution facile pour les agences spatiales, mais c'est le problème qu'elles doivent résoudre pour préserver leur utilité.

En second lieu, il faut que le dualisme entre structure nationale et structure européenne qui a prévalu dans le passé s'efface. Ce dualisme n'a pas eu, tant s'en faut, que des aspects négatifs. Dans un espace administré, il a introduit un élément de compétition générateur de dynamisme. La rivalité de l'ESA et du CNES a été productive, mais le stade où les inconvénients l'emportent sur les avantages est désormais largement atteint. Les duplications inutiles qu'engendre inévitablement cette dualité de structures nuisent au bon usage des fonds publics et à l'européanisation des structures industrielles.

Comment progresser dans cette direction ?

L'atrophie et la disparition des structures nationales, dans lesquelles certains Etats signataires voyaient un des objectifs de la convention de l'ESA, n'ont pas reçu le moindre début de mise en œuvre. Elles se heurtent à la volonté déterminée des structures nationales de préserver leur existence et à une complicité avec le pouvoir politique qu'alimente un jeu complexe d'ambitions personnelles. Chercher à balayer ces obstacles par une attaque de front est promis à l'échec. Il faut les tourner par la seule voie réaliste qui s'offre : celle d'une spécialisation des structures existantes, et notamment des structures nationales. Cela suppose que les idéologues de l'intégration européenne introduisent un peu de pragmatisme dans leur réflexion, et les spectateurs de la prééminence nationale un peu de réalisme. Il y eut, dans le passé, des démarches allant dans ce sens. La plus importante fut celle qui confia au CNES la direction du projet Ariane. Le temps semble venu de passer d'une pratique occasionnelle, dictée par les circonstances, au principe selon lequel chacun des centres techniques se spécialise pour occuper non pas la totalité du champ de la technique spatiale, mais un domaine d'expertise qui lui soit propre. Ce n'est pas une évolution facile, parce qu'il faudra réduire un surinvestissement dans le secteur public et qu'il est plus aisé de restructurer dans un contexte d'expansion que dans un contexte de resserrement. Cependant, faute qu'on le fasse à temps, les structures publiques surdimensionnées et les coûts de fonctionnement qu'elles entraînent conduiront inévitablement à une crise.

La troisième évolution nécessaire est celle qui conduira à faire sortir les agences spatiales de leur isolement politique. La politique spatiale intéresse aujourd'hui les secteurs les plus divers. Son acteur principal, l'Agence spatiale européenne, ne peut demeurer confiné à un dialogue avec un cercle étroit de hauts fonctionnaires et de ministres spécialisés au sein du Conseil de l'Agence, dialogue qui se centre inévitablement sur les programmes propres de l'ESA. La nécessité s'impose progressivement d'une structure de débat qui, d'une part, dispose d'un large recul par rapport aux problèmes de l'ESA en tant qu'organisme de mise en œuvre d'un programme et, d'autre part, implique une beaucoup plus grande diversité d'acteurs : industrie, utilisateurs, agences nationales, entités relevant de l'Union européenne. La Conférence spatiale européenne, dont la création de l'ESA a marqué la disparition, a joué autrefois ce rôle. Mais les problèmes de l'espace et les structures européennes ont tant évolué que ressusciter cette assemblée ne constituerait pas une solution au problème actuel. En fait, c'est tout le problème de la relation de la politique spatiale avec la démocratie et, par voie de conséquence, de la démocratie avec l'Union européenne qui se trouve ainsi posé.

Espace et démocratie

La relation entre le pouvoir politique, auquel appartient la décision, et les cercles où elle s'instruit, la rencontre d'un objectif et d'une volonté politique jouent un rôle fondamental dans le choix d'une politique spatiale. Que le pouvoir soit leurré sur certains aspects de ce qu'on lui propose ou qu'il se leurre lui-même par manque de jugement, incapacité à s'instruire, sensibilité excessive aux circonstances ou aux symboles et voilà qu'un élément de faiblesse s'introduit, source de déboires à venir. Nous en avons rencontré maints exemples. Mais l'intervention du pouvoir politique ouvre une question plus large : celle du respect des principes démocratiques dans le processus de décision.

La question n'est pas propre à l'espace ; elle concerne de vastes secteurs de la vie publique : énergie, agriculture, santé, éducation, sur lesquels l'emprise des techniques s'affirme un peu plus chaque jour. L'espace en offre cependant un cas exemplaire parce qu'il se construit sur un nombre limité de choix stratégiques. On oppose parfois la recherche de l'efficacité au strict respect des processus démocratiques, au premier rang desquels l'information des citoyens et le débat. L'enjeu de ces plaidoyers pour une « démocratie restreinte » est considérable. Mettre en cause l'aptitude de la démocratie à gérer efficacement des choix techniques, c'est, en définitive, contester sa capacité à gérer les sociétés contemporaines ; c'est ouvrir la porte à des dérives bien connues. D'ailleurs, vouloir démontrer que la technicité et la complexité des sujets sont incompatibles avec le débat public dissimule bien souvent d'autres motivations : forcing des responsables de telle ou telle technostructure mobilisés par des intérêts étroitement catégoriels, partis pris idéologiques... La décision d'engager la construction de Superphénix et la décision de l'arrêter offriraient, si elles n'étaient hors de notre sujet, matière à une étude instructive. Qui peut croire d'ailleurs, à voir comment sont élaborées et prises, puis renversées, des décisions majeures, que les pratiques oligarchiques qui ont cours prennent mieux en compte que le débat public les éléments de technicité et de complexité ?

Ce problème n'est pas propre à la France ou à l'Europe. *Can Democracies Fly in Space* (Les démocraties peuvent-elles voler dans l'espace ?) est le titre d'un ouvrage de W.D. Kay [1] qui analyse le jeu des relations entre le système démocratique et la vitalité du programme spatial américain ; il conclut, entre autres, à la nécessité de bâtir un consensus élargi : « La démarche du président Kennedy, généralement citée en exemple, n'est plus applicable aujourd'hui, dans l'environnement politique et économique actuel, comme l'ont découvert les présidents Reagan et Bush [...]. Un président doit maintenant être prêt à coordonner les buts et les efforts d'un grand nombre d'institutions, d'organisations et d'individus, à l'intérieur comme à l'extérieur du gouvernement, avec pour objectif de trouver un consensus. » Car telle est bien la faiblesse majeure de la « démocratie restreinte » qui prévaut dans le domaine spatial : l'absence d'une large adhésion et de la stabilité qu'elle confère aux choix. L'harmonisation du mode d'élaboration de la politique spatiale avec la déontologie démocratique comporte ainsi, outre un enjeu éthique fondamental, un enjeu d'efficacité, celle qui naît d'un engagement collectif.

La politique spatiale française

Savoir comment fut décidée la politique spatiale française depuis les origines est un préalable à l'analyse du problème qui se pose à l'Europe. Les processus décisionnels français présentent en effet un intérêt intrinsèque et la France a toujours joué un rôle moteur dans l'élaboration de la politique spatiale européenne.

La constitution d'une capacité spatiale a toujours été en France une affaire de gouvernement. Les décisions importantes qui jalonnent sa définition et sa mise en œuvre ont été arrêtées par des conseils restreints présidés par le chef de l'Etat, occasionnellement par des conseils interministériels présidés par le Premier ministre. Il s'agit donc de décisions du pouvoir exécutif prises au niveau le plus élevé de l'Etat, ce qui leur confère, en principe, stabilité et solennité. Ce mode de décision, que la France a été seule à pratiquer en Europe, lui a donné une politique spatiale marquée de volontarisme et de continuité.

Au-delà de cette constatation positive, qu'en est-il de la préparation des décisions et du rôle du pouvoir législatif.

La mode de préparation illustre à merveille la pratique de l'élitisme démocratique. Il se déroule entièrement dans la sphère de l'exécutif, dans un dialogue discret et parfois occulte entre les détenteurs du pouvoir et les acteurs de la mise en œuvre : l'agence spatiale et les industries spatiales. Il n'est ni formalisé ni codifié ; il constitue non pas une procédure mais une pratique, et il laisse peu de traces.

En outre, les décisions elles-mêmes ne sont pas rendues publiques de façon formelle. Naturellement, elles font l'objet d'une information par l'intermédiaire des médias, mais, à la différence de ce qui se passe lorsque le pouvoir législatif intervient, le texte officiel qui enregistre les décisions – relevé du Conseil restreint ou « bleu » de Matignon – n'est pas publié. Il n'existe aucun équivalent français des directives présidentielles américaines ou d'un texte comme le *National Space Policy,* qui émane de la présidence et reçoit une approbation bipartisane du Congrès.

Ce despotisme éclairé que pratiquent, à la mode contemporaine, les élus et leur entourage répondait probablement de façon satisfaisante aux problèmes qui se posaient à l'origine, alors que les enjeux étaient lointains, l'effort nécessaire pour s'y préparer modeste, et les choix simples. Telle était la situation qui prévalait au début des années 1960, mais la pratique adoptée à cette époque n'a pas évolué depuis. Cet exercice du pouvoir personnel, appuyé sur des avis plus ou moins occultes et sur le recours à l'opinion publique, n'est plus, aujourd'hui, adapté à une situation devenue totalement différente, marquée par l'ampleur, la proximité et surtout la diversité des enjeux. Il est vrai, comme l'a souligné Roger Lesgards [2], qu'il peut en sortir le meilleur et le pire, Ariane ou Hermès ; il est vrai aussi qu'une pratique plus démocratique n'a pas épargné aux Etats-Unis une erreur stratégique majeure : l'utilisation de la Navette pour les lancements commerciaux qui a ouvert le marché mondial à Ariane. Mais l'essentiel n'est pas là. Une large adhésion aux objectifs est ce qui fait la force d'une politique, ce qui lui donne la solidité nécessaire pour surmonter les échecs circonstanciels dont l'espace n'est pas avare. Le recours direct à l'opinion publique, organisé par un cercle restreint, n'est pas susceptible de fournir cette solidité. On ne peut guère l'attendre de ce que Roger Lesgards appelle « le grand corps flasque des opinions publiques qui paraît être "plutôt pour", sans trop savoir pourquoi et qui prend périodiquement un coup de fièvre lorsqu'à grand son de trompe les médias annoncent tous azimuts le spectacle spatial merveilleux et tragique ».

Il faut cependant être conscient que, davantage encore que les représentants du pouvoir politique, la technostructure est profondément attachée à cette pratique dont les rouages lui sont familiers, et qu'elle sait, ou qu'elle croit savoir, manipuler. Ainsi naquit du CNES, toujours selon Roger Lesgards, le projet Hermès : « Réunissant l'état-major de l'établissement, le directeur général du CNES déclare : "Le CNES a besoin d'un nouveau programme." Point n'était question, dans cette formulation lapidaire, d'exprimer un besoin émanant de la nation ou d'utilisateurs potentiels [...]. Non, il s'agissait d'abord de faire en sorte que l'établissement public chargé de proposer et de mettre en œuvre la politique spatiale française se donne un nouvel objectif, reprenne le leadership en Europe sur un projet de grande envergure, remobilise ses équipes. La technostructure allait ainsi engendrer son propre projet. »

De démocratie représentative, dans tout cela, on ne discerne guère la présence. Comment peut-elle s'y introduire ? La hiérarchie des décisions est, à cet égard, une notion fondamentale que reflètent les catégories juridiques : traités, lois, décrets, arrêtés. Les catégories supérieures, lois et traités, relèvent de la représentation parlementaire. Par tradition, les décisions techniques concernant la défense sont portées à ce niveau ; les lois d'orientation qui expriment la politique de la défense en traitent. Comme la maîtrise des technologies et les enjeux stratégiques sont aujourd'hui étroitement liés, très au-delà des frontières traditionnelles du domaine militaire, cela devrait conduire à élargir la démarche. Naturellement, il ne s'agit pas de passer d'un extrême à l'autre et de priver l'exécutif, ni même les technostructures, de tout pouvoir décisionnel. Il s'agit de définir, dans la hiérarchie des décisions, celles qui doivent remonter au niveau législatif.

Dans le domaine spatial, et dans nombre d'autres, s'impose la notion de choix stratégique. Son rôle déterminant dans le succès ou l'échec de la politique qu'il exprime et son irréversibilité font à l'évidence du choix stratégique un acte qui devrait impliquer le pouvoir politique dans toute son étendue, législative et exécutive. Tel n'est pas le cas aujourd'hui. Le rôle du Parlement est extrêmement restreint ; il s'exerce au moment du vote des lois de finances, c'est-à-dire en aval, alors que les jeux sont faits. Le Parlement ne dispose d'ailleurs pas de moyens suffisants pour instruire de telles décisions, même si la situation s'améliore progressivement, effet sans doute d'une prise de conscience. Il faut saluer à cet égard les efforts de l'Office parlementaire d'évaluation des choix scientifiques et technologiques qui a conduit en 1993 une étude approfondie de la politique spatiale[3]. Cette étude, connue sous le nom de « rapport Loridant », du nom du sénateur Paul Loridant, qui en a dirigé la préparation, n'a eu aucune suite formelle, notamment dans une de ses conclusions qui s'énonçait ainsi : « Le choix de l'homme dans l'espace paraît au demeurant nécessiter de toute évidence une ratification du Parlement. » Encore faut-il relever que cette conclusion modérée n'a pas été atteinte sans que se manifestent, venant de l'entourage de l'exécutif, des signes d'inquiétude et des pressions indiscrètes pour éliminer du texte tout ce qui pourrait conduire à reconsidérer les décisions déjà arrêtées dans ce cercle.

Plus généralement, les lignes de partage qui délimitent les pouvoirs décisionnels, non seulement du législatif et de l'exécutif, mais aussi de l'exécutif et de la technostructure, demeurent extraordinairement imprécises. Si l'exécutif empiète largement sur le domaine qui devrait être celui du pouvoir parlementaire, il intervient également, de façon souvent désordonnée et brouillonne, dans le fonctionnement des structures de mise en œuvre, pratique contre laquelle les responsables de ces structures, qui sont nommés par l'exécutif, sont bien en peine de résister. Dans un établissement public à caractère industriel et commercial, comme le CNES – un EPIC –, le conseil d'administration n'est guère plus qu'une chambre d'enregistrement. Les lignes de pouvoir passent ailleurs, soit directement entre certaines directions d'administration centrale, au premier rang desquelles la direction du budget, et les dirigeants de l'EPIC, soit entre les cabinets ministériels et ces mêmes dirigeants. De nouveau, il ne s'agit pas de restreindre le pouvoir décisionnel de l'exécutif, mais il serait souhaitable de mieux définir, dans la pratique, ce qu'il doit conserver et ce qu'il doit déléguer. Le flou artistique qui règne dans la pratique actuelle a un effet pervers : il déresponsabilise, et lorsque des dérives se produisent, il est impossible d'identifier leur origine dans le maquis des hiérarchies parallèles, impossible par conséquent de prévenir leur retour. Les structures privées sont beaucoup mieux protégées contre ces errements dont ni l'espace ni la France n'ont, tant s'en faut, l'exclusivité. Dans un style différent, aux Etats-Unis, le Congrès s'est arrogé un pouvoir d'intervention sur l'Agence spatiale qui s'étend jusqu'à des détails véritablement infimes. Cela se fait par le biais de décisions budgétaires annuelles extraordinairement détaillées. On l'a vu lorsque fut négociée, en 1995, la coopération entre le CNES et la NASA dans le projet Jason, qui ne faisait pourtant que prolonger une coopération très fructueuse dans Topex-Poseidon ; la presse spécialisée se fit l'écho, pendant plusieurs mois, du blocage imposé par le Congrès et des prises de position de divers de ses membres. Le résultat de ce régime d'assemblée n'est guère meilleur.

Quels que soient ses inconvénients, l'intervention directe du pouvoir politique dans les structures d'exécution, le *« back seat driving »,* auxquelles il les soumet, n'est pas la faiblesse principale dont souffre l'organisation des pouvoirs. Il n'affaiblit en somme que l'efficacité de la mise en œuvre. La faiblesse essentielle est en amont, dans l'élaboration d'une politique spatiale reposant sur un large consensus. Le moins que l'on puisse dire, c'est que ce consensus n'est pas atteint aujourd'hui. Dans les rangs de « l'élite démocratique », les esprits sont profondément divisés sur la priorité à accorder à telle ou telle catégorie de projet. Quant aux objectifs auxquels correspondent ces projets, ils ne sont pas ouvertement débattus. Comment, dans ces conditions, pourrait-on avoir une large adhésion à une politique spatiale dont la vision, pour les citoyens, est fragmentaire et symbolique, sur laquelle tout débat public est confisqué ?

L'enjeu qui s'attache à la formulation d'une politique spatiale française n'est pas, pour l'essentiel, national, mais européen, ce qui justifie l'attention particulière que nous lui avons portée. La France exerçant dans ce domaine un leadership de fait doit être capable d'exprimer son ambition pour l'Europe, et d'inscrire cette ambition dans la construction européenne. Comment espérer entraîner l'Europe si on ne sait pas lui dire vers quoi on l'entraîne et qui naturellement ne saurait se résumer, comme sont trop enclins à le soupçonner nos partenaires, à un simple accroissement du leadership français.

Vers une politique spatiale européenne

Formuler une politique spatiale européenne et la mettre en œuvre est une entreprise sans précédent. Il ne s'agit plus seulement de savoir si les « démocraties peuvent voler dans l'espace », mais de montrer que cet exploit peut être accompli par un ensemble de nations qu'unissent des liens étroits et des intérêts communs, mais qui, cependant, n'est pas en soi une nation et où les sentiments d'appartenance et de destinée commune sont ressentis très inégalement : sentiment européen très fort chez les uns, évanescent chez d'autres et qui se superpose au sentiment d'une identité nationale. La construction européenne, depuis ses origines jusqu'à l'Union européenne actuelle, a eu pour objet de définir des politiques communes et d'en étendre progressivement le champ, avec plus ou moins de succès selon les domaines, depuis la communauté charbon acier jusqu'à l'agriculture et la monnaie commune. Avec le recul, ce mouvement d'intégration, pour lent qu'il soit, traversé de périodes de flottement et en butte à des hostilités diverses et le plus souvent médiocres s'impose comme une tendance lourde du demi-siècle qui vient de s'écouler. La politique spatiale, cependant, ouvre un domaine que les milieux politiques maîtrisent mal. Le savoir nécessaire pour juger de la portée des actes et de l'importance des enjeux leur est d'un accès difficile et les entraîne dans des domaines peu familiers. Ce n'est certainement pas un hasard si l'Europe a connu, avec la coopération nucléaire et Euratom, l'un de ses plus grands échecs. L'extension à la politique technologique des compétences de la Commission européenne, à laquelle a pourvu l'Acte unique, marque cependant que la maîtrise des techniques a acquis une importance telle qu'elle ne peut être tenue en dehors du champ communautaire.

Reste à savoir par quels mécanismes la formulation et la mise en œuvre d'une telle politique peuvent progresser. On pourrait imaginer et décrire des scénarios détaillés mais mieux vaut examiner ce que peut être le rôle des principaux protagonistes parce que c'est là une composante beaucoup plus stable.

L'Agence spatiale européenne est au cœur du problème, mais sa situation est quelque peu ambiguë. Il serait irréaliste d'imaginer que le rôle principal, dans la mise en œuvre d'un effort spatial financé par la puissance publique, puisse être confié à quelque autre structure. Qu'il faille traiter ses problèmes internes – mais quelle organisation nationale n'en a, et parfois même de plus graves ? –, harmoniser ses relations avec les structures utilisatrices, et singulièrement avec Eumetsat, cela ne fait aucun doute ; mais qui pourrait négliger trente ans d'expérience de la coopération au sein d'une structure d'exécution ? Il faut donc construire sur cette base. Cependant, le texte de la convention confie à l'Agence la tâche d'élaborer une politique spatiale. C'est là une responsabilité qui, par nature, la dépasse. Les organes de l'Agence, dit la convention, « sont le Conseil et le Directeur général, assisté par un personnel ». Il va de soi qu'en matière de politique spatiale le Directeur général ne peut avoir qu'une fonction de proposition ; la décision, si décision il y a, ne peut appartenir qu'au Conseil formé des représentants des Etats-membres. Mais rien, dans le texte de la convention ne spécifie comment doit être formulée et approuvée cette politique spatiale européenne. Dans la pratique, on tente de le faire par des « résolutions » adoptées par le Conseil lorsqu'il se réunit au niveau des ministres. Toute la question est alors de savoir la portée de telles résolutions. Elle est modeste parce que la préoccupation essentielle des Conseils ministériels est de décider les programmes de l'ESA et surtout parce que les ministres qui s'y trouvent rassemblés sont porteurs de mandats très restrictifs. Ils n'ont pas la latitude de négocier, dans l'enceinte du conseil, la politique spatiale de leur pays. En fait, on touche là à une faiblesse fondamentale du système – le clivage entre l'Europe politique et l'institution spatiale –, problème qui n'a pas d'équivalent national et par lequel se manifeste le caractère inachevé de la construction spatiale européenne.

Il est clair que cette faiblesse devra être palliée. Il est non moins clair qu'elle ne peut l'être en dehors des institutions politiques de l'Europe telles qu'elles existent ou existeront demain. Pas plus qu'on ne peut, sans irréalisme, ignorer que l'ESA existe, on ne peut imaginer de doter l'espace d'une construction politique qui lui soit propre. Outre le caractère chimérique ou fallacieux d'une telle entreprise, elle ne répondrait pas, à supposer qu'elle ait la moindre chance d'aboutir, aux besoins d'une politique spatiale. La diversité des enjeux à court terme exige que cette politique soit mise en relation avec l'ensemble de l'appareil politique, et non pas confinée à une relation avec un secteur ministériel étroit. Le problème est donc de donner à l'appareil politique de l'Union européenne les moyens de formuler une politique spatiale et de formaliser une relation entre cet appareil et l'Agence spatiale européenne. L'entreprise n'est pas aisée, mais le temps semble venu de s'y attaquer.

On reproche parfois à la structure européenne de n'être pas démocratique parce que son exécutif, la Commission européenne, n'est pas dirigé par des élus. Il est d'autant plus intéressant de noter que l'implication du Parlement européen dans la réflexion sur l'espace est nettement plus forte que celle des législatifs nationaux[4]. Peut-être est-ce un effet de la faiblesse relative de l'exécutif européen ; sans doute faut-il y voir aussi le résultat d'initiatives individuelles de certains élus. Il reste que le débat parlementaire, déplorablement absent au niveau national, prospère au niveau européen. C'est là un signe très encourageant, non seulement pour l'espace, mais pour la démocratie européenne.

Un autre signe encourageant est la maturité dont font preuve les milieux industriels ; il n'est pas exagéré de dire qu'ils sont très en avance, dans leur perception du problème spatial, sur les cercles politiques, probablement parce qu'ils sont plus directement et quotidiennement confrontés à la réalité des enjeux. Il y a là, pour la démocratie européenne, un point d'appui solide dont elle doit user.

Reste à doter l'exécutif européen de structures appropriées pour traiter de la politique spatiale de l'Europe. C'est une tâche qui demeure presque entièrement à accomplir, ne serait-ce que parce que l'implication de l'Union européenne dans la politique technique est récente et que son action est encore incertaine. Il serait déplacé de préconiser de façon trop précise, mais au moins peut-on esquisser, en termes généraux, ce qu'il faudrait obtenir et ce qu'il vaudrait mieux éviter.

Il serait évidemment souhaitable que la politique spatiale ne soit pas structurellement dissociée de la politique technique en général. Cela aurait en effet un double inconvénient : celui d'isoler la politique spatiale d'un contexte général avec lequel elle est de plus en plus étroitement imbriquée, celui de créer inévitablement un conflit de pouvoir avec l'Agence spatiale européenne. Il vaut mieux éviter d'élever deux crocodiles dans le même marigot et, dans ce cas particulier, le moyen d'y parvenir est de donner comme interlocuteur habituel à l'Agence spatiale une structure qui opère sur un champ beaucoup plus large que le sien propre.

Il faut ensuite formaliser des liens entre l'ESA et l'Union européenne, et la bonne conception de ces liens revêt une importance capitale. Il ne s'agit pas d'ajouter, entre l'Agence spatiale et le pouvoir politique, une strate administrative supplémentaire ni de soumettre l'Agence au contrôle tatillon d'une bureaucratie européenne ; le conseil de l'Agence pourvoit plus que suffisamment à ces tâches pour qu'il ne soit pas nécessaire d'en rajouter. Lorsque le pouvoir politique crée une structure d'exécution qui a la forme d'un établissement public, c'est précisément pour que cette structure dispose de la marge d'autonomie indispensable à son efficacité. La lui reprendre par un contrôle bureaucratique excessif est une politique de gribouille dont il existe assez d'exemples nationaux pour que l'Europe s'en garde. Il faut, en revanche, que la fonction de proposition de l'ESA communique directement avec les structures exécutives de l'Union européenne et que, en sens inverse, les besoins de la politique technique européenne puissent être acheminés directement vers l'ESA. Il faut en somme que s'établisse progressivement, entre l'Union européenne et l'ESA, une relation de même nature que celle qui existe, dans le meilleur des cas, entre un gouvernement national et un établissement comme le CNES.

La mise en place d'une telle relation est une démarche pleine d'obstacles et de difficultés. Elle pose nombre de problèmes concrets, mais elle est, en définitive, la seule qui puisse faire sortir l'ESA de son isolement politique.

Parmi les questions qu'elle ne peut manquer de poser, il y a celle du rôle imparti au conseil de l'ESA et celle du financement des programmes européens. Pour la première, la fonction du conseil dans un établissement public national peut fournir une base de réflexion, encore qu'elle puisse difficilement être donnée en modèle. La seconde soulève des interrogations très fondamentales. Faut-il qu'à terme le financement de l'ESA provienne en totalité ou en partie du budget européen ? On en voit bien les avantages de principe : atténuation du caractère multi-étatique de l'Agence et accentuation de son caractère européen, possibilité de contourner le « juste retour » par le jeu de compensations portant sur d'autres secteurs que l'espace. Cependant, les conséquences et les risques que comporterait cette évolution ne doivent pas être sous-estimés. L'autorité du conseil de l'Agence s'en trouverait inévitablement diminuée, parce que cela le priverait, en tout ou en partie, d'une fonction essentielle, l'élaboration du financement des programmes. *« He who pays the gold makes the rules»,* dit un proverbe anglo-saxon (Celui qui paie l'or fixe les règles) ; en l'état actuel des choses, c'est le conseil qui paye, et cette fonction fait son pouvoir. La diminution du pouvoir du conseil n'est peut-être pas en soi un inconvénient majeur, mais le risque est qu'elle s'assortisse d'une désaffection des Etats-membres. C'est là le plus grand des dangers qui puissent menacer une organisation internationale, et il peut naître d'une façon d'opérer qui détourne d'elle ceux qui l'ont créée sans que, pour autant, la relève soit assurée. Le triste destin d'Euratom offre à cet égard un sujet de réflexion. Deux mécanismes ont pourvu au dynamisme de la relation entre l'ESA et ses membres. D'une part, le soutien d'une importante communauté scientifique au programme scientifique obligatoire. C'est sur le même principe que le CERN a bâti sa fortune. D'autre part, les programmes optionnels qui permettent à chacun de proportionner l'ampleur et la nature de son effort à ses ambitions, de traduire ces ambitions dans un programme européen et de laisser, au moins provisoirement, les traînards au bord du chemin. Faute que cet élément de souplesse existe, qui permet aux diversités nationales de s'exprimer, il est à craindre que – pour reprendre un propos du ministre belge Théo Lefèvre visant son collègue britannique lors d'une conférence spatiale européenne – « le régiment n'en soit réduit à aller du pas du fantassin qui a des ampoules aux pieds. » On discerne déjà des traces de cet effet dans l'évolution du financement du programme scientifique obligatoire ; quels que soient les efforts des chercheurs pour le préserver, la détermination d'une minorité de pays a suffi pour l'infléchir à la baisse. Si un financement européen devait progressivement se substituer aux financements nationaux, il serait essentiel que cela ne se fasse pas aux dépens de cet élément de dynamisme que sont, et que resteront sans doute longtemps, les ambitions nationales. Il faut ne toucher qu'avec précaution aux pratiques qui rassemblent les membres autour de l'organisation, car mieux vaut une organisation imparfaite mais forte du support de ses membres qu'une organisation parfaite dans ses principes et suscitant le désintérêt général. Il est donc essentiel de maintenir des marges de flexibilité qui permettent aux particularismes nationaux de s'exprimer sans pour autant bloquer la marche en avant ; c'est à quoi ont pourvu les programmes optionnels de l'ESA ; c'est ce qui a fait leur succès, et le réalisme le plus élémentaire commande de maintenir ce degré de liberté en harmonie avec le degré d'intégration des nations européennes. Il faut en effet se garder des effets d'une utopie commune, qui consiste à imaginer que l'espace puisse servir de précurseur et de moteur à l'intégration européenne. Illusion commune chez les scientifiques lorsqu'ils s'aventurent dans le champ sociopolitique ; ainsi s'exprime C.J. Bakker[5], premier directeur général du CERN, que cite Jean-Jacques Salomon[6] : « Les créateurs de CERN vont certainement trouver une grande récompense si ce type de coopération conduit non seulement à des progrès scientifiques, mais encore à une meilleure compréhension entre les peuples du monde. » Le CERN n'ayant jamais débordé du domaine de la science pure n'a jamais éprouvé les limites de cette conception généreuse qui sont celles du pouvoir des symboles. Solidement appuyé sur le soutien d'une communauté scientifique qui trouve des avantages considérables à son existence, il se maintient indéfiniment, image quelque peu immatérielle des vertus de l'intégration, et sans doute cela n'est pas négligeable. Mais l'espace n'est pas d'une nature aussi désincarnée ; il suscite des appétits spécifiques, dont la puissance prévaut aisément, qui engendrent inévitablement, chez les uns et les autres, la tentation de ramasser la mise. On retrouve là une configuration, familière aux économistes, qui fait obstacle à toute solidarité lorsque existe pour chacun une situation plus favorable que l'observation de la règle commune, celle où tous les autres sont astreints à cette règle sauf soi-même. En outre, l'espace interagit avec la politique générale des Etats, exigeant des choix où le poids des intérêts à court terme peut lui être défavorable. Que faire lorsque les intérêts industriels qui s'attachent à l'espace sont mis en balance avec ceux de l'aéronautique, plus immédiats et plus matériels ?

Plus que d'un symbole, ce dont l'Europe spatiale a besoin, c'est de principes d'unité fondés sur l'identification d'enjeux. La volonté de maîtriser l'enjeu culturel qui s'attache à la recherche fondamentale en fournit un, dont la qualité est sans reproche, mais dont la puissance est limitée. On ne discerne pas dans le passé d'autre principe fort qui ait explicitement servi à unifier l'effort spatial européen et qui aille au-delà d'une volonté un peu languissante de faire les choses ensemble, voire pour certains de ne pas les laisser se faire sans eux, ou sans qu'ils exercent un droit de regard.

Pour l'avenir, seule la volonté de contrôler la dépendance stratégique peut fournir le principe unificateur fort, politiquement intelligible, promis à se renforcer avec le temps, dont la politique spatiale européenne manque encore et dont elle a besoin. Sans doute ce principe ne suscitera-t-il pas une adhésion unanime ; tout au contraire, il provoquera des oppositions immédiates qu'on peut aisément anticiper, des réserves et des suspicions. Bref, il sera l'occasion pour la diversité nationale de s'exprimer comme il est normal qu'elle le fasse au sein de l'ensemble européen. Tout cela est acquis d'avance, mais ce n'est pas l'essentiel. L'essentiel est de savoir si un tel point de convergence, offert aux volontés nationales, a des chances de susciter, dans la durée, une tendance lourde vers l'intégration. A terme plus ou moins éloigné, cela semble certain. L'Europe est la plus grande puissance économique du monde ; sa part du PNB mondial, son commerce extérieur sont supérieurs à ceux des Etats-Unis ; son degré d'intégration politique progresse lentement mais sûrement, et l'adoption d'une monnaie unique ne peut que conforter ce processus ; par ailleurs, le degré de dépendance que contrôle la technique spatiale ira se renforçant et se diversifiant. Il n'est pas dans la logique des choses qu'un tel pôle de puissance ne fasse pas ce qui est nécessaire pour s'affranchir de cette dépendance.

Glossaire

Apollo : programme américain d'exploration de la Lune par des astronautes, décidé en 1961 par le président Kennedy.

Attitude : position d'un satellite par rapport à un système d'axes liés à la Terre, généralement la verticale et le nord géographique ; plus généralement, position d'un véhicule spatial par rapport à un système d'axes lié à des repères astronomiques pertinents (pour un trajet interplanétaire, la verticale terrestre ne convient pas) ; la plupart des engins spatiaux possèdent un système destiné à contrôler leur attitude et éventuellement leur orbite, l'AOCS, *Attitude and Orbit Control System.*.

Booster : mot anglais qui désigne généralement un propulseur d'appoint utilisé au décollage ; la Navette spatiale comporte deux boosters à poudre placés de part et d'autre du réservoir qui contient les ergols cryogéniques du moteur principal ; le lanceur Ariane 4 peut être équipé de deux ou quatre boosters à poudre ou à liquide, ce qui permet de couvrir une gamme étendue de performances.

CECLES/ELDO : Centre Européen pour la mise au point et la Construction de Lanceurs d'Engins Spatiaux/ *European Launcher Development Organisation,* organisation européenne créée en 1964 pour le développement d'une capacité européenne de lancement.

CERS/ESRO : Centre Européen de Recherche Spatiale/*European Space Research Organisation,* première organisation européenne de recherche spatiale créée en 1964 ; sa vocation initiale était purement scientifique.

CNES : Agence française de l'espace, créée en 1961.

Cryogénique : se dit des ergols liquides formés de gaz liquéfiés, généralement l'oxygène liquide et l'hydrogène liquide, et des moteurs ou des étages qui utilisent ces ergols ; le troisième étage d'Ariane 4 et le moteur principal de la Navette spatiale sont cryogéniques ; le terme cryotechnique, qui serait plus correct, est cependant rarement utilisé.

DoD : *Department of Defense,* ministère de la Défense américain créé en 1947.

Ergols : substance chimique utilisée pour alimenter le moteur d'une fusée. On distingue deux grandes catégories d'ergols, les ergols liquides et les ergols solides, encore appelés poudre. Les ergols liquides sont constitués d'un couple comburant – combustible dont le premier est un oxydant et le second un réducteur ; leur injection dans la chambre de combustion du moteur produit la réaction chimique qui génère les gaz de propulsion. Les ergols solides combinent les deux fonctions dans une même substance.

ESA : *European Space Agency,* Agence spatiale européenne créée en 1975 par la fusion de l'ESRO et de l'ELDO ; le sigle français ASE est rarement utilisé.

Eumetsat : *EUropean organisation for the exploitation of METeorological SATellites,* organisme intergouvernemental créé en 1986 pour mettre en place et exploiter les satellites météorologiques européens.

Eurospace : association d'industriels européens fondée en 1961 par le président d'Air liquide, Jean Delorme ; Eurospace, qui rassemble la plupart des industries européennes actives dans le domaine de l'espace, conduit des tâches de réflexion et sert de lieu de rencontre, de concertation et d'expression à ses membres.

Euroconsult : *Think tank* français qui s'est acquis une grande notoriété internationale dans le domaine de l'espace par ses études de stratégie et de prospective ; Euroconsult a développé une banque de données sur l'espace, Ecospace, qui est la plus complète qui soit accessible à l'échelle mondiale.

FCC : *Federal Communication Commission,* instance américaine de régulation des communications.

GEO : *Geostationary Earth Orbit,* voir LEO.

Géostationnaire : fixe par rapport à la Terre ; se dit d'une orbite particulière, l'orbite géostationnaire et par extension des véhicules spatiaux placés sur cette orbite, les satellites géostationnaires. L'orbite géostationnaire est une orbite circulaire située dans le plan de l'équateur à 36 000 km d'altitude. Un satellite placé sur cette orbite tourne à la même vitesse que la Terre ; sa longitude demeure donc constante, et sa latitude étant nulle, il demeure fixe pour un observateur terrestre.

Impulsion spécifique : paramètre qui caractérise la performance d'un moteur ; il se mesure en secondes et il est donné par la relation :

$$I_{SP} = \frac{F}{g \cdot q}$$

où F est la poussée en Newton, g l'accélération de la pesanteur et q le débit massique du moteur en kilogramme par seconde. L'impulsion spécifique est proportionnelle à la vitesse d'éjection des gaz ; elle est inversement proportionnelle, à poussée donnée, à la consommation massique du moteur et, pour une masse connue d'ergols embarqués, elle mesure donc la durée pendant laquelle le moteur pourra fonctionner.

Informationnel : qui a rapport à l'information et aux techniques qui la concernent (télécommunication, informatique).

Injection : phase ultime de la satellisation au cours de laquelle le lanceur, ayant atteint l'altitude requise, communique à sa charge utile la vitesse horizontale nécessaire à sa mise en orbite, puis la libère.

LEO : *Low Earth Orbit,* acronyme désignant les orbites circulaires basses utilisées par les satellites d'application par opposition à l'orbite géostationnaire GEO.

Météosat : programme de satellites météorologiques géostationnaires européens.

Module lunaire : ou LEM, *Lunar Excursion Module,* élément du système Apollo qui permettait à deux astronautes de se poser à la surface de la Lune, puis de la quitter pour rejoindre le véhicule de commande resté en orbite lunaire.

NASA : *National Aeronautics and Space Administration,* agence civile américaine de l'aéronautique et de l'espace fondée en 1958 par le président Eisenhower.

Navette spatiale : système d'accès à l'espace développé par les Etats-Unis ; il est constitué d'un avion spatial, l'orbiter, qui qui porte le moteur principal et qui héberge les astronautes ; l'orbiter revient sur Terre en vol plané et atterrit sur une piste à l'issue de sa mission en orbite basse ; sa mise en orbite est assurée par deux boosters à poudre, qui sont récupérés après leur chute dans l'océan, et par le moteur principal alimenté par des ergols cryogéniques contenus dans un réservoir extérieur qui est détruit après usage.

NOAA : *National Oceanic and Atmospheric Administration,* administration fédérale américaine créée en 1970, qui gère en particulier les satellites météorologiques civils américains.

NSTC : *National Science and Technology Council,* conseil institué par la Maison-Blanche, en 1993.

OMB : *Office of Management and Budget,* bureau de la gestion et du budget de la Maison-Blanche créé en 1970.

Orbiter : voir Navette spatiale.

Spacelab : laboratoire orbital développé par l'ESA dans le cadre d'une coopération avec la NASA ; il est conçu pour être embarqué dans la soute de l'orbiter de la Navette spatiale.

SPOT : Satellite Pour l'Observation de la Terre, programme de satellites de télédétection conduit par la France en collaboration avec la Belgique et la Suède engagé en 1978.

SSTO : *Single Stage To Orbit,* désigne un concept futuriste de lanceur mono-étage réutilisable, susceptible de placer une charge utile en orbite basse et de revenir se poser sur la Terre.

Terraforming : transformation que l'homme ferait subir à une planète pour la rendre semblable à la Terre et par conséquent habitable, ce que n'est aucune des planètes du système solaire.

Terrien : se dit des éléments d'un système spatial, stations de réception ou de contrôle, qui sont placés à la surface de la Terre ; on parle ainsi de secteur terrien par opposition au secteur spatial formé des satellites

Think tank : littéralement, réservoir de pensée ou de réflexion ; désigne des groupes de spécialistes de la prospective et de l'analyse de la conjoncture dont le DoD a fait un large usage ; la *Rand Corporation* est l'un des plus connus.

Transpondeur : anglicisme *(transponder)*, le terme français plus correct est répéteur ; partie d'un satellite de télécommunications qui assure la réception du signal envoyé par une station terrienne, son amplification est sa réémission vers la Terre après changement de fréquence.

V2 : *Vergeltungswaffen,* arme de vengeance ; le V2 est le premier engin balistique ; il fut développé par l'équipe de von Braun, alors officier de la Waffen SS, sur la base secrète de Peenemünde et construit dans l'usine souterraine de Dora par des déportés ; utilisé contre Londres et Anvers, il fit de nombreuses victimes civils, mais sa construction coûta encore plus de vies humaines parmi la population concentrationnaire.

Notes bibliographiques

PRÉAMBULE

1. GROUARD Serge, *La Guerre en orbite, Essai de politique et de stratégie spatiales,* Economica, Paris, 1994.

2. LEBEAU André, « Plaidoyer pour l'Espace », *La Recherche,* vol. 4, n° 36, p. 626-630, Société d'éditions scientifiques, Paris, 1973.

3. LECOURT Dominique, WISMANN Heinz, « Le paradoxe du choix rationnel », *L'Homme dans l'espace,* p. 295-303, Presses universitaires de France, Paris, 1993.

4. BLAMONT Jacques, *Le Chiffre et le Songe, Histoire politique de la découverte,* Editions Odile Jacob, Paris, 1993.

5. NEUFELD Michael J., *The Rocket and the Reich, Peenemünde and the Coming of the Ballistic Missile Era,* The Free Press, New York, 1995.

ESPACE ET EVOLUTION TECHNOLOGIQUE

1. GREY Jerry, *Entreprise*, William Morrow, New York, 1979.

2. COHENDET Patrick, LEBEAU André, *Choix stratégiques et grands programmes civils,* Economica, Paris, 1987.

3. NASA, *America's Next Decade in Space,* A report for the President's Space Task Group, Septembre 1969.

4. LOGDSON John, « The Decision to Develop the Space Shuttle », *Space Policy,* mai 1986.

5. MORGENSTERN Oskar, HEISS Klaus P., *Economic Analysis of the Space Shuttle System,* Contract NASW-2081, 1972.

6. VAUGHAN Diane, *The Challenger Launch Decision, Risky*

Technology, Culture and Deviance at NASA, The University of Chicago Press, Chicago and London, 1996.

7. GREY Jerry, *op. cit.*

8. USUNIER Pierre, « Les lanceurs de demain », *Aéronautique et Astronautique*, n° 3, p. 7-14, Dunod, Paris, 1993.

9. GIGET Marc, VILLAIN Rachel, BELLIN Sylvie, *Les Retombées et effets d'entraînement des technologies spatiales, Mythes et réalités,* Ministère délégué à La Poste, aux Télécommunications et à l'Espace, Paris, 1996.

10. MUELLER George, « An Integrated Space Programme for the Next Generation », *Aeronautics and Astronautics,* mars 1969.

11. CENDRAL Jean, REIBALDI Giuseppe, SPOTO François, « La plate-forme polaire européenne et la mission Envisat-1 », *Aéronautique et Astronautique,* n° 1, p. 45-57, Dunod, Paris, 1995.

12. CASTEL Frederic, « Smaller Companies Struggle To Maintain Space Market Share », *Space News,* vol. 9, n° 14, p. 8 et 12, 1998.

13. BLAMONT Jacques Emile, « Une nouvelle conception de la politique spatiale », *Aéronautique et Astronautique,* n° 5, p. 4-10, Dunod, Paris, 1996.

ENJEUX

1. PELLEGRIN Marc, « La navigation par satellites : présent et avenir », *Aéronautique et Astronautique,* n° 1, Dunod, Paris, 1996.

2. SPARTACUS Colonel, *Opération Manta, les documents secrets, Tchad 1983-1984,* Plon, Paris, 1985.

3. VELIKHOV Yevgeni, SAGDEEV Roald, KOKOSHIN Andreï, *Weaponry in space. The dilemma of security,* Mir Pub., Moscou, 1987.

4. BONNET Roger M., *Les Horizons chimériques,* Dunod, Paris, 1992.

5. « Scientific Results of the VIKING Project », Reprinted from the *Journal of Geophysical Research*, American Geophysical Union, Washington D.C.

6. ELGRA's « Grand Jury » chaired by I. PRIGOGINE,

European Low Gravity Physical Sciences in Retrospect and Prospect, Assessment and Peer Evaluation Organised by the European Low-Gravity Research Association, Paris, septembre 1995.

7. Observatoire français des techniques avancées, *Les Applications industrielles de la microgravité, Rapport de synthèse du groupe Microgravité,* Paris, mars 1986.

8. SHAPIRO I.I. *et al,* « The Viking Relativity Experiment », *Journal of Geophysical Research,* vol. 82, n° 28, American Geophysical Union, Washington, 1977.

9. BONNEVILLE Richard, *GeoSTEP, Geodesy Experiment in Space & Satellite Test of the Equivalence Principle,* Document CNES, Paris, 1995.

10. ID., « Physique fondamentale et recherche spatiale », *Aéronautique et Astronautique,* n° 5, Dunod, Paris, 1996.

11. *LISA, Laser Interferometer Space Antenna for the detection and observation of gravitaational waves,* Pre-phase A Report, European Space Agency, 1995.

12. GEHRELS T., SUOMI V.E., Krauss R.J., « The Capabilities of the Spin-Scan Imaging Technique », *Space Research XII,* Proceedings of the 14th Plenary Meeting, p. 1765-1769, Akademie Verlag, Berlin, 1971.

13. FERSTER Warren, « Private Spacecraft Imagery Evolves as Treaty Tool », *Space News,* vol. 8, n° 40, p. 18, Springfield, 1997.

14. ARRHENIUS Svante, *L'Evolution des mondes,* Béranger Ed, Paris, 1910.

15. REVELLE Roger et SUESS Hans E., « Carbon Dioxide Exchange Between Atmosphere an Ocean and the Question of an Increase of Atmospheric CO_2 during the past Decades », *Tellus,* IX, 1, 1957.

16. KENNEDY John Fitzgerald, Presidential Statement, « Policy Statement on Communications Satellite », 24 juillet 1961.

17. « Communications Satellite Act of 1962 », US Congress, Public Law, 87-624, 31 août 1962.

18. EDELSON Burton I., « The Experimental Years », in *The INTELSAT Global Satellite System,* Progress in Astronautics and Aeronautics, vol. 93, p. 39-53, American Institute of Aeronautics and Astronautics, New York, 1984.

19. CLARKE Arthur, *Ascent to Orbit, a Scientific Autobiography*, John Wiley and Sons, New York, 1984.

20. COURSEILLE O., FOURNIE P., « Worldspace : le premier service mondial de radiodiffusion sonore numérique par satellite », *Revue des télécommunications d'Alcatel,* p. 102-107, 2e trimestre 1997.

21. BERTHO Catherine, *Télégraphes et téléphones, de Valmy au microprocesseur,* Le Livre de poche, Paris, 1981.

22. SORRE H., SOURISSE P. « Skybridge : un système d'accès à large bande utilisant une constellation de satellites en orbite basse », *Revue des télécommunications d'Alcatel,* p. 91-96, 2e trimestre 1997.

23. MUELLER George, « Space : The Future of Mankind », *Spaceflight*, mars 1985.

24. O'NEILL Gerard, *The High Frontier : Human Colonies in Space,* William Morow, New York, 1976.

25. « Firing Test Report : Jupiter C Missile RS-27, 20 September 1956 », Army Ballistic Missile Agency, Redstone Arsenal, Alabama, 1959.

26. LOGDSON John M., « Selecting the Way to the Moon : The Choice of the Lunar Orbital Rendez-vous Mode », *Aerospace Historian,* Juin 1971.

27. DYSON Freeman, *Imagined Worlds,* Harvard University Press, Cambridge, 1997.

28. FLETCHER James, *Memorandum adressé à plusieurs personnalités politiques*, NASA History Office, Washington, 1971 (cité par Xavier PASCO, *op. cit.*).

29. ID., *Memorandum for the Record, Meeting With the president on January 5, 1972,* NASA History Office, Washington DC (cité par Xavier PASCO, *op. cit.*).

30. KISSINGER Henry, *Memorandum de Henry Kissenger à Peter Flanigan,* Nixon Presidential Material Project, Alexandrie, Va, 22 octobre 1970.

31. JOHNSON U. Alexis, *Memorandum de U. Alexis Johnson à Henry Kissinger,* Nixon Presidential Material Project, Alexandrie, Va, 1er décembre 1970.

32. BEARDSLEY Tim, « Science in the Sky », *Scientific American,* juin 1996.

33. Comité de la recherche spatiale, *Rapport de l'Académie des sciences sur la recherche et la politique spatiale dans les prochaines décennies,* Paris, mars 1988.

34. « Making the most of JEM », *Space News,*vol. 8, n° 40, p. 12, 1997.

35. ZUBRIN Robert, *The Case for Mars, The Plan to Settle the Red Planet and Why We Must,* The Free Press, London, 1996.

36. TURNER Frederick Jackson, *The Frontier in American History,* H.Holt & Co, New York, 1920.

37. KAY W.D., *Can Democracies Fly in Space ?* Praeger Publishers, Westport, London, 1995.

POLITIQUE SPATIALE

1. ALLISON Graham, *Essence of Decision, Explaining the Cuban Missile Crisis,* Glenview, Scott, Foresman and Company, London, 1971 (cité par Xavier PASCO, *op. cit.*).

2. LOGSDON John M., « Is There a US Strategy for Space ? », *Space News,* vol. 8, n° 35, Springfield, 1997.

3. PASCO Xavier, *La Politique spatiale des Etats-Unis, 1958-1995, Technologie, intérêt national et débat public,* L'Harmattan, Paris, 1997.

4. *National Aeronautics and Space Act,* Public Law 85-568, 85th Congress, H.R. 12575 [72 Stat. 426], Section 201, 29 juillet 1958.

5. FRUTKIN Arnold W., *International Cooperation in Space,* Prentice-Hall, Englewoods Cliffs, 1965.

6. The White House, *National Science and Technology Council, National Space Policy,* Wahington, 19 septembre 1996.

7. McCURDY Howard E., *Space and the American Imaginaation,* Smithsonian Institution Press, Washington, 1997.

8. President Scientific Advisory Committee, *Introduction to Outer Space,* Washington, 1958.

9. LOGSDON John M., *The decision to Go to the Moon : Project and the National Interest,* University of Chicago Press, Chicago, 1970.

10. LOGSDON John M., « Why Has the Station Survived ? », *Space News,* vol. 9, n° 1, Springfield, 1998.

11. GOLDIN Daniel, « Propos recueillis par Jean-Paul Dufour », *Le Monde,* 14 novembre 1997.

12. FERSTER Warren, « Private Spacecraft Imagery Evolves as Treaty Tool », *Space News,* vol. 8, n° 40, Springfield, 1997.

13. Eurospace Technology Panel, *Eurospace Recommandations to ESA, EU and Other European Space Institutions for R&D Actions in Critical Space Technology Areas,* Eurospace, Paris, 1998.

14. RUSSO Arthuro, *Big technology, Little Science, The European Use of Spacelab,* HSR-19, European Space Agency, Noordwijk, 1997.

15. The White House, *Office of Science and Technology Policy, National Space Transportation Policy,* Washington, 1994.

ESPACE ET DÉMOCRATIE

1. KAY W.D. *op. cit.*

2. LESGARDS Roger, *Conquête spatiale et démocratie,* Presse de Sciences Po, Paris, 1998.

3. LORIDANT Paul, *La Politique spatiale française et européenne,* Tome I *Conclusions du rapporteur,* Tome II *Contribution des experts,* Economica, Paris, 1993.

4. DESAMA Claude, *L'Union européenne et l'espace : promouvoir les applications, les marchés et la compétitivité de l'industrie,* Commission de la recherche, du développement technologique et de l'énergie, Rapport sur la communication de la Commission au Conseil et au Parlement européen, Bruxelles, 1997.

5. BAKKER C.J., « CERN as an Institute for International Cooperation », *Bulletin of the Atomic Scientists,* vol. 16, n° 2, p. 57, 1960.

6. SALOMON Jean-Jacques, *Science et politique*, Economica, Paris, 1989.

Table des matières

Cet ouvrage a été composé par
I.G.S. - Charente Photogravure à L'Isle-d'Espagnac

IMPRIMÉ EN FRANCE PAR HÉRISSEY
27000 ÉVREUX.
N° dépôt légal : 1537-10-1998 – N° d'imprimeur : 81701
23-5347-2 – ISBN : 2-01-235347-9